CW00971090

Les collaborateurs
1940-1945

Pascal Ory

Les collaborateurs
1940-1945

Éditions du Seuil

EN COUVERTURE :
Philippe Henriot parle au casino de Vichy.
Photo Keystone.

ISBN 2-02-005427-2
(ISBN 2-02-004585-0 1re publication)
(ISBN 2-245-00-854-5 Le Club pour vous - Hachette)

Préface à l'édition de 1980
où l'auteur, innocemment, dit " je "

Je me souviens... Les grands et gros volumes étaient remisés dans la zone la plus obscure, la moins accessible de la salle des Archives. Tout le XXe siècle français s'étageait là, en rang serré, papier jauni et typographie austère. Ou du moins un certain regard sur le siècle, entre affaire Dreyfus et guerre d'Algérie; toujours bon à prendre. Mon père, journaliste depuis toujours dans ce grand quotidien régional, m'en avait un jour ouvert la porte, et j'avais fait de cette caverne apparemment silencieuse et hors du temps, en fait tonitruante d'histoire, comme une pièce supplémentaire de notre appartement, une classe annexe de mon lycée. Je devais avoir douze ans. Lourds à porter, ces in-folio, et quelle poussière je soulevais en les ouvrant, mais aussi quelle prodigieuse initiation cryptique !

Un jour, j'ouvris le volume Juin 1940, *avec dans le cervelet une voix de 18-Juin, quelques images d'exode, un bruit de bottes sur le pavé. Premier choc : les blancs de la censure qui, jour après jour, montent à l'assaut des titres optimistes de la première page. Deuxième invention, inoubliable : tourner une feuille, vers le milieu du volume, constater un arrêt de parution de quelques jours, au vu de la date en manchette — mais le journal d'avant et le journal d'après sont bien là, reliés l'un à l'autre par le fil, la colle, le carton, toute la continuité organique d'une nation —, vérifier que, pour le reste, on lit bien la même typographie, la même mise en pages, le même nom de directeur, les mêmes signatures, et en prime plus de blancs. Tout est en ordre, quoiqu'un peu restreint encore. Quelque chose d'un recueillement juste gris. Au centre de la première page trône toujours le communiqué militaire. Il a simplement changé d'épithète; il n'est plus « français », il est « allemand ».*

Il ne me restait plus qu'à rencontrer, quelques années plus tard, le destin trouble de Robert Brasillach, ce jeune intellectuel monté de sa province dans le Paris des Grandes Écoles, de la Culture et de la Politique, mon semblable, mon frère, qui terminait dans la peau d'un tueur stylographique et d'un fusillé pour l'exemple.

Désormais ne s'éteindrait plus en moi cette interrogation en forme d'inquiétude sur Vichy comme non pas crime établi mais équivoque établie, et sur le collaborationnisme, avant-garde consciente, sinon organisée, de ce nouvel Ordre Moral, sorte de révélateur des virtualités profondes du consensus de juillet 1940. De cette inquiétude et de la confiance d'un directeur de collection naquit l'ouvrage que vous lirez un peu plus loin, étranger donc a priori *à tout effet de mode mais que sa date de parution fit participer, bon gré mal gré, au mouvement général.*

Et voilà qu'une deuxième vie lui est offerte par l'édition de poche, que trois années sont passées et que le rétro des premières années 1970 est insensiblement devenu prescience de toute une fin-de-siècle, la fascination pour les Années Noires, métaphore d'une certaine crise grise de l'Occident.

*Bien troublantes, ces trois années. Au lieu du reflux périodiquement pronostiqué, voici que notre pays n'aura cessé de rebondir d'une « affaire » à l'autre, d'un professeur de lettres lyonnais à un professeur de médecine parisien, de Darquier de Pellepoix à Alfred Fabre-Luce, d'*Holocauste *à la Nouvelle Droite. Des séries, cinématographiques ou littéraires, se sont instaurées. Au* Chagrin et la Pitié *avait succédé* Français, si vous saviez; *vinrent* Chantons sous l'occupation *ou* Juifs et Français. *Une noble maison d'édition, après des* Cahiers André Gide, *se mettait à publier des* Cahiers Céline. *Les seuls Drieu La Rochelle et Maurice Sachs, parangons du sadomasochisme intellectuel, suscitaient chacun en moins d'une année plusieurs essais biographiques et maints dossiers de presse. Les survivants encore muets s'engouffraient par la brèche éditoriale ouverte par Christian de La Mazière, et nous donnaient qui des mémoires militants (Victor Barthélémy), qui des souvenirs distanciés (Lucien Combelle). Marie Chaix avait inauguré la littérature rétro-familiale, Pascal Jardin* (le Nain jaune, *1978*) *et Jean-Luc Maxence* (l'Ombre d'un père, *1978*) *lui emboîtaient le pas.*

Parler de mode n'avait plus guère de sens, même si, dans la foulée, la haute couture versait dans la basse époque et le comique troupier se refaisait une pinte de bon sang à coup de 7e Compagnie en débandade et de Führer en folie. C'était désormais l'évidence : toute la décennie allait y passer; et la configuration du mouvement devenait tout autre. Celle d'un vaste règlement de compte historique — la France de 1945 avait eu son épuration, celle de 1975 avait son apurement — au travers duquel, par-delà tous les faux-semblants, était posée une série de questions fondamentales à l'adresse de notre propre communauté :

— la spécificité du phénomène vichyssois, la France ayant été le seul pays occupé à n'avoir eu ni gauleiter, ni Quisling, mais un gouvernement légal, investi d'un large assentiment;

— le racisme ordinaire, vécu ici non dans l'atrocité d'un lynchage mais dans l'horreur d'un silence, celui qui environna la publication des statuts antisémites de 1940 et 1941 ou la Rafle de 1942, silence du « petit peuple » comme des « grands corps » — à commencer par l'Université française;

— la généalogie d'un darwinisme social renaissant, dont on découvrait petit à petit qu'il avait de brillantes lettres de noblesse autochtones, entre Gustave Le Bon et Georges Vacher de Lapouge, étouffées un temps par l'hégémonie culturelle du rationalisme libéral.

Il n'était dès lors plus possible d'interpréter le phénomène comme une impure et simple machination de la bourgeoisie new-look, décidée à passer l'éponge sur un passé ambigu et comme acharnée à laver le cerveau des classes populaires de toute mémoire de ses luttes (interprétation Cahiers du cinéma — Michel Foucault, 1974). Non que certains signes n'aillent en ce sens, telle l'abolition de la célébration officielle du 8-Mai. Mais il était patent qu'on n'avait pas attendu 1970 pour ne pas parler de la Commune ou du groupe Manouchian, qu'au contraire, même, ces années de rétrospective généralisée étendaient peu à peu leur relecture à tous les pans cachés de l'historiographie officielle, des Camisards (René Allio, 1972) à l'Affiche rouge (Franck Cassenti, 1976); que le Grand Retour troublait autant les esprits à droite qu'à gauche, comme en témoignait la réticence de la télévision française à projeter Holocauste ou le Chagrin et la Pitié; enfin, que les larges masses n'avaient peut-être pas, à vrai dire, trop-plein de mémoire combattante sur la période 1940. Quand l'accusation de machiavélisme se réduit à simple soupçon de récupération, la question qui se voudrait gênante n'est plus à poser à l'émetteur mais à l'auditeur complaisant.

Toujours perplexe, l'historien s'essaie alors à d'autres hypothèses, étant bien entendu que son problème n'est pas de découvrir une vérité mais de cerner une réalité, un vécu.

Je ne m'attarderai pas sur la première, à laquelle il était fait allusion dans le chapitre qui suit. Il est certain que la France, maintenue une dizaine d'années durant — celles de la présidence gaullienne — dans une atmosphère d'imagerie héroïsante, était de tous les pays européens concernés celui qui avait le plus de retard mythologique à rattraper et qu'avoir engendré en l'espace de vingt-quatre heures deux mythes aussi forts, aussi extrêmes, par-delà les ressemblances qu'on s'est plu très tôt à leur reconnaître, que ceux du Pétain-du-17-juin et du de-Gaulle-du-18 ne prédisposait pas à des réveils en douceur. Mais la question ainsi posée pourrait bien, par plus d'un trait, dépasser nos frontières. Elle renvoie en effet à un problème plus vaste, celui de cette sorte d'économie culturelle des sociétés – du moins les modernes –, qui veut que, passé un délai plus ou moins long, mais apparemment de plus en plus court au fur et à mesure que croît en efficacité la quincaillerie communicatrice, une génération remette en lumière, et par là même en valeur et en question, une époque révolue. Les renaissants se refaisaient une Antiquité, les romantiques un Moyen Age, les nouveau-siècle un Age baroque, les néo-industriels un Art nouveau : il nous restait le trente-et-quarante.

Aller plus loin dans cette enquête supposerait que nous ayons à notre disposition une véritable histoire culturelle de la société moderne — entendons par là une histoire de ses représentations, de ce qui les constitue et de ce qui les institue, dans les profondeurs et sur la longue durée, pas seulement une histoire des superficies, celles-ci fussent-elles nommées Charles de Gaulle, Jean-Paul Sartre ou Pablo Picasso. Or tout ou presque reste à faire en matière d'histoire des goûts, des modes ou des vies posthumes, des débats intellectuels ou des médias. Contentons-nous de poser le jalon.

Il y a bien d'autres perspectives. Certaines sont particulièrement typiques de ces temps d'après-Mai. Ainsi doit-on tenir compte de l'essor récent d'une conception culturaliste de l'histoire humaine, qui peut conduire à privilégier la dimension ethnique de l'individu, éventuellement à exalter le réenracinement traditionnel, avec, pour notre propos, ces deux conséquences, opposées et pourtant solidaires : une interrogation renouvelée de la communauté juive française sur elle-même et une interrogation de la France sur son propre antisémitisme, d'une part ; l'émergence d'une idéologie culturaliste inégalitaire, de l'autre.

Dans le même ordre d'idées se situera toute interprétation en termes de Crise. On devine qu'elle tient dans cette coïncidence, avec des airs de convergence, entre la constante réactivation du débat sur les Années Noires et notre installation progressive dans la morosité économique et culturelle du troisième tiers du siècle. Crise de l'idéologie dominante marxiste et crise de l'économie dominante libérale, malaise social générateur de fantasmes aux conséquences pratiques imprévisibles. A ce stade la propension rétrospective devient, plus sérieusement qu'on ne pouvait le supposer intuitivement avant 1973, composante privilégiée d'une sorte de nouvel esprit fin-de-siècle.

Qu'on n'attende pas de moi ici la synthèse de toutes ces données. Heureux serais-je si j'ai contribué à ouvrir un plus large débat, débarrassé de quelques faux problèmes, au risque d'en créer de nouveaux. Qu'on me permette seulement de verser une dernière pièce à ce dossier théorique, une pièce dont je souhaite que le ton subjectif et passionné ne conduise pas à la remiser dans une zone obscure, peu accessible, de la grande salle des Archives. Elle concerne ma génération, celle de ceux qui « n'ont pas connu ça, jeune homme », mais qui, le temps passant, finiront bien par constituer le public exclusif de ce débat, à supposer qu'il se poursuive, celle qui s'est bousculé aux projections des films de Harris et Sédouy et s'est retrouvée, si peu que ce fût, dans la littérature fébrile d'un Patrick Modiano, celle qui assaille ses parents de questions parfois véhémentes. Comment ne pas voir qu'au-delà du bien-connu meurtre du Père ou du Grand-père il y a dans notre fascination répulsive pour cette époque — « nous avons couché avec l'Allemagne », disait en un tout autre lieu mais sur le même ton Robert Brasillach — la nostalgie d'un monde enfin grave, d'un temps moral, d'un temps de valeurs? Ignorant dans sa chair et dans son esprit l'expérience quotidienne de l'ignominie de première grandeur (Vichy) ou de celle de seconde seulement (les guerres coloniales), épanouie par l'effondrement des absolus mais découvrant peu à peu sous ses pas l'abîme du relativisme, ma génération a trouvé là-bas une société où tout, soudain, qu'on le veuille ou non, s'était mis à valoir, et cher — un simple article en première page d'un hebdomadaire bien parisien, un simple défilé d'étudiants devant des SS qui n'étaient pas des CRS. En un certain sens, elle n'en est pas tout à fait «revenue».

Je me suis ici bien avancé au pays des jugements de valeur, contrée à l'historien de métier. Je ne sache pas cependant qu'il y ait de honte à avouer qu'on a décidé d'écrire un livre d'histoire sous le coup d'une violente nécessité morale. On devine qu'il en est, en fait, souvent ainsi. On aimerait que ce le fût toujours.

1

Comme le temps passe

> Du reste, depuis quelques années, toutes sortes de réminiscences et d'archaïsmes venaient pimenter les plaisirs populaires.
>
> PIERRE DRIEU LA ROCHELLE *

Les morts sont, de nos jours, une espèce en voie d'extinction. Redécouverte, réhabilitation, « rétro » : avec le temps, les époques révolues émergent derechef au niveau de la conscience collective, sans plus entraîner les exclusions symétriques de jadis.

La « collaboration » franco-allemande de la Seconde Guerre mondiale appartint quelque temps aux sujets tabous. Un procureur farouche avait parlé de *Quatre années à rayer de notre histoire*, et l'idéologie dominante s'entendait à renvoyer à une nation en pleine reconstruction économique et culturelle l'image réconfortante d'un peuple uni dans ses profondeurs autour d'une commune hostilité à l'Allemand et au régime fantoche de Vichy. Les partisans affichés de la collaboration avec l'occupant, les « collabos », n'avaient jamais été que « quelques douzaines de Français démunis de sens national, de fierté ou d'argent [1] ». Les médias de masse ne se souvenaient plus que de l'héroïsme des résistants de tout style et paraissaient oublier que les maquisards de 1944 avaient d'abord eu à se battre contre d'autres Français.

L'ambiguïté gênante de Vichy, seul régime de l'Europe occupée à s'être installé avec l'aveu des garants de la légalité politique, ainsi que le retour au pouvoir du général de Gaulle retardèrent sans doute

* *Défense de sortir*, anticipation des temps futurs, in *Écrits de jeunesse*, Paris, Gallimard, 1941, p. 277.

1. A. Frossard, *Histoire paradoxale de la IVe République*, Paris, Grasset, 1952, p. 52.

la remise en cause de cette vision toute d'hagiographies et de réquisitoires. Celle-ci s'amorçait cependant au crépuscule de la IVe République, et s'épanouit à celui du pouvoir gaullien, sur le double plan du mythe et de l'information à prétention scientifique.

Cette dernière s'était d'abord en majeure partie limitée à quelques biographies rapides, destinées à défendre auprès de quelques fidèles des mémoires discréditées, de Laval à Déat, de Brasillach à Brinon, et diffusées par divers petits éditeurs spécialisés et confidentiels [1]. Au fur et à mesure que s'éteignait l'écho des pelotons d'exécution, le travail de réhabilitation systématique put se poursuivre au grand jour, chaque réseau ayant tendance à rejeter toujours plus loin le crime suprême de « trahison », dans une constante escalade partie des soutiens les plus modérés du pouvoir vichyssois pour aboutir aux nationaux-socialistes convaincus.

A la fin des années soixante, le moment parut venu aux historiens de profession de dire un peu leur mot sur un sujet jusque-là abandonné aux témoins et aux essayistes. Le pétainisme modéré de l'*Histoire de Vichy*, signée dès 1954 par Robert Aron, la rendait peu apte à s'ouvrir aux questions spécifiques de la collaboration; après quinze ans, sa documentation comme ses partis pris commençaient à dater. Ainsi qu'à son ordinaire, l'Université française suivit avec quelque retard, mais elle a paru remonter avec rapidité son handicap, grâce en particulier aux enquêtes, colloques et publications suscités ou accueillis par le Comité d'histoire de la Deuxième Guerre mondiale, lui-même significativement passé de la considération prioritaire de la Résistance et des opérations armées à celle de l'occupant et des idéologies. L'émulation créée par une historiographie étrangère, et particulièrement anglo-saxonne, symbolisée pour le grand public par le livre de Robert O. Paxton sur *la France de Vichy* [2], n'est sans doute pas étrangère à ce mouvement récent, mais on ne peut pas non plus l'isoler du grand déploiement mythique qui lui est contemporain.

L'histoire écrit sans doute droit avec des lignes courbes : au moment où des chercheurs sans complexes descendaient chaque jour plus profond dans l'obscurité des « Sections spéciales » (Hervé Villeré) ou des gestapistes français (Philippe Aziz), c'est au cœur même du

1. On en trouvera une sélection dans l'orientation bibliographique en fin de volume.
2. Paris, Éd. du Seuil, 1973; rééd. en 1974 dans la collection « Points ».

propos intelligemment démystificateur de Marcel Ophüls, d'André Harris et d'Alain de Sédouy [1] que se faisait en France le passage public au mythe, quand s'incarna en quelques soldats perdus l'image superposée du « salaud » intégral et du héros fatigué. Tout était en place pour que la légende noire s'épanouît au grand jour, pour que, dépassant le stade global auquel la maintenaient encore les derniers interdits, elle accédât enfin à l'épaisseur du tissu social français : dramatisation — que le spectacle s'emparât de ces images pour en assurer la représentation — et prise en charge, relais par une nouvelle génération, postérieure aux dernières guerres (coloniales), moins témoin que public et par là même plus libre d'y investir ses propres fantasmes, sous le regard soudain fasciné de ses aînés. Pendant que Brasillach, Drieu et Céline sortaient de leur purgatoire — le dernier des trois, révolutionnaire du langage et révolté hitlérien, symbole à lui seul de toutes les ambiguïtés de ce mouvement de réhabilitation —, une nouvelle génération d'écrivains, à des degrés divers « enfants de la collaboration » (Marie Chaix) ou de la persécution (Patrick Modiano), s'emparait enfin de cette vaste mine à images. Réalisé par un aîné sur le scénario d'un cadet, le film *Lacombe Lucien* (1974), à la convergence exacte de ces divers courants, suscita d'abondants commentaires.

Alentour, le public réservait un accueil désormais favorable aux études approximatives et nostalgiques des orphelins du nationalisme, aux mémoires des « rêveurs casqués », aux titres lucifériens de leurs gestes romancées : *les Inciviques, les Hérétiques, les Maudits*... Svastikas, runes noires de la SS, gamma de la Milice française fleurissaient sur les couvertures des revues de vulgarisation historique, et la même intelligentsia qui avait contribué à démystifier le résistancialisme établi s'attachait en réaction à dénoncer l'équivoque de ce rétro satanique, cherchant sous lui les signes irrécusables du malaise final de la société occidentale. Dans le bruit et la fureur, entre ces légendaires contrastés et les textes d'histoire cryptique où tout n'est plus que rumeur, complot et fond secret, c'était justement la troisième dimension, sociale, du phénomène qui était parfois perdue de vue.

C'est à cette approche de la « France allemande » que nous nous

1. *Le Chagrin et la Pitié* (Ophüls, Harris et Sédouy, 1971), *Français, si vous saviez* (Harris et Sédouy, 1973).

sommes attachés ici. Non à la collaboration, qui a déjà fait l'objet de mises au point d'une grande clarté, mais aux collaborateurs. Non à la diachronie déjà bien connue des événements, mais aux *itinéraires* qui ont conduit au collaborationnisme et à ceux qui l'ont conduit.

— Nous venons de prononcer le mot de « collaborationnisme ». Il sonne mal, mais il a bien des avantages. Principalement, celui de restreindre l'ambiguïté du terme accoutumé de « collaborateur ». A la limite, tout Français resté sur un territoire occupé par l'armée allemande ou dépendant de son bon vouloir a, à quelque degré, « collaboré » avec elle. Le gouvernement de Vichy, le monde des affaires ne nous intéresseront ici que dans la mesure où ils nous permettront de définir le cadre économique et institutionnel dans lequel s'est inscrit le phénomène culturel de la collaboration d'idéologie.

Nous avons été aidés dans cette tâche par les travaux historiques en cours, désormais nombreux, et, pour les quelques données quantitatives, par l'enquête du Comité d'histoire, à laquelle participent actuellement auprès des archives départementales la plupart de ses cent cinquante-six correspondants locaux. Sur ce dernier point comme sur beaucoup d'autres cependant, l'heure des synthèses n'a pas encore sonné. L'étude qui va suivre, si elle se veut un approfondissement des mises au point générales qui l'ont précédée, n'est jamais que l'introduction à une authentique histoire sociale de la collaboration, encore impossible à l'heure actuelle.

2

Leur avant-guerre

Préhistoire de la collaboration

Paul Ferdonnet - représentant de la presse nationale française - propriétaire en Lot-et-Garonne - Berlin *

Si le collaborationnisme ne fut pas une génération spontanée, il n'est pas non plus nécessaire, pour en rendre compte, de lui appliquer la théorie du complot appelée, inévitablement, à fleurir à la Libération comme une résurgence du mythe de la « cinquième colonne ». L'entreprise de subversion hitlérienne en France est aujourd'hui connue, mais elle n'est compréhensible que si l'on sait distinguer le terrain initial, germanophile et « européen », l'appel plus ou moins conscient de certains milieux politiques français cédant petit à petit à la tentation fasciste, enfin l'affirmation de plus en plus crispée d'un ultrapacifisme bientôt prêt à toutes les concessions.

Germanophiles et stipendiés

L'idéologie de la Revanche a laissé dans la France de l'entre-deux-guerres encore trop de marques pour que la germanophilie affichée y ait été autre chose qu'une attitude individuelle, souvent intellectuelle, écho lointain de la mode wagnérienne des années quatre-vingt-dix, relayée par la découverte fiévreuse du nietzschéisme, tout au plus provocatrice, comme dans le cas de « Herr Graf » Thierry de Ludre, aristocrate lorrain, entiché des « charmants hommes d'État du Reich, si désireux d'un rapprochement sincère avec nous ». On n'aura cependant garde d'oublier que, dès ses origines, la république de Weimar a su renouer des liens plus ou moins discrets,

* Carte de visite dudit, d'après Pierre Lazareff, *De Munich à Vichy*, New York, Brentano's, 1944, p. 75.

et parfois vénaux, avec tout un monde « bien parisien » de la tribune, de la presse ou du barreau, depuis le brillant Joseph Caillaux jusqu'au discret Me Grégoire, ancien combattant de l'armée allemande, avocat de l'ambassade d'Allemagne tout autant que de la future duchesse de Windsor, et qu'on retrouve sans surprise parmi les inspirateurs du mouvement franciste de Marcel Bucard [1].

Plus vivace, car nourrie des traumatismes de la « der des der », la conviction du nécessaire rapprochement franco-allemand comme matrice d'une future Europe fédérale anime vers 1930 deux secteurs de l'opinion contrastés mais complémentaires, une bonne partie des anciens combattants et plusieurs « jeunes », bien décidés à ne pas remettre le doigt dans l'engrenage d'un conflit avilissant. Parmi les premiers, un Georges Scapini (1889 *), grand aveugle de guerre, sera même radié des Croix-de-Feu pour ses relations trop fraternelles avec ses camarades de combat d'en face. En 1931, le vieux Gustave Hervé, ancien apologiste de la bande à Bonnot reconverti dans le chauvinisme à outrance en 1914, titre l'un de ses ouvrages *France Allemagne, la Réconciliation ou la Guerre*. Parmi les seconds, un jeune-turc de sympathies radicales, Jean Luchaire, dix-sept ans à l'armistice, se veut le porte-parole d'*Une génération réaliste* (1929), et n'hésite pas à mettre son mensuel *Notre temps* — auquel collaborent, entre autres célébrités futures, Bertrand de Jouvenel et Pierre Brossolette —, contre espèces sonnantes, au service d'Aristide Briand puis, l'habitude une fois prise, à celui du Quai d'Orsay dans sa continuité. A l'été 1930, au Sohlberg, en Forêt-Noire, se noue la première grande rencontre des deux jeunesses. De l'autre côté du Rhin, un jeune enseignant démocrate, Otto Abetz (1903), sert d'interlocuteur à Luchaire et à son ami Guy Crouzet. En Allemagne le Sohlbergkreis, en France le Comité d'entente de la jeunesse française pour le rapprochement franco-allemand, dont le secrétaire général est un autre ami d'Abetz, israélite et socialiste de gauche, André Weil-Curiel (1910), cherchent à perpétuer ces retrouvailles.

Dix ans après le Sohlberg, un Luchaire, un Georges Suarez, biographe attitré de Briand, ou encore un Paul Marion, qui se présente

1. P. Lazareff, *Dernière édition*, New York, Brentano's (printed in Canada), s.d., p. 121.
* Toute date entre parenthèses après la première mention d'un nom propre est celle de la date de naissance de l'intéressé.

en 1941 à l'ambassadeur Abetz comme « briandiste », se souviendront de ces antécédents pour se délivrer des brevets de collaborationnisme de la première heure. Nombreux seront les anciens combattants ou animateurs de mouvements de jeunesse peu suspects de sympathies prohitlériennes qui conserveront des contacts avec leurs vis-à-vis d'outre-Rhin au-delà de la césure de 1933, et pour le moins jusqu'à Munich — Weil-Curiel, futur agent de la France libre, sera encore l'invité d'Abetz aux jeux Olympiques de Berlin. Sans l'avoir désiré, ils faciliteront souvent l'installation en France, à partir de 1934, de l'appareil de propagande nazi.

A ce travail délicat s'attache dès l'abord, du côté allemand, cette sorte de Wilhelmstrasse occulte que fut, à partir d'avril 1933, la Ribbentrop Dienststelle, à l'origine modeste bureau d'une dizaine de membres, animé avec énergie par un nazi de fraîche date, bien décidé à mettre les bouchées doubles. Dès 1934, Abetz a mis ses compétences franco-allemandes à son service, sous le couvert d'un travail pour la *Frankfurter Zeitung*. Le travail de 1930 est largement à reprendre, mais il est cette fois-ci assuré d'avoir derrière lui le soutien attentif d'un vaste complexe de mise en condition idéologique, supervisé par Gœbbels.

Pendant que s'installent ou voyagent en France tel limonadier « réfugié antinazi », tel assureur « patriote alsacien », tel photographe pigiste que le Paris des années quarante retrouvera sous l'uniforme du lieutenant Weber, du capitaine Maier, du SS Trapp, pendant que les services du Dr. Schmoll, attaché de presse à l'ambassade, commencent à diffuser dans les milieux les plus réceptifs les informations multilingues du Service mondial (Weltdienst) de Rosenberg, Abetz, marié à une Française, maîtrisant parfaitement notre langue, est essentiellement chargé de développer à visage découvert une opération de séduction sans exclusives. Il y est brillamment secondé par l'écrivain Frédéric Sieburg, rendu célèbre des deux côtés du Rhin, mais plus particulièrement du nôtre, par son livre *Dieu est-il français?* (1929) et comme lui renégat de la démocratie libérale.

Les milieux sociaux et politiques les plus extrêmes se trouvent sondés. Les salons de la République (comtesse de Portes, marquise de Crussol) y rejoignent ceux de l'Armorial (comtesse de Castellane, duchesse d'Harcourt), quelques nobles illustrations (baron Robert de Fabre-Luce, comte Serpeille de Gobineau, Mgr Mayol de Lupé;

une ancienne secrétaire de Julius Streicher épouse un aristocrate français) côtoient celles du monde littéraire (Alphonse de Châteaubriant, Pierre Drieu La Rochelle, Ramon Fernandez). Couloirs des Assemblées, réunions discrètes en marge des grandes associations permettent une ouverture plus fructueuse en direction du monde politique. Une étude récente de M. Michel Launay permet de saisir dans ses détails le processus de ces prises de contact, à travers la tentative renouvelée d'Abetz auprès des syndicalistes chrétiens, chrétiens sociaux et démocrates populaires, de 1935 à 1937. Sincère ou non, mais sans conteste téléguidé par le bureau Ribbentrop, un syndicaliste allemand apparemment retiré de toute activité politique tient à un interlocuteur français, ancien camarade alsacien des syndicats allemands d'avant 1914, un discours apaisant sur l'inévitable processus de modération du régime nazi et le rôle qu'auraient à y jouer les catholiques sociaux dans un avenir proche. L'animateur de la CFTC, Gaston Tessier, accepte de poursuivre le dialogue, d'en hausser peu à peu le niveau et d'y associer, but de l'opération, des « politiques » du parti démocrate populaire. Abetz intervient alors, pour proposer l'organisation d'un voyage d'étude, évidemment apolitique, axé sur quelques-unes des « réalisations sociales » du nouveau régime. L'évolution de la conjoncture, les réticences des politiques feront échouer le projet, un temps bien engagé. Abetz reviendra deux fois à la charge. En vain [1].

Le réseau Abetz

De cette opération avortée on aura retenu la progression qui part, du côté allemand comme du côté français, de comparses « sociaux » et « apolitiques » pour remonter symétriquement aux interlocuteurs véritables, représentants de puissances politiques non masquées et peu soucieux des formes traditionnelles. On en aura aussi retenu le rôle décisif joué dans ce rituel de passage par le voyage en Allemagne. Grands hôtels, frais payés, visites soigneusement préparées achèvent souvent de convaincre les hésitants. Les jeux Olympiques de Berlin et, chaque année, le congrès de Nuremberg sont les grandes occasions

1. Cf. M. Launay, communication devant la Commission d'histoire de la collaboration du Comité d'histoire de la Deuxième Guerre mondiale, 19 janvier 1976.

au cours desquelles les démonstrations de force, de jeunesse et de discipline assènent leurs évidences. Luchaire, Bertrand de Jouvenel, Thierry Maulnier, Louis Bertrand s'y aventurent, aussi bien que Jules Romains, sous la houlette de l'inévitable Abetz. Sur le retour, le visiteur accorde volontiers quelques entretiens à l'une et l'autre presse. Quand il s'agit d'un écrivain, il n'est pas rare que des éditeurs allemands, soudainement passionnés par l'un de ses ouvrages, lui en paient les frais de traduction ou d'adaptation filmique. Si besoin est, la traduction paraît effectivement, à grand bruit, comme pour celle du *France Allemagne* du journaliste Fernand de Brinon.

L'honneur suprême est d'obtenir une déclaration « exclusive » du nouveau chancelier, au cours de laquelle l'intéressé a à cœur d'exposer les vues les plus pacifiques à l'égard de la nation voisine : Brinon acquiert ainsi une manière de célébrité en inaugurant la série, dans *le Matin* du 19 novembre 1933. Parmi ses successeurs ne figurent à peu près que de futurs collaborationnistes, Jean Goy, Titayna, Jouvenel [1], Châteaubriant... S'il était mort en 1933, ce dernier, né en 1877, aurait laissé le souvenir, estompé, d'un gentilhomme campagnard chantre du terroir occidental *(la Brière)*, décoré jadis d'un prix Goncourt discret pour son *Monsieur des Lourdines* (1911). *La Réponse du Seigneur* (1933) révèle soudain l'état de manque d'un chrétien déçu, nourri de Carlyle et de Nietzsche, doublé d'un mégalomane à tendances vaticinatoires. Le 13 août 1936, le dévot désemparé rencontre enfin sa vérité : « Si Hitler a une main qui salue, qui s'étend vers les masses de la façon que l'on sait, son autre main, dans l'invisible, ne cesse d'étreindre fidèlement la main de celui qui s'appelle Dieu [2]. » Sa *Gerbe des forces* (1937) le fait traiter, par l'extrême droite elle-même, de « Jocrisse au Walhalla [3] ». Il serait presque étonné du contraire, sachant que nul n'est prophète en son pays. Mais il n'a pas dit son dernier mot.

A ces entreprises omnidirectionnelles prêtent la main tout un ensemble de médiateurs stipendiés, directement, tel André Chaumet, cor-

1. Dans ce cas, l'intervention dans la politique intérieure française est flagrante, puisqu'il s'agit en fait, par la diffusion d'une sensationnelle proposition de pacte franco-allemand, de gêner la ratification parlementaire du pacte franco-soviétique.
2. *La Gerbe des forces*, Paris, Grasset, 1937, p. 136.
3. R. Brasillach, *L'Action française*, 8 juillet 1937.

respondant du Weltdienst dès 1935 [1], ou indirectement, tel Luchaire dont *Notre temps* vit désormais pour une bonne part des « abonnements » et des « publicités » de l'ambassade d'Allemagne, au milieu d'autres feuilles confidentielles comme *la Presse* ou *la Volonté*. Par-delà le mythe qui l'a entouré depuis la « drôle de guerre », Paul Ferdonnet (1901) est un bel exemple de cette catégorie d'auxiliaires vénaux. Cet antidémocrate catholique était déjà en 1927 correspondant à Berlin de *la Liberté*, feuille suspecte du très discrédité Camille Aymard. Sept ans plus tard, il vient de faire paraître, avec *Face à Hitler*, le premier ouvrage français favorable au nouveau régime quand il fonde, en compagnie de Pierre Mouton, directeur politique, et Lucien Pemjean, directeur du bureau de Paris, l'agence d'informations Prima, très vite considérée comme l'émanation du gouvernement allemand [2]. Ferdonnet se tournera de plus en plus vers la propagande pro-hitlérienne par voie de livres, sortis à un rythme accéléré quand les risques de conflit se précisent : *Devant l'opinion*, *le Procès hitlérien*, *la Préface de la guerre* (1937), *la Crise tchèque* (1938), *la Guerre juive* (1939). Dès 1934, il prend son parti d'un Anschluss « inévitable », puisque Hitler ne fait après tout que « rentrer chez lui ». Quatre ans plus tard, il reprend à son compte les arguments nazis sur la Tchécoslovaquie, « caricature barbare de la démocratie », maçonnique, enjuivée et surtout « pilier européen de l'URSS ». « L'ennemi, ce n'est pas seulement le voisin qui ne demande qu'à vivre en paix. Non, l'ennemi n° 1, c'est l'agent provocateur à ses gages [3]... » Et son dernier ouvrage n'est plus, dès la première ligne, qu'un long réquisitoire contre la « race maudite [...] qui trouve, dans l'horreur de la guerre, la joie sauvage de détruire la civilisation chrétienne [4] ».

A l'instar de leur commun prête-nom, l'agence Prima et l'Agence nationale d'informations politiques et économiques restent cependant d'audience restreinte. Appelée à un avenir plus brillant, l'agence Inter-France, lancée en 1937 par des journalistes d'Action française et des financiers d'extrême droite, touche au contraire un éventail

1. Document du Centre de documentation juive contemporaine (CDJC), Paris, LXXV, 236.
2. Elle sera flanquée, à partir de 1936, de l'agence photographique Prima-Presse qui utilise, entre autres, un procédé de clichage inventé par deux israélites allemands pour l'heure déportés dans un camp.
3. *La Crise tchèque*, Paris, Éd. Baudinière, 1938, p. 258.
4. *La Guerre juive*, Paris, Éd. Baudinière, 1939, p. 9.

assez large de périodiques provinciaux. Il ne semble pas que l'argent allemand l'ait directement financée à cette époque. La conviction antidémocratique et ultra-pacifiste de ses animateurs y supplée, en attendant que la conjoncture de l'été 1940 lui permette de se présenter rétrospectivement comme l'un des lieux privilégiés de la précollaboration.

Abetz cherche aussi à pénétrer directement à l'intérieur des organes parisiens les plus en vue. Ses relations avec *le Matin*, puissant quotidien aux sympathies fascistes de moins en moins dissimulées, sont certaines, qu'il s'agisse du rédacteur en chef Stéphane Lauzanne ou du dictatorial directeur Maurice Bunau-Varilla, dont l'Allemagne exploite sur une grande échelle les brevets du Synthol, antiseptique universel et invention maison. Mais c'est avec surprise qu'à l'été 1939 l'opinion apprendra l'inculpation pour espionnage du directeur des informations du très sérieux *Temps* et du chef du service de la publicité du *Figaro*, lui-même ancien administrateur du *Temps*, livreurs de secrets et peut-être chargés de mettre la main sur la maison Pathé-Cinéma pour le compte d'intérêts allemands. D'un rapport du diplomate américain Bullitt à son gouvernement, il ressortirait que de mai à novembre 1938 l'Allemagne aurait « jeté 350 millions en pâture à la presse française ». La manipulation est d'ailleurs réversible, et tels articles anglophobes ou antitchèques du populaire Henri Béraud ou du distingué Joseph Barthélémy se trouvent bientôt traduits et largement diffusés par les services de Gœbbels.

Socialement, les deux publics sensibles restent ceux d'avant 1933 : les anciens combattants et les « jeunes ». Après l'article de Brinon, Hitler a invité une délégation d'anciens combattants français en Allemagne. L'accueil enthousiaste qui leur a été préparé laisse aux participants un souvenir ineffaçable et fera quelque temps caresser à Abetz le rêve d'une grande cérémonie réconciliatrice sur le site de Verdun. Le même travail de séduction opère à l'occasion des échanges patronnés chaque année par l'Office universitaire allemand de Paris, des camps de ski et autres rencontres où les jeunes Français ont pour interlocuteur la Hitlerjugend. Abetz croira sans doute avoir réalisé la synthèse de ces deux démarches en mettant sur pied, au début de 1938, un projet de voyage organisé de mille fils d'anciens combattants français destinés à rencontrer mille *alter ego* de la Jeunesse hitlérienne. L'Anschluss renverra le projet *sine die*.

Quand il faut viser plus haut dans l'échelle politique ne subsistent plus guère que l'espionnage classique — un sténographe du Sénat exécuté à ce titre pendant la « drôle de guerre » — et le contact informel; l'emprise politique allemande directe reste faible. On verra plus loin dans quelle mesure l'argent berlinois a pu subvenir aux besoins des mouvements fascistes et fascisants; il ne les a pas suscités. La seule opération politique de quelque envergure qui soit mise en avant par le réseau Abetz reste le Comité France-Allemagne (CFA), flanqué de deux ou trois associations adjacentes.

Autour du Comité France-Allemagne

Une association Allemagne-France (Deutsch-Französische Gesellschaft, DFG) existait à Paris à l'arrivée au pouvoir d'Hitler. Tout comme le *Parizer Tageblatt*, elle était d'esprit par trop Weimar pour qu'on puisse faire fonds sur elle. La mise en place d'une DFG régénérée outre-Rhin ne présentant aucune difficulté — son président est le Pr. Achim von Arnim, tout à la fois recteur de la Polytechnique de Berlin et membre de la Section d'assaut —, reste à trouver les hommes qui accepteront de parrainer son équivalent français. Les contacts dont nous avons parlé fonctionneront avec une complète efficacité et le Comité France-Allemagne est à son tour porté sur les fonts baptismaux le 22 novembre 1935 avec tout le décorum d'usage, dans les salons du George-V. Si le comité d'honneur cherche, très classiquement, à couvrir le plus large éventail de célébrités, de Pierre Benoit à Jules Romains, de Florent Schmitt à Henri Lichtenberger, le comité directeur, réellement exécutif, réunit des hommes dont on peut maintenant mieux comprendre le cheminement; le commandant L'Hôpital, ancien aide de camp de Foch, puis Scapini, en tant que président, les deux responsables nationaux des grandes associations d'anciens combattants, Jean Goy pour l'Union nationale des combattants et Henri Pichot, pour l'Union fédérale, l'un et l'autre secrétaire général du CFA, le journaliste Brinon et le Pr Ernest Fourneau, de l'Institut Pasteur, qu'un voyage bien organisé à travers les laboratoires allemands a rallié corps et âme, l'un et l'autre vice-président.

Interrogé en 1945 par la Sûreté nationale, Abetz soulignera non sans amertume que la DFG, beaucoup plus nombreuse et mieux régionalisée, nourrie de représentants de toutes les associations officielles, avait déployé beaucoup plus d'activité que le Comité français, dont l'essentiel de l'inspiration paraît s'être ramené à organiser de temps à autre une réception en l'honneur d'hôtes allemands de marque, sans vraiment chercher à élargir son audience par des manifestations publiques de quelque ampleur[1]. Les grands événements du CFA auront l'Allemagne pour lieu, qu'il s'agisse, en août 1937, des conférences en langue allemande de Pichot, professeur de son état, devant un public d'anciens combattants estimé à un total de 200 000 personnes, ou du congrès de Baden-Baden, en juillet 1938, consacré par précaution aux relations intellectuelles, et qui s'achève sur l'inauguration d'un monument à Pierre de Coubertin... Du moins la relative futilité du style de relations publiques entretenu par le Comité lui conserve-t-elle un « bon ton » qui peut seul expliquer la complaisance du Quai d'Orsay à son égard jusqu'à l'orée de 1939. — « Nous avons vaincu ! » titre triomphalement la revue du CFA au lendemain des accords Ribbentrop-Bonnet du 6 décembre 1938.

En fin de compte, la preuve la plus trangible pour les contemporains de la réalité de cette association bipolaire est peut-être donnée par les *Cahiers franco-allemands*, antérieurs au CFA-DFG et qui resteront jusqu'au bout communs aux deux pays, même si l'inspiration dominante comme le siège de la direction en sont dès l'origine allemands (« Dr. Fritz Bran, Karlsruhe »). Distribuant avec une justice toute salomonienne un article de signature française traduit en allemand et un article allemand traduit en français, les *Cahiers* parlent surtout lettres, arts, sciences ou philosophie, s'attachant à s'assurer la collaboration de plumes illustres, et ne manquent pas de relever les moindres signes de ce qui, déjà, reçoit le nom de « collaboration ». L'éditorial, bilingue, et quelques courtes chroniques étant généralement les seuls rubriques d'actualité, la publication, bien qu'interdite par le gouvernement français, continuera à paraître imperturbablement tout au long de la guerre, se payant même le luxe de faire figurer Henry de Montherlant (un extrait de... *Service inutile*) et Octave Aubry au sommaire du numéro sorti en mai-juin 1940. Rétrospectivement, il reste intéressant de voir que, de part et d'autre, la plupart des auteurs d'articles reproduits ou de livres cités se retrouveront, à

1. Document CDJC, Paris, LXXI, 112.

quelque degré, dans la société collaborationniste, de Friedrich Grimm à Karl Epting, de Jean Weiland à Jacques Schweizer, de Bernard Faÿ à Paul Allard, pour ne pas citer de nouveau les noms évoqués tout au long des pages précédentes.

Ce travail de propagande que le CFA, volontairement ou non, se refusait à faire, deux associations dans la mouvance des services allemands tenteront avec des fortunes diverses de le mener à bien, sans que rien dans leur raison sociale indique explicitement leur vocation franco-allemande. Le Cercle du grand pavois, fondé par Bertrand de Jouvenel et Suarez, a pour véritable animateur le suspect Jean Lestandi de Villani. Au moment de la crise de Munich, son parti pris plus encore proallemand que pacifiste est devenu si flagrant que les activités s'en interrompront moins du fait des autorités françaises que de la désaffection progressive de ceux de ses membres qui, tel Henri Du Moulin de Labarthète, étaient restés fidèles aux valeurs du nationalisme français. Le Comité des conférences Rive gauche est souvent associé au Grand Pavois sur la liste noire des journaux antifascistes. Fondé en 1936 par une énergique jeune femme, Annie Jamet, disparue prématurément, cette version rajeunie du Club du faubourg se flatte certes d'un éventail politique éclectique et réussit à s'assurer quelque temps la collaboration du cégétiste anticommuniste René Belin. Mais les descriptions rétrospectives des journaux de la France occupée ne laissent aucun doute sur la sympathie toute particulière portée aux orateurs nazis, d'Abetz qui discourt en 1938 de « la jeunesse allemande et du bonheur », à Leni Riefensthal, führerine du cinéma allemand. Par la personnalité de ses animateurs (Georges Blond, Brasillach, Maulnier), Rive gauche appartient cependant à un milieu idéologique déjà intermédiaire, moins proche des hommes du CFA que de la jeune extrême droite française, telle qu'elle commence à se polariser à la fin des années trente autour de l'hebdomadaire *Je suis partout.*

A la recherche d'un fascisme français

Crise sociale et crise du régime confondues avaient failli aboutir à l'effondrement du système parlementaire. L'amertume de la droite face à l'échec du 6 février était d'autant plus vive que cet échec avait été, lui, à l'origine du Front populaire, des progrès électoraux du parti communiste, de l'accession au pouvoir du juif Léon Blum, des grandes grèves du printemps. Toutes ses exécrations y trouvaient un aliment renouvelé. Son aile la plus dure en vint parfois à souhaiter, comme Lucien Rebatet l'affirmera cinq ans plus tard [1], aux élections de 1936 « une catastrophe aussi complète qu'il se pût » pour réveiller les énergies nationales, en une sorte de défaitisme réactionnaire, prélude à des souhaits plus violents à l'heure des périls extérieurs, comme dans l'anecdote bien connue rapportée par l'amiral Muselier sur cet officier de la conservatrice Royale, prêt à choisir « plutôt Hitler que Léon Blum [2] ». Favorable dans les années vingt à une politique de fermeté, la droite française dans sa grande majorité se rallie insensiblement à des options antibellicistes dont les arrière-pensées sont assez bien exprimées par le simple Léon Bailby, directeur du *Jour*, quand il s'exclame, au cœur de la crise de Munich : « Nous ne voulons pas la guerre maintenant, nous souhaitons un répit qui nous donnera le temps de changer nos mauvais maîtres [3]. »

Mais ce qu'un conservateur traditionnel énonce en temps de crise, ce que déjà un hebdomadaire de combat comme le populaire *Gringoire* martèle avec moins de restrictions, de multiples brûlots, généralement animés par de jeunes intellectuels d'extrême droite, l'expriment depuis longtemps, avec plus de système. On retrouve leurs noms à *1933* comme à *Civilisation* (1938), à *l'Assaut* (1936) comme à *l'Insurgé* (1937), mais c'est à travers l'exemple de *Je suis partout*, l'organe le plus stable (1930-1940), le plus lu (45 000 exemplaires diffusés au début de 1939, avec des pointes revendiquées à 100 000) et, de l'avis général, le plus brillant de cette presse d'avant-poste, que se dessine avec le maximum de clarté le glissement progressif qui fait de maurrassiens de stricte obédience, nationalistes et germanophobes, les admirateurs sincères du fascisme international, y compris dans sa version brune.

De ses premiers pas d'organe « international » du groupe Fayard, l'hebdomadaire conservera toujours une certaine ouverture à l'étranger qui tranche sur le franco-centrisme culturel de la presse d'inspiration maurrassienne, mais, en fait, il est très vite devenu l'organe des jeunes générations de l'Action française, ravivant au vitriol les grands

1. L. Rebatet, *Les Décombres*, Paris, Denoël, 1942, p. 38.
2. Cette formule célèbre est déjà rapportée comme entendue dans un lieu public par un journaliste de *Vendredi*, le 1er janvier 1937.
3. Cité par P. Lazareff, *op. cit.*, p. 80.

et petits thèmes de la Restauration nationale. Cette virulence effraie jusqu'à la librairie Fayard qui, devant le succès du Front populaire, décide de saborder la publication. Dans la fébrilité, les journalistes réussiront à trouver trois actionnaires de substitution : un industriel lyonnais, un imprimeur israélite d'extrême droite et un riche héritier d'origine argentine, Charles Lesca. De l'épreuve la rédaction sort élargie et plus solide que jamais, de l'autonomie accrue qu'elle y a gagnée elle profitera désormais avec une vitalité renouvelée. Cette mutation de 1936 est essentielle dans cette histoire du préfascisme, et qu'elle soit survenue au cœur même de la victoire de la gauche n'est pas sans signification.

Qu'on se garde de croire dès cette date à une quelconque excommunication de la part du nationalisme intégral. Bien au contraire. En 1936, c'est au comte de Paris que font d'abord appel les rédacteurs aux abois, et il n'est pas exclu qu'il ait été quelques mois actionnaire de la publication. Pierre Gaxotte, mentor de la rédaction jusqu'à la guerre, est très lié au Maître. Brasillach et Rebatet, journalistes à *Je suis partout* — le premier en est d'ailleurs le rédacteur en chef —, sont titulaires de rubriques à *l'Action française*. Rebatet, qui est loin d'être le plus modéré de l'équipe, est même en 1939 chef des informations du quotidien. « La véhémence de notre pacifisme, dira-t-il plus tard [1], remplissait la moitié de notre journal. » La sympathie à l'Italie fasciste, l'antidémocratisme et l'antisémitisme du vieux Maurras n'ont rien à rendre à ceux de ses jeunes disciples, qui se réjouiront de le voir encore en juin 1938 assis aux côtés de Doriot et salué par eux à la romaine — « vieux salut français », dira *Je suis partout* [2] — le bras tendu.

La vocation internationale de l'hebdomadaire va faire le reste. En 1932, le centième numéro est entièrement consacré à l'Italie fasciste et en dresse un tableau idyllique. Les articles à la louange des fascistes européens se multiplient. Quand on parlera de Sir Oswald Mosley ou, plus tard, de la Garde de fer roumaine, leurs liens avec l'Allemagne seront passés sous silence. En 1936, Brasillach se fait le scribe fasciné d'un chef selon son cœur : ni Mussolini, déjà une institution, ni Hitler, toujours une énigme, mais Léon Degrelle, francophone, jeune, fougueux, mâle, et « sa confiance de jeune bar-

1. *Les Décombres, op. cit.*, p. 72.
2. 10 juin 1938.

bare ». Dans le monologue torrentiel du héros, l'intellectuel découvre l'écho de son propre romantisme, avouant franchement que « l'intérêt faiblit lorsqu'il est question de doctrine ». Pierre Daye, collaborateur du journal depuis 1932, est devenu en 1936 président du groupe rexiste à la Chambre des représentants de Belgique. L'article de lui qui paraît le 20 septembre parle d'« un nouveau peuple[...] en train de naître » — et il s'agit du congrès de Nuremberg.

Deux conflits entraîneront la chute des dernières barrières : la guerre d'Éthiopie amène les intellectuels pro-italiens à se compter autour de positions exaltant l'impérialisme occidental; la guerre d'Espagne, surtout, permet aux plus courageux ou aux plus excités d'en découdre, et parfois avec d'autres Français, comme elle favorise le brassage de « fascistes » de toutes nationalités. En faisant paraître dès octobre 1936 *les Cadets de l'Alcazar*, Brasillach et Henri Massis entendent affirmer clairement : « Nous, hommes d'Occident, nous avons désormais nos marins de Cronstadt. »

A cette époque, un autre charme romantique est en train d'opérer. Prenons le cas d'un Claude Jeantet (1902). A *Je suis partout*, cet ancien secrétaire général des étudiants d'AF est, depuis 1931, titulaire de la rubrique allemande. Observateur privilégié de la montée du nazisme, il affecte dès l'abord à son égard une neutralité qui tranche sur les réticences de son milieu. Les premiers livres de Brinon et du « sympathique confrère » Ferdonnet sont accueillis sans défaveur. Encore quelques mois et Jeantet est définitivement conquis. En 1940, il pourra être présenté dans la presse de la collaboration comme « le premier national-socialiste français ». Il ne fait pas de doute que dans cet itinéraire comme dans celui de Rebatet, qui part sac au dos pour la Forêt-Noire au mois d'août 1934, encore incertain, le réflexe d'ordre a joué le rôle décisif. La « Nuit des longs couteaux » rassure : tout danger d'un débordement prolétarien est écarté; c'est en parangon de l'ordre et en héros wagnérien que Hitler apparaît dès lors — Rebatet parlera pour l'élimination de Röhm des « vengeances épiques des dieux [1] ». A l'été 1936, trois « ubiquistes », Brasillach, Georges Blond et Pierre-Antoine Cousteau, participent à un voyage collectif en Allemagne. Dès 1933, les colonnes avaient commencé à s'ouvrir à des signatures nazies — un député du Reichstag avait

1. *Les Décombres*, *op. cit.*, p. 26.

expliqué au lecteur « l'antisémitisme allemand » —, cinq ans plus tard c'est au tour de Blond de publier un recueil de morceaux choisis d'Hitler, favorablement accueilli par le CFA.

Face à la montée des périls, l'antibellicisme de l'extrême droite, latent depuis 1933, éclate au grand jour. En 1935, Gaxotte pouvait écrire déjà [1] qu' « il ne faut pas dire qu'une victoire des Allemands sur les Soviétiques serait un nouveau Sadowa ». Trois ans plus tard, Maulnier peut affirmer avec franchise [2] qu' « une défaite de l'Allemagne signifierait l'écroulement des systèmes autoritaires qui constituent le principal rempart à la révolution communiste ». Entre-temps, il y a eu la Rhénanie, l'Anschluss, Munich. La Rhénanie : la création d'un Comité de vigilance contre la guerre patronné par *l'Action française*, *Je suis partout* et la Solidarité française [3]; l'Anschluss : Rebatet, désormais « toujours prêt à boucler sa valise pour le Reich [4] », rapporte une description enthousiaste de la nouvelle Autriche, assortie de considérations haineuses sur le ghetto de Vienne. « C'est à cause des Juifs que les Viennois ont accepté [l'Anschluss] [5] »; Munich : on parle à plusieurs reprises de fusiller « Mandel, Blum et Reynaud » si la guerre est déclarée par leur faute, et le numéro du 30 septembre est sur ce thème « une affiche plutôt qu'un journal » (Rebatet).

L'itinéraire de *Je suis partout*, on l'aura compris, n'est pas unique, et l'on retrouvera dans la collaboration active nombre de ces militants impatients d'en découdre, déçus par les tergiversations des grands mouvements traditionnels et pour lesquels le voyage initiatique en Italie puis en Allemagne, l'équipée rexiste et la guerre d'Espagne fonctionnent comme autant de préludes à l'engagement décisif en terrain français.

Premiers passages à l'acte

Pour certains activistes, le pas de l'engagement français peut être franchi sans plus tarder. Non pas certes en direction des partis héritiers depuis 1936 des fameuses « ligues » : la plupart, le parti social français du colonel de La Rocque en tête, rallient des positions conservatrices,

1. *Je suis partout*, 28 décembre 1935.
2. *Combat*, novembre 1938.
3. Cf. *Je suis partout*, 20 juin 1936.
4. *Les Décombres*, *op. cit.*, p. 61.
5. *Je suis partout*, 2 septembre 1938.

voire centristes, qui finissent par leur valoir les sarcasmes des purs et durs. Ceux-ci se retrouvent dans une poussière d'organisations, souvent subventionnées par le Weltdienst, particulièrement les plus « spécialisées » d'entre elles : antimaçonniques comme la Ligue franc-catholique (général Lavigne-Delville) ou la Ligue antimaçonnique de France (comte Armand de Puységur), antisémites comme la Ligue antijuive universelle de Jean Boissel, Jacques Ditte, Jean Drault, Pemjean, patronnée par la veuve de Drumont, ou le Comité (1937) puis Rassemblement antijuif de France de Me Petit et Louis Darquier de Pellepoix [1], conseiller municipal de Paris, directeur de *la France enchaînée*, notoirement connu pour ses liens avec les services allemands, ce qui n'empêche pas l'AF de l'assurer de son soutien. Faisant la synthèse, *le Grand Occident* de Pemjean et Ferdonnet (1936-1939) porte la francisque pour emblème, « le judéo-maçonnisme, voilà l'ennemi » pour devise, et titre en avril 1939 « Pétain au pouvoir! ». A la veille du conflit, le mouvement raciste et antimaçonnique paraît en plein essor. Il s'offre avec les articles de l'ethnologue Georges Montandon les apparences de la scientificité, avec le livre de René Gontier — *Vers un racisme français* (1939) — une philosophie globale, avec les brochures de Paul Guiraud (« Si 400 000 Chinois... »), les numéros spéciaux de Rebatet dans *Je suis partout* (« Les Juifs dans le monde », « Les Juifs et la France »), les livres tonitruants de Louis-Ferdinand Céline (*Bagatelles pour un massacre*, 1937; *l'École des cadavres*, 1938) une large audience. Céline est lui-même en contact avec le Weltdienst [2]. Relations de sympathie idéologique, nullement vénales, à n'en pas douter, mais qui conduisent à écrire : « Moi, je veux qu'on fasse une alliance avec l'Allemagne, et tout de suite, et pas une petite... Union franco-allemande. Alliance franco-allemande. Armée franco-allemande [3]... »

Le Comité national des comités de salut public, le Front de la jeunesse, le Mouvement national syndicaliste et corporatif, lé parti socialiste national n'auront guère de postérité. Il en sera autrement du petit parti national collectiviste de Pierre Clémenti et du Front franc, ex-Racisme international Fascisme de Jean Boissel, que nous

1. « Que les Juifs soient expulsés ou qu'ils soient massacrés », 11 mai 1937, salle Wagram.
2. Document CDJC, Paris, XCV — 47, 72, 80 à 83 et 98 (Archives Montandon).
3. *L'École des cadavres*, Paris, Denoël, 1938, p. 284 et 287.

retrouverons sous l'occupation. Le mouvement franciste de Marcel Bucard, reconstitué après deux années de clandestinité, en novembre 1938, sous le titre de parti unitaire français d'action socialiste et nationale, notoirement stipendié par l'Italie depuis ses origines, en 1933 (50 000 francs par mois au début de 1935), semble bien s'être lui aussi tourné sur le tard vers la manne allemande. Au-delà de la nationalité des bailleurs de fonds, cette acceptation de la dépendance à l'égard de l'un des régimes fascistes prépare au grand passage de 1940. La fameuse « Cagoule » — Organisation secrète d'action révolutionnaire et nationale —, révélée au public en 1937, offre même un bel exemple de la collaboration policière future par l'empressement avec lequel, pour mériter les subsides et les armes italiens, elle procède à l'assassinat des frères Roselli, antifascistes italiens réfugiés en France.

Tous ces groupements restent évidemment de peu de poids en face du vaste parti populaire français (PPF), fondé en juin 1936 par Jacques Doriot. Nous reviendrons plus loin sur le PPF de l'occupation, la personnalité de son chef et de ses responsables. Le financement occulte du mouvement par l'Italie fasciste ne mériterait pas non plus qu'on s'y arrête — trois banques israélites figurent aussi parmi les bailleurs de fonds. Dans la perspective topique qui est la nôtre ici, l'intérêt du PPF est ailleurs. Un peu dans sa fonction de pédagogie fasciste : culte du chef, exaltation de l'autorité virile, refus symétrique du capitalisme et du bolchevisme et jusqu'à l'ébauche de ce discours « réaliste » qui aura tant de succès au sein de la collaboration. Beaucoup dans sa situation de première institution à opérer en France, sur une grande échelle [1], la synthèse de ces éléments apparemment disparates qui vont constituer quelques-unes des couleurs les plus contrastées du collaborationnisme. Issu de l'agrégation autour de l'ancien rayon communiste de Saint-Denis de militants venus de tous les horizons politiques et que réunit un vaste refus du Front populaire comme de la droite classique dans une même fascination pour les solutions totalitaires, le nouveau parti gère en effet, et dès le début, la cohabitation sur une grande échelle d'anciens communistes — ils auraient été 35 000 en mars 1937 sur 130 000 adhérents revendiqués,

1. Sans doute 295 000 adhérents en janvier 1938, 57 p. 100 de travailleurs de l'industrie et une majorité de moins de trente-cinq ans.

et plusieurs d'entre eux, Doriot, Henri Barbé, Marion..., ont exercé de hautes fonctions dans l'appareil du PCF — avec d'anciens ligueurs culturellement à cent lieues des valeurs de l'univers prolétarien. La cohabitation, aussi, d'intellectuels en rupture de bourgeoisie à la recherche d'un ordre nouveau (Jouvenel et Drieu, Ramon Fernandez et Alfred Fabre-Luce) et de technocrates solidaires du monde des affaires (Pierre Pucheu, Robert Lousteau), de militants ouvriers au passé syndicaliste incontestable (Jules Teulade) et d'activistes des classes moyennes... Le PPF contribue à sa façon à l'homogénéisation de la nouvelle extrême droite, celle qui s'affirme avec vigueur contemporaine du Front populaire, de la guerre d'Espagne et de l'essor hitlérien. Une fois de plus, le microcosme de *Je suis partout* catalyse cette évolution. Claude Jeantet, ancien camelot du roi, adhère au PPF, en compagnie d'un autre journaliste de l'hebdomadaire, le Dr Paul Guérin, ancien Croix-de-Feu; Camille Fegy (1902), ancien secrétaire de rédaction à *l'Humanité*, passe au PPF, reçoit la rédaction en chef du quotidien dorioriste, *la Liberté*, et collabore désormais à *Je suis partout*.

Encore le ralliement au « Grand Jacques » s'opère-t-il dans une tonalité de polémique intérieure. Les reclassements provoqués par l'ascension du Front populaire et la naissance du PPF ne sont rien à côté des lames de fond qui vont parcourir le monde politique français au cours de l'année précédant la déclaration de guerre, provoquant, autour de choix internationaux, quelques décisifs rapprochements entre des hommes qui, dans une France plus bipolarisée que jamais, étaient encore quelques mois auparavant les plus farouches adversaires.

A gauche : néos et pacifistes

La gauche française n'avait pas laissé à l' « opposition nationale » l'exclusivité de la critique du régime, pas plus qu'elle n'avait attendu la consolidation du pouvoir hitlérien pour parler le langage du pacifisme. Les grandes ruptures de l'année 1938, symbolisées à quelques semaines de distance par la crise munichoise et la signature des décrets-lois économiques anti-Front-populaire de Paul Reynaud, vont accélérer chez ses partisans la radicalisation de leur choix antibelliciste ou antiparlementaire, quand ce n'est pas l'un et l'autre.

A l'enseigne de la critique moderniste de la démocratie parlementaire et de la société capitaliste, les « néos » de toutes origines vont de moins en moins cacher leur fascination pour l'apparent succès, au-delà des frontières, des formules autoritaires et corporatistes. Les uns, néo-radicaux, familiers du Frontisme de Gaston Bergery, directeur de *la Flèche*, ou du radicalisme autoritaire de Pierre Dominique, directeur de *la République* (la « Reichpublique » de *l'Humanité*, financée par Mussolini [1]), sont partis de la réforme de l'État pour aboutir à « l'organisation économique de l'Europe [2] ». Les autres, néo-socialistes, ont rompu en 1933 avec la SFIO pour aller fonder, avec de plus modérés comme Renaudel, surtout soucieux de participation ministérielle, le parti socialiste de France sur le slogan « Ordre, Autorité, Nation ». Ils ont nom Marcel Déat, Adrien Marquet, Barthélemy Montagnon. Ils parlent matières premières, réorganisation des marchés, espace vital. Ils croient au plan et au dirigisme économique, à l'ascension des classes moyennes et d'une nouvelle intelligentsia technicienne. Leur antimarxisme se colore de plus en plus d'antibolchevisme. Certains, tel Montagnon, ont déjà pris langue avec l'Italie fasciste. L'extrême droite leur adresse de longtemps des sourires complices [3]. Les progrès du communisme, l'échec financier du Front populaire renforceront la position de ceux qui, restés au sein de la SFIO ou de la CGT, partagent à leur tour ce même espoir en un État corporatiste autoritaire. René Belin, secrétaire général adjoint de la Confédération mais aussi leader de sa minorité anticommuniste, au lendemain de l'entrée des Allemands à Prague, ne verra encore d'autre solution que dans une politique de « coopération internationale économique ». Le révisionnisme, comme on le voit, n'allait pas jusqu'à réviser le tabou de « la paix à tout prix ». Et ce d'autant moins que ces minoritaires savaient bien qu'ils se retrouvaient, sur ce terrain, aux côtés de la majorité des électeurs du défunt Front populaire.

Le pacifisme appartient depuis la dernière guerre au patrimoine idéologique de la gauche non communiste nourrie d'Alain, d'Henri Barbusse, de Félicien Challaye, et, s'il ne s'exprime pas toujours sous

1. Cf. M. Gallo, *Contribution à l'étude des méthodes... de la propagande et de l'information...*, t. II, p. 176, et doc. 52, t. IV, p. 428.
2. Thème du discours munichois de Bergery à la Chambre, le 5 octobre 1938.
3. *Je suis partout*, 7 mars 1936.

la forme radicale, qui fera dire en 1939 à un instituteur du Syndicat national des instituteurs[1] : « Notre patrie, c'est notre peau », il n'en pense assurément pas moins. Lors de la guerre italo-éthiopienne, un groupe de normaliens disciples d'Alain, tout en condamnant l'agression mussolinienne, avait cependant tenu à réaffirmer le principe : « Rien à nos yeux ne justifie la guerre[2]. » Confronté à l'expansionnisme hitlérien, ce raisonnement absolu en prépare objectivement la victoire. Lorsque, quatre ans plus tard, le 10 mai 1939, Marcel Roy, de la Fédération des métaux CGT, énonce encore le vieil adage : « Mieux vaut la négociation que la guerre », Hitler a, entre-temps, annexé et nazifié sans coup férir l'Autriche, les Sudètes, la Bohême-Moravie et parle maintenant de Dantzig. Sans oublier l'Espagne, à propos de laquelle le Comité de vigilance des intellectuels antifascistes (CVIA), laboratoire du Rassemblement populaire à sa naissance, a anticipé sur sa dislocation en se divisant lui-même entre pacifistes intégraux et partisans de la fermeté, ces derniers souvent proches du parti communiste : l'opposition pacifisme-« résistance » recouvre de plus en plus clairement l'affrontement autour du communisme.

Au sein du puissant Syndicat national des instituteurs, à plus d'un titre microcosme de la gauche française, le secrétaire général, André Delmas (1899), auquel la presse et, plus tard, l'historiographie anti-munichoise attribueront, parfois à tort de vigoureux plaidoyers en faveur de la paix, propose encore au congrès de juillet 1939 la dénonciation des traités survivants issus de Versailles, le désarmement général et contrôlé, la grève générale en cas de conflit. Parmi les opposants figurent non seulement des partisans de la fermeté mais un plus grand nombre encore d'ultra-pacifistes, les uns révolutionnaires, partisans de la grève générale insurrectionnelle, les autres « intégraux », avec Ludovic Zoretti, allant jusqu'à prôner le désarmement unilatéral. A l'heure des grands choix, on retrouve les syndicats des instituteurs et des postiers signant l'affiche : « Mobilisation pour la paix », et la pétition : « Nous ne voulons pas la guerre », au moment de Munich; l'appel ultime : « Gardons la paix, il est encore temps », à la veille de Dantzig.

1. J. Fontaine, *L'École émancipée*, 23 avril 1939. La fameuse formule : « Plutôt la servitude que la guerre » est de Mathé (Fédération postale) et remonte à 1936.
2. Cité par Julien Benda, in *la Grande Épreuve des démocraties*, New York, Éd. de la Maison française, s.d., p. 156.

L'examen des noms des adhérents au Centre de liaison contre la guerre, vaste rassemblement de ces ultras au lendemain de l'entrée des Allemands à Prague, révèle aujourd'hui plusieurs futurs partisans de la collaboration, syndicalistes et socialisants du Centre syndical d'action contre la guerre (Roy, Pierre Vigne, Georges Pioch, Marcelle Capy...), intellectuels du CVIA (Léon Émery, auteur du tract : *Non, il n'y a pas de guerre du droit!*), libertaires de *la Patrie humaine* (Victor Margueritte), de *Barrage* (René Gérin), de la Ligue contre l'impérialisme (Challaye, auteur en 1934 de *Pour la paix désarmée, même en face de Hitler*), etc. Idéalismes sans doute bien éloignés encore des milieux stipendiés de l'ambassade d'Allemagne mais conduisant des militants de gauche, au nom du principe : « On croit mourir pour la patrie et on meurt pour Skoda [1] », à s'allier à leurs ennemis sociaux les plus acharnés pour prêcher l'acceptation des revendications nazies. Pacifisme doctrinal et antibellicisme circonstanciel se donnent pour un temps la main. Denis de Rougemont notera dans son *Journal d'Allemagne* [2] le succès outre-Rhin des diatribes anti-interventionnistes de Jean Giono qu'on « juge plus proche des idéologies prohitlériennes que du socialisme qu'il professe ».

La montée des périls

La crise de Munich apparaît bien, rétrospectivement, comme le nœud des solidarités collaboratrices futures. Grande faille tellurique, elle parcourt l'ensemble du monde politique français, sans respect des clivages traditionnels. Sur les murs de Paris, les affiches munichoises de SNI voisinent avec les affiches munichoises du très conservateur Pierre-Étienne Flandin, qui propose même à Delmas de faire « un bout de chemin ensemble ». Chaque grand parti, à l'exception du communiste, si ce n'est cependant dans certaines de ses organisations parallèles, comme Paix et Liberté, entre en état de scission larvée. Georges Mandel contre Philippe Henriot, Paul Reynaud contre Flandin, Paul Ramadier contre Déat... Des listes opposées circulent. *Je suis partout* dresse un tableau d'honneur du « Parti de la paix » où le SNI voisine avec Doriot, Belin avec Déat. De part et

1. *Juin 36*, organe du parti socialiste ouvrier et paysan de Marceau Pivert, 10 septembre 1938.
2. P. 22.

d'autre, l'image du bouc émissaire — qui eût payé si... — précise ses contours. Au cours de l'hiver, l'optimisme du « Nous avons vaincu! » accélère les nouvelles associations, et les journaux les plus opposés s'ouvrent à des adversaires de toujours.

L'exemple de la SFIO illustre au plus haut point la dégradation des solidarités politiques traditionnelles. Sans doute la minorité ultra-pacifiste de la revue *Redressement*, autour de Zoretti et de Raymond Soulès (futur Abellio), est-elle très isolée (60 mandats sur plus de 8 000 au congrès de Montrouge, Noël 1938; 45 à celui de Nantes, mai 1939). Mais beaucoup plus grave pour l'avenir du parti se trouve être la rupture entre Blum, partisan de la vigilance, et le secrétaire général Paul Faure, qui en vient à créer, avec *le Pays socialiste*, un véritable anti-*Populaire*. Les motivations des paul-fauristes sont complexes. La plupart sont des pacifistes traditionnels, effrayés par le retour de l'hécatombe, hostiles en 1936 à l'intervention en Espagne, partisans en 1938 de négociations directes avec l'Allemagne, à tout le moins d'une conférence internationale de la paix. D'autres, tel Charles Spinasse, ancien ministre de l'Économie nationale du Front populaire, raisonnent beaucoup plus par penchant au technocratisme, en faveur d'une réorganisation économique de l'espace européen. Quelques isolés enfin semblent déjà ralliés aux concessions à tout prix (Paul Rives), quand ils n'entretiennent pas même d'étranges relations avec l'Allemagne, comme le député René Brunet (1882), ancien sous-secrétaire d'État du Front populaire, ancien représentant de la France à la SDN, avocat d'affaires et défenseur d'intérêts allemands suspects en Turquie [1].

Ici aussi, les prises de position théoriques et pratiques sur l'idéal socialiste ne sont pas sans influencer les choix internationaux. *Redressement* reprend à son compte les positions révisionnistes des néos de 1932 ou de la tendance SFIO « Révolution constructive » de 1933. Des pacifistes notoires comme Georges Barthélémy ou l'ancien PCF François Chasseigne sont, à la tribune de la Chambre, parmi les plus violents anticommunistes. Leur évolution ne s'arrêtera pas là.

L'ébranlement ne s'estime pas seulement en termes quantitatifs (de 33 à 40 p. 100 aux paul-fauristes lors des congrès et des conseils, et la majorité au groupe parlementaire). Beaucoup plus significative

1. Cf. déposition de Georges Boris, in *Les événements survenus...*, t. VIII, p. 2440.

est l'émergence soudaine de discours jusque-là insoupçonnés. Les « résistants » sont qualifiés de « stalino-bellicistes »; à Montrouge, le paul-fauriste Le Bail attaque haineusement Blum, et Zoretti s'exclame : « On ne va tout de même pas faire la guerre pour 100 000 juifs polonais? » A Nantes, les propos antisémites ne sont plus rares. Barthélémy s'y illustre particulièrement, affirmant que ceux qui « votent la motion Blum sont les juifs et les bolcheviks ». *Je suis partout* peut saluer ironiquement la mutation : « Bénissons le Dieu d'Israël... L'antisémitisme a triomphé à Nantes[1]... »

A tout prendre, l'émergence brutale des revendications italiennes sur « Nice, Corse, Savoie, Tunisie... » et l'annexion pure et simple de la Bohême-Moravie et de l'Albanie par ceux qu'unit à dater du mois de mai 1939 le Pacte d'acier, ne modifient pas sensiblement les termes du reclassement. A l'exception de quelques ultras du pacifisme ou du fascisme, chacun se rallie à une politique de fermeté. Mais la plupart de ceux qui ont solennellement rompu avec Mussolini (« Adieu à l'Italie », Brasillach) ou avec Doriot, jugé trop italophile et pour tout dire vendu (Jouvenel, Drieu, Marion, Pucheu...), figureront dans moins de dix-huit mois parmi les thuriféraires de Montoire. Le trait le plus remarquable du fameux article de Déat : « Mourir pour Dantzig... Les paysans français n'ont aucune envie de mourir pour les Poldèves [2] », n'est pas dans sa surenchère, qui signe une évolution personnelle, mais dans l'appropriation d'une argumentation familière à l'extrême droite nationaliste, le « mourir dans d'obscurs et lointains patelins » de Léon Daudet [3], le « mourir pour les Sudètes » d'Henri Béraud [4], lors des crises précédentes. Le ciment est dès lors très solide. Il résistera aux épreuves de la « drôle de guerre ».

« *Drôle de guerre* »

Cette dernière n'a que très superficiellement rallié les opposants. Maurras, qui vibre aux accents retrouvés de 1914, Doriot, qui condamne l'article de Déat, l'équipe de *Je suis partout* même, paraissent faire chorus, mais il est aisé de voir que c'est bien plutôt l'anti-

1. 2 juin 1939.
2. *L'Œuvre*, 4 mai 1939.
3. *L'Action française*, 17 mars 1938.
4. *Gringoire*, 16 septembre 1938.

communisme, la lutte prioritaire contre « la cinquième colonne hitlérostalinienne[1] » qui les mobilisent. Le défaitisme de sympathie hitlérienne reste évidemment limité, mais il n'est pas résiduel. Des Français ont accepté de participer à la campagne d'intoxication, pour l'essentiel radiophonique, de Gœbbels. A Radio-Stuttgart, Ferdonnet, sans parler lui-même, rédige ou traduit en compagnie d'un certain Dambmann des textes que lisent des speakers franco-allemands, tels André Lefèvre, Schneider, Dignovity, Duesberg, longtemps correspondant à Berlin de *l'Œuvre* et de *l'Intransigeant*, ou encore Obrecht, *alias* Jacques de Saint-Germain, sous-officier chassé de l'armée pour détournement de fonds et qui, devenu en Allemagne figurant des films de la UFA, s'est fait une spécialité des rôles d'officiers français antipathiques. Voilà pour la propagande « blanche ». La propagande « noire » se généralisera pendant l'offensive militaire de mai-juin, où un véritable front radio précède celui des troupes. Elle joue sur de prétendus postes clandestins « pacifistes » ou « communistes », parfois confiés à des Français : « France d'abord », « Réveil de la France », « Humanité », souvent diffusés depuis Luxembourg. Pour donner le change, on y parle de « boches » et de « hordes de Hitler », mais pour mieux placer « pègre juive » et « révolution nationale » [2].

Ceux qui sont restés sur le territoire national sont contraints à une clandestinité peu compromettante : quelques sabotages — ce fut le cas, on le sait aujourd'hui, de plusieurs ingénieurs — ou, pour les hommes du verbe, quelques déclarations privées tonitruantes, telle celle dont *a posteriori* se flattera Alain Laubreaux, de *Je suis partout :* « Je ne peux souhaiter qu'une chose à la France : une guerre courte et désastreuse [3]. » Laubreaux figurera avec Lesca, Mouton, de Ludre, Serpeille de Gobineau et Robert de Fabre-Luce parmi les tardives victimes du ministre de l'Intérieur Mandel. Leur arrestation, le 5 juin 1940, et la mort de De Ludre au cours de la débâcle feront bientôt de leur équipée le martyre originel de la collaboration.

A l'autre extrémité de l'éventail politique, le parti communiste, clandestin depuis sa dissolution par le gouvernement Daladier le 26 septembre, ne semble pas avoir lancé de consignes de défaitisme actif. Un seul tract, vers février, prônera le sabotage « par tous les

1. J. Doriot, *L'Émancipation nationale*, 10 mai 1940.
2. Exemples extraits des émissions du 6 juin 1940 de « Réveil de la France ».
3. *Écrit pendant la guerre*, Paris, Inter-France, 1944, p. 45.

moyens appropriés ». Trois ouvriers seront condamnés à mort, plusieurs incidents graves relevés, mais il semble impossible d'en faire autre chose que des actes isolés de marginaux sans responsabilités. La « collaboration » figure dans la littérature communiste, mais il s'agit de celle qui doit s'instaurer sans plus tarder avec l'URSS pour un « gouvernement de paix », l'ennemi prioritaire n'étant plus Hitler mais le capitalisme anglais, qui a poussé la France dans une guerre absurde. Gœbbels mentionne la participation de « communistes français » aux émissions de l'émetteur noir « Humanité » [1], mais il est vraisemblable qu'il s'agit de communistes déjà ralliés depuis longtemps, peut-être d'autonomistes alsaciens. Quoi qu'il en soit, leurs interventions se verront supervisées à partir de la fin mai par un communiste allemand passé au nazisme, Ernst Torgler, l'un des accusés de l'incendie du Reichstag : Gœbbels les a en effet jugées comme « s'adressant uniquement au cerveau des intellectuels, non aux instincts primaires des masses »...

Entre ces deux marges, l'autonomie d'action des ultrapacifistes français reste encore assez large. Les plus explicites, libertaires ou socialistes, s'exposent en public et se voient d'autant plus rapidement réduits au silence. C'est le cas de l'avocat et publiciste Marcel Braibant (1886), du Pr Zoretti, exclu en novembre de la SFIO pour avoir tenté, avec l'accord de Paul Faure, d'agir sur les socialistes des pays neutres, et qui sera inculpé le 7 décembre; c'est surtout celui de quelques-uns des signataires du tract *Paix immédiate*, rédigé par Louis Lecoin, reconnu par quatorze syndicalistes (Georges Dumoulin, Roger Hagnauer) et dix-sept « personnalités », d'Alain à Déat, de Margueritte à Henri Jeanson. La plupart, Déat en tête, affirmeront ne pas avoir signé un texte destiné à être distribué, comme il le fut, à une centaine de milliers d'exemplaires. Les plus compromis, Lecoin, Challaye, Henry Poulaille, seront incarcérés.

Travaillant dans la discrétion, les parlementaires restés attachés à la politique des concessions veilleront à renforcer le groupe de pression qui, au moment de la débâcle, pourra faciliter le ralliement de la grande majorité du Parlement à la solution Laval-Pétain. Un premier

1. Archives de Potsdam, comptes rendus des conférences quotidiennes avec les chefs de division du ministère de la Propagande, t. I c, p. 77 *sq.* Cité par Karl Dreischler, « Les émetteurs clandestins français de Gœbbels en mai-juin 1940 », in *Recherches internationales à la lumière du marxisme*, 1961.

comité, constitué dès le printemps 1937 autour de Flandin, transcende déjà, avec sa quinzaine de députés, les groupes parlementaires établis, puisqu'il va de Scapini à Rives et Brunet en passant par un petit noyau de ces marginaux du centre que sont Bergery, René Chateau, apparenté radical-socialiste, ou Marcel Delaunay, apparenté démocrate populaire. Un deuxième groupe, plus large (une trentaine?) mais aux contours plus flous, s'organisera autour des néo-socialistes ou socialistes indépendants restés pacifistes, Déat, Marquet, Ludovic-O. Frossard. Au Parlement, il s'associe à la clientèle de Laval; à l'extérieur, il entretient de bons rapports avec divers syndicalistes comme Delmas. Les manifestations parlementaires d'hostilité à la guerre resteront cependant sporadiques. Déat, pour lequel, au même titre que l'Allemagne, l'URSS est « l'agresseur » de la France [1], Bergery et Delaunay seront parmi les rares à intervenir. En mars, rompant un long silence, Laval interpelle violemment le gouvernement Daladier et contribue à sa chute. La désignation, à une voix de majorité, de Paul Reynaud surprendra les calculs des opposants. Moins de trois mois plus tard, ils tiendront leur revanche.

1. Comité secret du 10 février 1940.

3

Jeux interdits

Conditions générales de la collaboration

> Mettons-les sous nos pieds, mais tendons-leur la main.
> VICTOR HUGO *

La fortune politique de la collaboration naît, on le sait, le 24 octobre 1940 de la poignée de main du maréchal Pétain, chef du nouvel État français né de la défaite, et du chancelier vainqueur Adolf Hitler, à proximité d'une petite gare du Loir-et-Cher, ou, plus précisément, du sens que, six jours plus tard, le vieux maréchal, dans un message radiodiffusé, entendra lui donner : « C'est dans l'honneur et pour maintenir l'unité française, une unité de dix siècles, dans le cadre d'une activité constructive du nouvel ordre européen, que j'entre aujourd'hui dans la voie de la collaboration... Cette politique est la mienne... C'est moi seul que l'histoire jugera. Je vous ai jusqu'ici tenu le langage d'un père. Je vous tiens aujourd'hui le langage d'un chef. Suivez-moi. »

Jeu allemand, jeu français

Pour Pétain et son entourage immédiat, conservateur et de vieille souche germanophobe, il ne peut s'agir d'un pur et simple alignement diplomatique sur l'axe Rome-Berlin, encore moins d'un choix solennel en faveur des valeurs nationales-socialistes. Dans l'esprit de Hitler, il n'est pas non plus question d'envisager de concessions sérieuses, de celles qui libéreraient sans plus attendre la France de sa condition essentielle de prisonnière de guerre, occupée sur plus de la moitié de son territoire et dont, symétriquement, deux millions d'enfants,

* *L'Année terrible*, cité par R. Brasillach in *la Révolution nationale*, 1er avril 1944.

transplantés en Allemagne malgré eux, constituent comme autant d'otages entre les mains du vainqueur. L'Angleterre n'est pas encore à genoux, l'heure de la grande réorganisation européenne n'a pas encore sonné. Pendant quatre années, cependant, les relations franco-allemandes vont vivre sur cette équivoque, entretenue selon les temps et les hommes plus ou moins consciemment par toutes les parties.

Pour la partie allemande, la principale préoccupation est de disposer — face au Royaume-Uni d'abord, puis en arrière-front quand, à compter de 1941, l'axe prioritaire du combat allemand se sera retourné vers l'Est, balkanique (6 avril) puis russe (22 juin) — d'une « porte de derrière » bien fermée, secteur calme, fermement tenu en main par un pouvoir revêtu des garanties de la légalité, et qui lui fournisse sans trop rechigner l'aide économique dont sa machine de guerre a besoin. Elle n'est pas décidée à pousser l'indulgence jusqu'à faire disparaître la ligne de démarcation qui sépare la zone occupée de la zone dite « libre », et contrecarrera en particulier, sur le plan idéologique, toutes les tentatives d'introduction en sa zone des institutions du pétainisme orthodoxe, Légion française des combattants, Comités de propagande sociale, Amis du maréchal..., mais elle ne s'est pas refusée à amadouer les « responsables », installant à cet effet à Paris une équipe de diplomates à l'étiquette francophile.

A leur tête, on ne s'étonnera pas de retrouver Abetz, représentant de Ribbentrop auprès du Commandement militaire allemand dès les premiers jours de l'occupation de la capitale, élevé au rang d'ambassadeur à dater du 3 août. A l'exception d'une longue disgrâce d'un an, consécutive au débarquement allié en Afrique du Nord (novembre 1942-décembre 1943), il sera le principal interlocuteur allemand des milieux de la collaboration. Il s'autorise de son passé pour se présenter comme sincère ami de la France, et son état-major de la rue de Lille (le ministre Schleier, le conseiller Achenbach, pour les questions économiques le Dr. Kuntze...) passe pour « libéral ».

En fait, Abetz est trop bon allemand pour remettre en cause les amputations territoriales déjà clairement envisagées par Hitler, trop bon courtisan pour ne pas tenir compte de la méfiance viscérale du Führer à l'égard de son ennemi par excellence et de l'hostilité déclarée d'un Gœring ou d'un Gœbbels. Il lui arrivera cependant de jouer dans le détail un rôle non négligeable. Il tient à Pierre Laval, qui a un peu le même profil que lui, celui d'un calculateur ambitieux, et défendra le principe de son retour au pouvoir devant des maîtres sceptiques; inversement, il déteste Doriot — ou du moins reconnaît en lui une menace de première grandeur — et sait fort bien dorer la pilule aux exaltés de la collaboration. Du côté allemand, son autonomie d'action est des plus limitées par les ambitions contradictoires des autres autorités d'occupation : le Commandement militaire lui-même (Militärbefehlshaber im Frankreich, MBF), la Propaganda, le Service de renseignement de l'armée (Abwehr), enfin, d'abord à peine tolérées puis chaque jour plus envahissantes, les antennes en France de l'Office central de sécurité du Reich (RSHA), au premier chef le Service de sécurité (SD) d'Helmut Knochen. Si les Français jouent quelquefois des unes contre les autres, c'est beaucoup plus souvent cette diversité des instances qui permet à l'occupant de jouer sur les tableaux les plus variés, comme le confirme par ailleurs la partition du territoire en cinq zones, cinq feuilles d'artichaut à manger une à une : l'Alsace-Lorraine, annexée de fait dès les premiers jours; la zone Nord-Pas-de-Calais, rattachée au commandement militaire de Bruxelles, la zone interdite, au nord et à l'est, marche de colonisation agraire progressive, la zone nord proprement dite, enfin la zone sud, envahie à son tour le 11 novembre 1942.

Voilà pour l'interlocuteur allemand. La partie vichyssoise, en la personne du maréchal et de ses trois chefs de gouvernement, de droit ou de fait, successifs, Pierre Laval (juillet-décembre 1940), Pierre-Étienne Flandin (décembre 1940-février 1941), François Darlan (février 1941-avril 1942) et de nouveau Laval, jusqu'à la Libération, cherche avant tout à se placer le mieux possible pour le jour de la paix, dont on ne doute pas initialement qu'elle sera allemande et dont on veut croire par la suite, des engagements chaque jour plus compromettants ayant été pris en ce sens, qu'elle le sera.

En soi, le maintien obstiné du maréchal sur un territoire à la francité sans cesse plus exiguë est une première concession, celle du réactionnaire, dont toute la doctrine se réfère à un indéfectible attachement au « sol », dans son acception la plus physique. Sur de telles bases, la collaboration de Laval (1883), loin des valeurs éternelles, prend dès l'abord des airs de marchandage supérieur. Le pacifiste de 1914, profondément persuadé que la guerre de 1939 eût pu être évitée si on lui avait permis de poursuivre en 1936 sa politique de collaboration avec l'Italie, a une revanche à prendre, en même temps qu'il est convaincu plus que jamais, depuis l'installation du nouveau régime qui fut son coup de maître, de son habileté manœuvrière. Avec lui, la collaboration est une affaire personnelle, un palabre sans fin entre deux acheteurs rusés, le marché le plus difficile qu'il ait eu à traiter. A force d'être « malin », il est simplement dupe. Quand il cesse de croire avec ferveur à la victoire de l'Allemagne, il se met du moins à la « souhaiter », comme il le dira publiquement le 22 juin 1942. Vrai législateur du pouvoir croupion de Vichy à partir de l'automne 1942, il continuera jusqu'au dernier jour, dans une solitude de plus en plus grande, à couvrir de sa signature les abdications successives de l'État français.

Avec moins de finesse, autant d'ambition personnelle et une anglophobie d'amiral, Darlan (1881) est celui qui, spontanément, s'approchera le plus de la cobelligérance. Sa venue au pouvoir marque aussi l'arrivée de germanophiles incontestables, les uns technocrates, souvent liés à la haute banque internationale, collaborateurs de raison en faveur d'un nouvel ordre européen enfin « rationnel », les autres vrais collaborateurs d'idéologie, ne représentant qu'eux-mêmes mais très proches de la sensibilité des ultras de la collaboration. Pierre Pucheu (1899), qui sera ministre de l'Intérieur d'août 1941 à avril 1942 et présidera en tant que tel à quelques-unes des opérations de collaboration policière et judiciaire les plus poussées, appartient au premier groupe. Un Jacques Benoist-Méchin (1901), un Marion (1899), au deuxième. Benoist-Méchin, homme de lettres admirateur de la force allemande, s'illustrera en janvier 1942, alors qu'il est secrétaire d'État à la vice-présidence du Conseil, en engageant pendant quelques jours et de son propre chef la France dans une négociation avec l'Allemagne sur la base d'une entrée en guerre contre l'Angleterre [1]. Marion, ancien communiste et ancien PPF, a été dans les deux cas l'homme par excellence de la manipulation par la propagande. Il le sera encore à Vichy, où il contrôle l'Information et la Propagande de février 1941 à janvier 1944, sous diverses fonctions et avec des pouvoirs plus ou moins étendus. Avec lui, l'esprit de Montoire a un médiateur convaincu et efficace.

A cette collaboration d'État se rattachent, implicitement ou non, toutes les petites collaborations d'état fondées sur l'exercice quotidien

1. Sur cette « affaire » complexe, voir R. O. Paxton, *op. cit.*, p. 129-132.

des fonctions élémentaires de la survie économique, depuis le travail d'une main-d'œuvre volontaire en Allemagne, ou dans ces cantons d'Allemagne en terre française que furent les administrations, les usines et les chantiers de l'armée d'occupation, jusqu'à l'entente commerciale ou industrielle la plus étroite des entrepreneurs eux-mêmes avec l'occupant.

Reste une troisième partie, où se rassemblèrent tous ceux qui, rejetant ce qui dans la collaboration d'État leur paraît ressortir à un attentisme ambigu, estimeront, plus ou moins tôt, qu'il est de l'intérêt de la France — ou de leur intérêt — de choisir une collaboration d'idéologie et, dans la limite de leurs responsabilités, chercheront à la pratiquer.

Au carrefour des trois, « animal des ténèbres, très muet, et très dangereux [1] », Brinon (1885) est l'intermédiaire permanent du gouvernement français auprès des autorités allemandes de zone nord. Avant-guerre, il a été l'un de ces aristocrates bien introduits qu'Abetz affectionnait. Journaliste diplomatique, il est dans les années trente chef des services de politique étrangère à *l'Information*, quotidien de la banque Lazard. Très lié de longue date aux milieux industriels et politiques de Weimar, il est passé insensiblement à un rôle d'informateur occasionnel du gouvernement français sur les questions d'outre-Rhin, quand il reçoit, en 1933, son illumination : « L'ambition de Hitler est d'être l'homme qui parviendra à un accord avec la France. » Le Comité France-Allemagne l'installera définitivement dans un rôle qui paraît rendre de grands services à Laval en 1940. En fait, les intérêts du nouvel ambassadeur, « délégué général du gouvernement français pour les territoires occupés » à partir de décembre 1940, symétrique d'Abetz et comme lui non accrédité, ne semblent pas avoir toujours été du même côté. Il est avéré qu'à partir du moment où, nommé secrétaire général auprès du chef du gouvernement (septembre 1942), il a accès aux réunions du Conseil des ministres, ces dernières n'ont plus de secret pour la rue de Lille. Sans doute faut-il trouver dans ces talents d'informateur multiple l'origine d'une aisance certaine, sur laquelle l'intéressé ne pourra, à la Libération, fournir tous les éclaircissements nécessaires.

1. Appréciation d'Abel Bonnard citée par Céline dans *D'un château l'autre*, Paris, Gallimard, 1957, p. 266.

Collaboration d'État, collaboration d'état

Du jeu complexe de ces trois instances vient toute la difficulté d'appréhender cette époque courte et pourtant fertile en faux coups de théâtre et vrais glissements progressifs — mais vertigineux.

Aux faux coups de théâtre appartient par excellence l'affaire du 13 décembre 1940, qui voit l'arrestation, sur ordre du maréchal, moins de deux mois après Montoire, de l'homme dont la poignée de main à Hitler avait précédé de deux jours celle de Pétain, Pierre Laval, et du plus en vue des collaborationnistes parisiens, qui n'est autre que Déat. Elle a pour principal effet d'aggraver soudain les relations franco-allemandes et d'entraîner, après un intermède Flandin, l'accession aux fonctions précédemment dévolues à Laval d'un amiral Darlan qui, par désir de calmer les Allemands comme par conviction renouvelée de leur victoire prochaine, va engager singulièrement plus loin encore les initiatives collaboratrices du gouvernement français.

Aux glissements progressifs appartiennent ainsi toutes ces initiatives, solennelles ou occultes, qui parfois répondent à une exigence allemande, mais, beaucoup plus souvent, constituent une démarche spontanée du pouvoir vichyssois. Les unes sont d'ordre économique. Vichy accepte de brader à l'Allemagne les avoirs français des pétroles roumains et du cuivre yougoslave, livre l'or belge qu'il a reçu en dépôt, accepte l'installation de commissaires allemands à la Banque de France, au Contrôle des changes, au Commerce extérieur, signe un « accord de compensation » commercial léonin, autorise voire accélère des livraisons de matières premières et de matériel stratégique, etc. La plus grave est sans doute la mise en application, sous la pression allemande, de ce qui deviendra en février 1943 le Service du travail obligatoire (STO) [1]. Processus significatif : le gouvernement édicte un texte de loi, le 4 septembre 1942, qui, avec pour objectif de « contrôler » les premières réquisitions, les étend en fait à toute la France, zones nord et sud confondues.

1. Vichy instituera un Commissariat général à la main-d'œuvre (successivement Robert Weinmann, Jean Bichelonne, François Chasseigne) et un Commissariat pour l'action sociale des travailleurs en Allemagne (Gaston Bruneton).

Sur le plan judiciaire et policier, l'affaire dite de la Section spéciale (août 1941), monstruosité juridique couverte par les « éminents juristes » Joseph Barthélémy, ministre de la Justice en exercice, et Maurice Gabolde, son futur successeur, lui-même membre d'honneur du groupe Collaboration, l'établissement de listes d'otages, la livraison de réfugiés politiques, divers passe-droits accordés à la police allemande rendent les pouvoirs publics complices de la répression allemande. Dans le domaine diplomatique et militaire, enfin, sans parler de la LVF, dont il sera question plus loin, le gouvernement français frôlera de son plein gré à plusieurs reprises la cobelligérance en envisageant l'aide allemande pour la reconquête du Tchad (décembre 1940), en accordant en Syrie diverses facilités aux armées de l'Axe (mai 1941), en proposant même son adhésion au pacte tripartite en échange de garanties pour le jour du traité de paix (juillet 1941).

Robert O. Paxton, durcissant parfois à dessein sa thèse sainement provocatrice, a bien souligné combien, dans le dialogue franco-allemand, l'interlocuteur en état d'infériorité avait souvent été le demandeur de collaboration, et l'Allemagne nationaliste et impérialiste — longtemps confiante en ses seules forces et jusqu'au bout méfiante à l'égard de tout vaincu qui prétendait à redevenir partie prenante au jour des traités —, celui qui refusait de prendre cette offre en véritable considération. Pour notre propos, qui est ici d'aborder une microsociété au sein de l'espace social français, on ne devra jamais perdre de vue un autre paradoxe apparent qui régit cette fois les relations « franco-françaises », pour reprendre l'expression de Stanley Hoffmann : l'une des principales erreurs commises par ceux qui prétendirent porter un regard critique sur cette période fut, parce qu'ils les confondaient dans une même exécration, de confondre aussi, idéologiquement, vichystes et collaborationnistes. Par cette superposition d'une discrimination de jugement de valeur sur une discrimination d'ordre intellectuel, toute tentative de distinction entre les uns et les autres se trouvait assimilée à une justification plus ou moins déguisée de l'action de Vichy qui, s'éloignant du nazisme, ne pouvait que se rapprocher de la Résistance. La remise en perspective du jeu allemand permet de préciser ici avec force que l'État français représentait la solution idéale pour une Allemagne qui — on l'oublie un peu trop vite — n'a jamais cessé d'être un seul jour en guerre. Une venue au pouvoir des collaborationnistes les plus affichés ne pouvait que lui compliquer la tâche. Inversement, l'existence de ces trublions représentait une utile épée de Damoclès au-dessus de la tête des gouvernants.

L'excellence de ces résultats se discerne parfaitement sur un plan aussi important pour la bonne marche des opérations guerrières que la fourniture de main-d'œuvre, de matières premières, de produits manufacturés et de profits à l'économie allemande, au-delà des mesures de coercition directes et généralement gouvernementales évoquées plus haut.

On retrouve, en effet, le même mélange de « réalisme » calculateur et de conviction discrète, le même glissement d'une attitude de pure « technicité » à la volonté de profiter des conditions nouvelles au sein du monde de l'économie française, dans une ambiguïté que justifieront en son temps l'affirmation « humaine » et « patriotique » du nécessaire maintien d'une activité productive minimum (lutter contre la polonisation économique comme le gouvernement lutte contre la polonisation politique), et plus tard la grande clémence en ce domaine des tribunaux d'épuration, soucieux à leur tour de la remise en marche la plus rapide de la machine.

La très grande majorité des 765 000 travailleurs français installés en Allemagne à la Libération y est venue contrainte et forcée; on ne peut cependant pas en évacuer la minorité d'ouvriers volontaires conduits là par l'esprit d'aventure, la nécessité d'échapper à la justice française ou, beaucoup plus fréquemment, l'attrait d'un gain supérieur (hauts salaires, prime d'engagement, prime d'éloignement, garantie du réemploi en France). Dès les premiers mois, les reportages ou prétendues études sur le *standard de vie de l'ouvrier allemand* (exemple : Jean Everard, 1941) avaient pu allécher un petit nombre. Quand, en juin 1942, Laval lance la formule de la « Relève » d'un prisonnier de guerre français par trois ouvriers qualifiés volontaires, 53 000 répondent à son appel en moins de trois mois; ils seront 72 000 à la fin de l'année. Ce qui est sans doute fort peu par rapport aux exigences initiales (350 000) du gauleiter Sauckel, plénipotentiaire général du service de la main-d'œuvre, et compte tenu de l'intense campagne de propagande engagée à cet effet, mais représente cependant, du point de vue de l'engagement collaborateur qui s'y trouve implicitement inscrit, un contingent de poids.

A vrai dire, les résultats sont très variables selon les départements.

Les volontaires, Relève ou non, du Loir-et-Cher ne sont guère qu'une centaine, face aux 4 100 réquisitions, mais ceux des Hautes-Pyrénées sont cinq fois plus nombreux — dont 280 en 1942 — et ceux de l'Aude 2 360 environ, parmi lesquels 1 500 au titre de la Relève, pour une population de 285 000 habitants seulement. Là où le chômage est particulièrement cruel, les chiffres d'ensemble peuvent être beaucoup plus élevés encore, comme dans les Alpes-Maritimes. Mais les chiffres de ce dernier département (7 714 volontaires contre 14 000 requis), comme ceux du Var (1 511 en 1942, 1 209 en 1943) signalent aussi l'une des constantes de ces départs : la forte proportion d'immigrés (Nord-Africains, Espagnols, Italiens...), plus ou moins contraints à ce « volontariat » (ils sont 20 p. 100 dans le cas du Var). Dans le Nord, tous les Polonais semblent avoir été dans ce cas.

A l'inverse, on peut se demander si le principal obstacle au travail en Allemagne était l'image d'un « occupant » ou simplement celle d'un « étranger » : dès qu'il est question de travail sur le territoire français, le nombre des volontaires monte en flèche, et il n'est pas rare de voir des réfractaires du STO accepter de faire « régulariser » leur situation en s'embauchant dans des entreprises françaises travaillant pour l'occupant, conformément, en cela, à l'hypothèse défendue par l'habile Albert Speer contre le brutal Sauckel. A côté de l'inévitable et populeux personnel de service des administrations allemandes — on y compte 1 545 Français dans les seules Alpes-Maritimes —, la main-d'œuvre ouvrière accaparée par les chantiers Todt (Mur de l'Atlantique principalement) fixe un bon nombre de ces « volontaires de raison ». Ainsi, alors que l'ensemble des départs volontaires du Morbihan n'est que de 370, les ouvriers français employés par Todt y sont déjà 3 000 à l'automne 1942. De tels chiffres sont encore à majorer sensiblement si l'on ajoute à ces établissements fonctionnant à découvert toutes les unités de production en totale dépendance, de fait ou de droit, par rapport à l'économie de guerre allemande.

Cette difficulté à distinguer strictement, même au sein du volontariat, ce qui appartient à la contrainte déguisée se retrouve en effet avec plus de complexité encore à l'échelon des entrepreneurs français eux-mêmes, à peu près tous obligés à des degrés divers d'entretenir des relations économiques avec une puissance occupante qui s'y entend par ailleurs à pousser le plus loin possible en sa faveur les stipulations de la convention d'armistice (confiscation de stocks, réquisitions diverses, imposition de « frais d'entretien » près de dix fois supérieurs au coût réel...).

Certaines archives militaires allemandes désormais accessibles aux chercheurs ne donnent pas un tableau particulièrement sombre, du point de vue allemand, de cette collaboration économique pendant les deux ou trois premières années de l'occupation. Elles signalent la grande « ouverture » du monde paysan aux besoins de l'occupant, pendant qu'au stade du commerce de détail et de l'artisanat, hasard et nécessité se mêlent étroitement à ce que les tribunaux d'épuration essaieront de définir comme « intention manifeste » de tirer profit de la présence des Allemands : tel garagiste ou cabaretier à la clientèle majoritairement allemande ou « assimilée » y rejoint alors tel établissement ayant pignon sur rue, qui modifie sensiblement son style de publicité (« Ici maison française interdite aux Juifs »...) ou l'orientation de ses spécialités en fonction de la même clientèle.

Les réticences du secteur industriel ne semblent pas avoir été beaucoup plus farouches, une assez forte proportion de « petites et moyennes entreprises » ayant semble-t-il joué la carte d'une compromission ouverte, qu'il s'agît là de lutter contre la crise ou de prendre enfin sa revanche sur de plus gros. Ces derniers, de leur côté, pouvaient plus aisément se retrancher derrière les conventions intergouvernementales pour justifier leur « compréhension ».

Sur 44 usines visitées par la Commission de contrôle de la production industrielle de la ville de Lyon, un tiers accepteront ainsi de collaborer officiellement à la réalisation du programme économique Speer — les bombardements commençaient à toucher durement le potentiel du Reich — et de recevoir en échange le « certificat d'usine S » (Spesbetrieb) qui signale, à côté de la classification « Rustung » (matériel de guerre, un commissaire allemand contrôle le fonctionnement) et « V Betrieb » (Vorzugsbetrieb, produits de première nécessité, en partie seulement dirigés vers l'Allemagne), les entreprises préférentielles, dotées d'un certain nombre de passe-droits. En novembre 1943, 184 patrons d'usine de la région — sur 194 invités — recevront des certificats S des mains des autorités allemandes, au cours d'une solennelle cérémonie. On en comptera 128 dans les Alpes-Maritimes à la Libération.

Au-delà de ces cadres institutionnels, il est toujours difficile d'estimer l'ampleur du travail « allemand » d'une entreprise de droit français. Certaines sont de simples usines de sous-traitance de firmes germaniques, parfois alsaciennes germanisées (De Dietrich), d'autres doivent travailler à peu près exclusivement pour l'occupant parce que leur spécialité s'y prête : les travaux publics, en relation avec l'organisation Todt, la mécanique (67 sur les 128 S des Alpes-Maritimes), les bois et dérivés, la chimie... Certains secteurs entrent avec l'accord du gouvernement français dans le cadre de programmes d'imposition qui peuvent atteindre de 75 à 80 p. 100 (automobiles, chantiers navals), voire 100 p. 100 (aéronautique). Il n'est pas rare cependant que l'industriel aille au-devant des exigences allemandes. Un essor particulièrement rapide du chiffre d'affaires, une ou plusieurs augmentations de capital, la multiplication du nombre des ouvriers ont généralement été retenus comme critères de preuves plus tangibles [1].

Divers organismes travaillent à développer ces contacts fructueux, le Centre en France des organisations économiques allemandes et sa *Revue économique franco-allemande*, le groupement franco-allemand dit « de la Table ronde », la section économique du groupe Collaboration, etc. Les banquiers français, en restant dans leur rôle ordinaire de fournisseurs de facilités financières ou d'intermédiaires dans la cession de valeurs mobilières, contribuent de leur côté objectivement à cette prise en main progressive de l'économie nationale, quand elles ne l'encouragent pas, comme dans le cas, en 1942, de la création de l'ASFIDI, organisme chargé de financer les projets industriels franco-allemands.

La compromission est précisément plus claire encore quand se constituent de véritables sociétés mixtes sous contrôle allemand, parfois dans le prolongement de vieilles et fructueuses relations économiques antérieures à la défaite : Francolor (51 p. 100 à l'IG Farben), la Société française d'exploitation du brevet allemand des gazogènes Imbert (51 p. 100 aux Allemands), la Société vinicole de Champagne (51 p. 100 Mumm), Havas-Publicité (majorité de fait aux actionnaires

1. Exemple typique de ce profil : l'entreprise des frères Marcel et Ferdinand V..., propriétaires d'une petite maison de ficelles et papiers. Après s'être reconvertie en 1942 dans la fabrication de filets de camouflage pour l'armée allemande, elle voit le nombre de ses ouvriers passer de 30 à plus de 1 000 et son chiffre d'affaires de 3 millions de francs en 1939 à 112 millions pour les sept premiers mois de 1944.

allemands), etc. Dans tous ces cas, comme dans ceux des raisons sociales de pur camouflage sur un capital à cent pour cent allemand, la participation d'autochtones passifs (hommes de paille) ou actifs (intermédiaires zélés) tisse des liens dont on devine la solidité entre les milieux les plus louches de toutes les collaborations possibles et imaginables, politique (un conseiller municipal comme Georges Prade), journalistique (Luchaire et son « clan »), policière (le truand reconverti Henri Lafont)... La grande mine à profits est représentée par les organismes d'achat officiels des trois armées allemandes, et plus encore par les bureaux d'achat plus ou moins avoués qui, sans s'encombrer de beaucoup de prétextes légaux, se conduisent en vraies officines de marché noir, avec filiales, sous-traitants et réseau de courtiers-rabatteurs-maîtres chanteurs. On comptera jusqu'à 200 de ces bureaux clandestins, le plus connu étant le « bureau Otto » (30 officines satellites) de Brandl et Radecke, couvert par l'Abwehr et le SD. En vingt mois d'activités, « Otto » aurait ainsi acheté pour 50 milliards de produits les plus variés, du cuir vert aux tableaux impressionnistes.

Les deux mondes du trafic illicite et de l'entreprise ayant pignon sur rue ne sont évidemment pas aussi étanches qu'il y paraît. L'un des terrains de rencontre est celui de « l'aryanisation » économique, où les administrateurs des biens mis sous séquestre, quand ils ne sont pas de simples prête-noms des propriétaires épurés, juxtaposent le type du fondé de pouvoir ou du sous-directeur ambitieux enfin parvenu au fauteuil directorial et celui du trafiquant incertain, peu accessible aux scrupules de conscience. En ce domaine, on constate aisément que les services *ad hoc* de Vichy n'ont jamais connu la disette des candidatures, mais plutôt leur trop-plein.

La collaboration économique n'avait ainsi pas besoin d'être plus subtile que toutes les autres, simplement plus discrète, moins spectaculaire que celle des poignées de main photographiées ou des discours à la tribune. Elle était tout aussi efficace, puisque 42 p. 100 du « revenu spécial de l'étranger » du Reich viendra, en 1943-1944, de la France, et que l'ensemble de la ponction allemande aurait représenté en valeur 30 p. 100 du revenu national français.

Cinq années d'avatars

Cet ensemble des collaborations de « nécessité », terme qui recouvre, dans l'un et l'autre cas, la volonté obstinée de perpétuer tout en profitant, rendent en fait profondément solidaires l'économie collaborante de l'État collaborant. La première trafique, mais c'est le second qui lui donne l'*exeat*. La raison d'État comme la raison d'Économie n'ont pas besoin de tenir sur ce point de discours originaux. Le collaborationnisme, au contraire, se veut un choix politique délibéré, sans doute marqué lui aussi au sceau du « réalisme » mais que l'incompréhension ou de sombres calculs peuvent toujours faire échouer. Comme ceux qui appellent à ce choix restent initialement gênés par l'hétérogénéité de leurs itinéraires passés, comme l'année 1940, nœud de toutes les évolutions futures, va les voir prendre leurs distances à l'égard du pouvoir d'État, les renvoyant à une situation, implicite d'abord, explicite et proclamée ensuite, de minorité agissante, toute l'histoire du collaborationnisme sera celle d'une lutte décevante autour des deux questions principales posées en tout temps aux minorités agissantes, le pouvoir et l'unité. Avec cette particularité aggravante que cette histoire est en fait celle d'une minorité « agie ».

La nouvelle ère avait pourtant bien commencé. A Paris, dans une atmosphère pionnière où tous les espoirs paraissent permis aux audacieux, quelques avant-postes ont été occupés sans trop de scrupules par divers « conquis d'avance ». Spectacle étonnant où l'on voit de vieux aventuriers de la politique, comme Hervé, tenter d'émerger une dernière fois à la tête d'un journal sans lecteurs (*la Victoire*, 17 juin 1940), de nouveaux aventuriers, comme Châteaubriant ou Bonnard, sortir de leur tour d'ivoire pour dire enfin, sans risque d'être moqués, leur mot sur les problèmes de l'heure (*la Gerbe*, 11 juillet), quelques patrons de presse convaincus, comme les Bunau-Varilla, accaparer sans même attendre l'armistice le terrain abandonné par les concurrents (*le Matin*, 17 juin), un linotypiste et un correcteur lancer sans guère de munitions un quotidien économique destiné à rassurer les intérêts ébranlés (*les Dernières Nouvelles de Paris*, 20 juin), le liftier alsacien de *Paris-soir*, un certain Schliesslé, être bombardé directeur du journal, qu'il s'agit de faire reparaître au plus vite (22 juin), etc.

On voit même cinq militants communistes négocier pendant plusieurs semaines avec les autorités allemandes la reparution officielle de *l'Humanité*, dont les éditions clandestines dénoncent avec vigueur les « responsables de la guerre », fustigent en de Gaulle un « agent de la finance anglaise [1] » et célèbrent les cas de fraternisation populaire avec l'armée d'occupation. Ici et là, des responsables sortent de l'ombre et s'expriment au grand jour. Sans appeler clairement à la collaboration avec l'Allemagne, le PCF entretiendra pendant plusieurs mois autour de lui une ambiguïté très favorable au nouvel état de choses.

A Vichy, où siège l'État de droit, l'agitation n'est pas moins grande, et ceux qui, dès les premiers jours, sont convaincus qu'il faut dépasser les termes de l'armistice du 25 juin et tout miser sur l'alliance avec le vainqueur, se répandent en initiatives variées pour soutenir l'action du nouveau vice-président du Conseil Laval, qui prend de son côté contact avec Abetz par l'intermédiaire de ceux dont l'heure sonne enfin, et qui vont bientôt devenir aux yeux de tous les « nouveaux messieurs » par excellence, Luchaire, Brinon, Sordet, Jean Fontenoy. Mais Laval est loin d'être la seule ambition marchante. Pendant qu'à Radio-Vichy l'équipe de *Je suis partout* paraît un temps monopoliser l'information, quelques fortes personnalités, créditées de sympathies fascistes, accèdent aux allées du pouvoir. Bergery, dont la motion dite des « 17 » a permis dès le 7 juillet aux parlementaires collaborateurs de se compter, devient un conseiller écouté du maréchal — écouté à défaut d'être entendu; le néo-socialiste Marquet, ministre de l'Intérieur au début du mois, caresse des rêves de pouvoir personnel et rencontre à cet effet les Allemands, à l'instar de Doriot qui, vers le 20 juin, semble avoir envisagé un putsch et sondé Schleier en ce sens.

Après la mise en place officielle du nouveau régime, le 10 juillet, tous exigent que deux choix solennels concrétisent sans plus tarder leur triomphe : garant d'une « collaboration loyale », le retour du gouvernement à Paris; garant d'un pouvoir totalitaire, l'institution d'un parti unique. Un Comité de constitution du parti national unique se met sur pied, au comité directeur duquel se retrouvent la plupart

1. Numéro clandestin du 13 juillet.

des ultrapacifistes du Parlement. L'appui d'Abetz ne semble pas faire de doute. Le 23 juillet, Pétain demande à Déat un rapport sur le sujet. Déat accouche d'un texte doctrinaire de fin de congrès, qui va rester l'approche la plus précise, pendant toute l'occupation, de ce que pourrait être le régime totalitaire souhaité par la majorité de la collaboration. On commence déjà à dessiner l'uniforme des membres du nouveau parti...

En fait, les jeux sont déjà faits. Le Tout-Vichy, de Maurras à Weygand, s'oppose au projet par antipathie doctrinale; Laval, plus calculateur, se contente de ne pas le soutenir; quelques faux amis le sabotent dans l'ombre. Les deux univers du pétainisme et de la collaboration se découvrent soudain étrangers l'un à l'autre, la collaboration divisée contre elle-même. Il ne reste plus à cette dernière qu'à aller rejoindre à Paris ses pionniers, sans que la suive le gros de la troupe. A la frustration de ceux qui, en zone nord, cultivent déjà le sentiment d'être « abandonnés » par Vichy va s'ajouter la conviction des néo-Parisiens que rien n'est plus possible avec l' « entourage » du maréchal. Sordet, Laubreaux, Rebatet, tant d'autres remontent sur Paris, où *l'Œuvre* de Déat reparaît avec pour premier éditorial un texte intitulé : « Librement ». On ne gouverne bien que de Paris et les collaborationnistes ne veulent pas être des « émigrés [1] ». Si la collaboration n'avait pas attendu Montoire pour se nommer et agir, elle n'avait pas attendu non plus le 13 décembre pour être déçue.

Sans doute Montoire, ce « serrement qui est un serment [2] », suscitera-t-il les réactions les plus enthousiastes. Des voix nouvelles viennent à cette occasion se joindre au concert. Un plumitif obscur s'écrie même que, de ce jour, « La race blanche est sauvée [3] ». Mais le renvoi de Laval rejette d'autant plus définitivement le collaborationnisme dans l'opposition que, même au lendemain du 30 octobre, il n'a cessé de réclamer la concrétisation des bonnes intentions du 24, non à l'Allemagne mais à la France, sous la forme d'un engagement militaire décidé aux côtés des puissances de l'Axe. Désormais, et jusqu'à la Libération, la méfiance sera de rigueur à l'égard des initiatives de Vichy. Même si telle ou telle mesure reçoit l'assentiment,

1. R. Brasillach, *La Chronique de Paris*, novembre 1943.
2. Boissel, au meeting fondateur de la LVF, Vel d'Hiv, 15 juillet 1941.
3. G. Vallis, *Premiers Contacts France-Allemagne*, Paris, Debresse, 1940, p.126.

même si le retour de Laval au pouvoir en avril 1942 est salué comme une victoire, le ton d'ensemble sera toujours au mieux celui de l'exhortation à reconnaître ses erreurs et à rattraper le retard accumulé depuis le 13 décembre, au pire la dénonciation violente du « carrefour des forces mauvaises [1] ».

Pendant ce que l'on peut considérer comme la période ascendante du collaborationnisme, qui se clôt pour nous en novembre 1942 sur le débarquement en Afrique du Nord et l'invasion de la zone sud, la question du pouvoir va donc se poser surtout dans les termes de cet « exaspérant colloque [2] » avec Vichy, où l'on dénonce la présence constante de l'increvable « parti de la guerre [3] » — entendons, celle qu'il ne faut pas — et où les plus excités en viennent à parler d'« échafaud » et de « gibet » [4]. On peut ainsi penser que le plus riche répertoire de critiques, voire d'insultes antivichyssoises, se trouve à cette époque plus sûrement dans la presse parisienne que sur les ondes de la BBC — à ceci près que l'inspiration en est allemande et que, si la colère est sincère, les variations de ton dont nous parlions plus haut sont, dans une large mesure, déterminées par les consignes de la propagande nazie. L'unité, quant à elle, un instant compromise par la prolifération des partis, paraît en bonne voie à partir de l'établissement, au lendemain du 22 juin 1941, de la Légion des volontaires antibolchéviques, d'autant plus que l'offensive allemande en Russie achève de rallier par anticommunisme à la collaboration quelques-uns de ceux qui seront parmi ses plus vigoureux défenseurs.

Le temps des désillusions suivra pourtant à peu de distance le retour de Laval. Il a pour arrière-plan le piétinement puis les premiers revers sensibles des puissances de l'Axe, devant lesquels les « réalistes » sont soudain saisis de cécité. Le délire s'installe. Au soir même de l'invasion de la zone sud, un collaborationniste classé parmi les plus modérés, issu de la gauche laïque et républicaine, s'exclame : « Depuis hier la France est européenne... Nous gardons la maîtrise de nous-mêmes et notre souveraineté. Cette chance est incroyable et peut-être imméritée [5]. » L'invasion devient pour beaucoup une sorte de second

1. M. Déat, *L'Œuvre*, 23 février 1941.
2. L. Rebatet, *Les Décombres*, *op. cit.*, p. 622.
3. R. Brasillach, *Je suis partout*, 2 mai 1942.
4. L. Rebatet, *op. cit.*, p. 654.
5. René Chateau, *La France socialiste*, 12 novembre 1942.

Montoire, main tendue un peu rude de l'Allemagne à la France. La réponse de cette dernière les déçoit une fois de plus, mais c'est la confirmation du jeu tout personnel de Laval qui provoque les plus vives aigreurs. Déat et ses amis restent écartés du gouvernement, une nouvelle tentative de putsch doriotiste avorte, Vichy perd ses derniers oripeaux. En novembre 1942, Brasillach avoue avec violence et tristesse : « Nous ne pouvons pas continuer longtemps à tenir à bout de bras une fiction à laquelle nous ne croyons plus... cette Révolution nationale. » Mais la fiction n'est pas moins grande quand il s'agit pour les collaborationnistes de tenir quelque temps à bout de bras la tentative unitaire du Front révolutionnaire national (FRN), à partir de septembre 1942, auquel adhèrent, autour du parti de Déat qui en est avec Laval le promoteur, divers groupements naguère étrangers les uns aux autres mais dont se tiendra obstinément éloigné le PPF de Doriot. L'échec des partis classiques est devenu patent, et la collaboration va s'enfoncer dans un isolement chaque jour plus sanglant.

La dernière année de son existence métropolitaine, qui s'ouvre sur l'effondrement du fascisme italien (juillet 1943), est celle du grand enfermement. Sans doute, à partir de janvier 1944, quelques purs-et-durs aussi avérés que Joseph Darnand (Maintien de l'ordre) et Philippe Henriot (Information) puis, en mars, Déat (Travail et Solidarité sociale) accèdent-ils enfin au pouvoir gouvernemental. Mais la lenteur des mutations excède les ultras qui, du « Plan de redressement français » de septembre 1943 à la « Déclaration commune sur la situation politique » de juillet 1944, ne cessent de pousser au radicalisme un État français réduit à ne plus être qu'une sorte de grand secrétariat général de la puissance occupante.

Pendant que quelques esprits désabusés (Drieu, Brasillach) paraissent déjà prendre date avec le suicide, la conscience d'être plus que jamais incompris, de n'avoir même plus cette fois avec soi ce « Peuple » dont Marquet se réclamait en 1940 face aux deux Frances légale et illégale de Vichy et de Londres, prend des airs de provocation et des tons d'oraison funèbre : « Nous avions une autre politique, nous[1]...! » Les attentats se multiplient contre les collaborationnistes. Plusieurs

1. A. de Châteaubriant, *La Gerbe*, 2 septembre 1943. L'équipe de *Je suis partout* affirmait déjà en janvier : « 90 p. 100 des Français croient à la victoire juive. »

d'entre eux se retrouvent autour de Georges Oltramare le 1er avril 1944 en un solennel « banquet des condamnés à mort ». Les mots d'ordre symétriques sont à l'épuration drastique des administrations, à la prise d'otages, aux « légales fosses de Katyn' », à la mobilisation générale. Les partis politiques cèdent le pas à leurs milices et toutes celles-ci à la Milice, sous les ordres de Darnand.

Le délire idéologique est à son comble. La propagande radio éclipse l'écrite. On avance la solidarité « fasciste » d'Alger et de Paris [1], on suppute les chances d'un renversement des alliances, la date de la sortie de l'universelle « arme secrète ». Un écrivain PPF réédite les prophéties de Nostradamus, les plus romantiques évoquent *le Crépuscule des dieux*, les plus classiques affirment avec Brasillach que « nous sommes très exactement en l'An mille [2] ». L'idée du débarquement imminent, superposée à celle du Grand Soir, est dans tous les esprits, et l'anticipation noire se donne libre cours : ce qui se passera le jour où [3]...

Au-delà du Rhin et de la libération du territoire national, la collaboration ultime, celle qui n'a plus nom Vichy, Montoire ou Saint-Florentin, mais Sigmaringen, Berchtesgaden ou Berlin, reproduira en mode caricatural son destin de troisième joueur malchanceux. Face à un État français réduit à la plus simple expression de son mutisme et de son impuissance — le maréchal et son chef de gouvernement se considèrent à leur tour comme prisonniers de guerre —, face à une Allemagne qui écoute moins que jamais les discours sur l'Europe nouvelle, tout occupée à ses deux grandes tâches de 1940 : produire des armes et aligner des hommes, cette France allemande n'est unie militairement, au sein d'une commune Waffen SS, qu'à la veille de la défaite et n'a jamais paru plus près de monopoliser tout le pouvoir qu'au jour où celui-ci ne signifie plus rien.

1. Exemple : A. Chaumet, *Germinal*, 16 juin 1944.
2. *La Chronique de Paris*, novembre 1943.
3. Dans *France-Europe* du 26 juillet 1944, le journal terrifique d'un Français moyen libéré raconte la chute de Paris, située au mois d'octobre suivant.

4

La règle du jeu

Les auxiliaires de la propagande allemande

> Certains prétendent encore que chaque individu peut se faire lui-même une opinion sur les événements en cours. C'est une présomption ridicule.
>
> PAUL MARION, secrétaire général à l'Information *

L'appareil idéologique allemand

Vue sous l'angle de la collaboration idéologique, la fonction principale de l'autorité allemande est d'amener l'opinion publique à considérer sa présence de l'œil le moins défavorable possible, par un travail de propagande bien mené. La rue de Lille pouvait sans doute y pourvoir seule. Rahn et Achenbach, délégués par Abetz à cet effet, l'auraient sans doute désiré. C'était ne pas compter avec le Commandement militaire qui, dès le 18 juillet 1940, a mis en place sa propre section de propagande, la Propaganda Abteilung (major Schmidtke), appelée en quelque sorte à prendre la succession, à une tout autre échelle, des embryonnaires compagnies allemandes de propagande, liées aux opérations de l'armée de campagne. A vrai dire, la Propaganda, longtemps rattachée dans l'organigramme à l'échelon du renseignement, reste par ses origines une émanation du ministère de la Propagande du Reich (Gœbbels), section « étrangère ». Son autorité y trouve sa source, la complexité de la politique allemande de propagande, son origine. Quatre Propaganda Staffeln régionales (Gross Paris, Saint-Germain, Dijon, Bordeaux) couvrent l'ensemble de la zone nord, leurs agents descendant jusqu'au niveau des principaux chefs-lieux d'arrondissement. A l'échelon national, cinq groupes spécialisés sont chargés de contrôler les médias : presse

* *Les Documents français*, janvier 1942.

écrite (Dr. Eich), littérature, radio, « propagande active » et « culture », auxquels s'adjoignent un organisme de contrôle des films, le Comité d'organisation de l'industrie cinématographique (COIC), institué par Vichy en décembre 1940, se chargeant de la censure préalable. Les conflits d'attribution ne manqueront pas, dans ce domaine comme dans les autres. En juillet 1942, un accord devra même être signé entre les deux administrations, laissant à l'ambassade les échanges culturels, la censure à la Propagande. Dans le secteur de l'information au sens le plus traditionnel, cette dernière conservera en fait, la plupart du temps, l'initiative des opérations.

Apparemment autonome par rapport à ces deux puissances, l'Institut allemand relève en théorie de l'Académie de Munich et du ministère de l'Instruction publique du Reich. En fait, il dépend très réellement des Affaires étrangères, au titre des « initiatives culturelles d'intérêt général » et, sous la direction de Karl Epting, son adjoint, Karl Heinz Bremer, est en fait le représentant direct de la rue de Lille. L'institut a ouvert ses portes à l'automne 1940, 54, rue Saint-Dominique. Il ressemble comme un frère à l'Office universitaire allemand d'avant-guerre, dont Epting était précisément le directeur et, comme lui, s'attache au développement des « échanges » intellectuels entre les deux pays. Aux cours gratuits de langue allemande qu'il organise à la Sorbonne — 6 000 candidats dès le premier mois — s'ajoutent toutes les formes d'activités susceptibles de faire venir le Français à la rencontre de l'Allemand, premier pas vers une « compréhension » plus active encore : expositions, concerts, conférences, prêts de livres, conversations à bâtons rompus dans les salons de thé...

L'Institut possède sa propre revue, *Deutschland-Frankreich* (à ne pas confondre avec les *Cahiers franco-allemands* que Fritz Bran continuera jusqu'au bout à faire paraître à Karlsruhe, sans qu'ils dépendent désormais d'une association quelconque). Sous le masque d'une érudition pondérée, c'est évidemment une image très précise de l'histoire européenne que Bremer, son directeur, y diffuse, qu'il s'agisse de « l'origine germanique des Capétiens » ou de « la conquête de l'opinion française par l'Angleterre au XVIIIe siècle ». L'Institut publie enfin des *Cahiers* qui reprennent le texte des conférences données sous ses auspices à la Maison de la chimie. Leurs sommaires [1] illustrent

1. Voir Annexe I.

les thèmes familiers de ce qui ne reste malgré tout qu'une forme de pénétration culturelle réservée à une petite minorité d'universitaires, d'artistes et d'amateurs éclairés. La librairie franco-allemande Rive gauche (Karl Franck, Henry Jamet), quoique en théorie entreprise commerciale « indépendante », jouera un rôle analogue à partir d'avril 1941. En 1943, elle recevra l'exclusivité de l'exportation du livre français en Allemagne.

De la Propaganda à l'ambassade, de l'ambassade à l'Institut allemand circulent ainsi un certain nombre de poissons pilotes qui, par leur sociabilité et leur bonne connaissance de l'intelligentsia française, jouent un rôle appréciable dans l'entreprise de « séduction » de certains de ses membres. Quand Bremer mourra sur le front russe, en 1942, Brasillach rendra hommage à ce grand garçon blond, connaissant « admirablement bien la langue et la littérature françaises », avec lequel il avait rêvé de battre la campagne, la paix revenue, et de camper fraternellement. Voici pour la catégorie « jeune Siegfried vainqueur des sortilèges [1] ». Le Pr. Frédéric Grimm, « conseiller de justice, avocat et notaire », ressortit à l'autre grand mythe intellectuel ambiant, celui de l'« universitaire allemand », solide et quelque peu austère. Derrière le professeur de droit international de l'université de Münster, derrière le spécialiste des frontières orientales de l'Allemagne se profile en fait l'un des experts attitrés de Hitler pour les questions européennes. En 1934, il a préfacé l'édition allemande du *France Allemagne* de Brinon; en 1941, celui-ci préface la traduction française du principal ouvrage de Grimm, *le Testament politique de Richelieu*, réponse au livre antiallemand d'Henri Massis, *la Guerre de Trente Ans :* « Le peuple allemand et son Führer sont à présent sur le point de gagner la guerre de Trente Ans, et de triompher de la paix de Westphalie [2]. » Participant de l'un et l'autre groupe, des hommes comme Sieburg assurent par leur réputation la continuité entre l'avant- et l'après-« drôle de guerre », tout en multipliant les textes francophiles, du style de ces « Enfants rouges de la France », parus dans *la Gerbe*, qui présentent la France comme la bienfaitrice des Indiens d'Amérique face à la politique inhumaine de la perfide Albion...

1. *Je suis partout*, 18 septembre 1942.
2. Dr. Friedrich Grimm, *Le Testament politique de Richelieu*, Paris, Flammarion, 1941, p. 199-200.

Interlocuteurs et haut parleurs

Les professionnels de l'information qui, du côté français, acceptent de relayer la propagande allemande figurent un milieu moins brillant mais plus contrasté, où une forte proportion d'obscurs et de ratés qui tiennent enfin leur revanche côtoie quelques partisans convaincus, inlassables prosélytes des nouvelles valeurs. Célèbres ou non, apôtres ou tâcherons, on les retrouve souvent d'une officine à l'autre, successivement ou simultanément, car les tâches sont multiples et les hommes sûrs trop peu nombreux. Quant à ceux qui passent pour les experts d'une question à l'ordre du jour — les experts en antisémitisme au premier chef —, on a plus tôt fait de compter les médias auxquels ils n'ont pas participé que le contraire.

Tous les cas de figure sont envisageables. Celui des Parisiens invétérés, décidés à servir le maître du jour au reniement de leurs discours anciens, tel le vieil Alexandre Zevaès (1873) qui, en sa jeunesse député guesdiste, plus tard collaborateur de la presse d'extrême gauche, se refusera à renoncer à sa tribune de *l'Œuvre,* quelle qu'en soit désormais l'orientation politique. Celui, plus fréquent, de tous ces folliculaires besogneux, « analphabètes qui découvrent pêle-mêle la question juive, le rôle de l'or anglais, le danger bolchevik [1] », dont l'aigreur peut tout à loisir s'attaquer aux puissants d'hier abattus, voire aux impuissants de Vichy, « des pauvres types, mais des bourgeois. L'épaisseur de leurs diplômes les empêche d'entendre battre le cœur du vrai peuple de France [2] ». Plus mystérieux sont les stipendiés de longue date, tels cet obscur François Janson, placé par les Allemands à la tête de la rédaction de *Paris-soir* en juin et juillet 1940, Charles Rivet, vieil habitué, depuis Petrograd, de « l'abominable vénalité » internationale, Chaumet, salarié du DNB, créature avérée de la Propaganda Abteilung; ou encore ce comte Jacques Bouly de Lesdain, aristocrate flamand, frotté de diplomatie au début du siècle, passé ensuite au journalisme international et qui, pendant la « drôle de guerre », résidait à Bâle avec sa femme, une Allemande, y exerçant, en théorie, la fonction peu absorbante de correspondant de *l'Illustration.*

1. R. Brasillach, *La Chronique de Paris,* mars 1944.
2. A. de Puységur, *Au pilori,* 14 janvier 1941.

Les vrais aventuriers du verbe sont ailleurs. Ils préfèrent l'éclat à la discrétion, sont de compétence universelle et ne trouvent pas toujours où se fixer. Jean Fontenoy, ancien communiste, correspondant avant-guerre de l'Agence Havas en URSS, puis en Chine, devient un temps l'ombre portée de Laval, traverse en coup de vent *la Vie nationale, la France au travail, la Révolution nationale, Combats,* l'Agence française d'information de presse — et ne trouve sa voie que dans la lutte armée sous uniforme allemand, jusqu'à y laisser sa vie, dans les derniers jours des combats de rue berlinois. Georges Oltramare (1896), de nationalité suisse, est avant-guerre un écrivain prolifique en romans policiers et vaudevilles parisiens. Lui qui affirme avoir rêvé d'être « l'enfant terrible d'un régime fort [1] » apparaît en fait comme l'un des plus notoires agents du fascisme international, dépêché par ses maîtres pour sauver des meubles, redresser une entreprise mal engagée, occuper de sa forte personnalité des contrées encore vierges : premiers journaux de Paris occupé, premiers grands magazines de propagande radiophonique...

S'élevant à quelque hauteur au-dessus de ces individualités troubles par les rôles officieux qu'on l'amène à remplir, Luchaire n'en est à tout prendre que le parangon. C'est avec un enthousiasme mitigé que notre homme, appelé par l'intrigant Bunau-Varilla à la rédaction en chef du *Matin* à l'été 1940, va accepter, à l'automne, de jouer le rôle autrement lourd de directeur d'un grand quotidien du soir, *les Nouveaux Temps*, qui va lui être assigné par son ami Abetz. Nouveau monsieur par excellence, il préférera aux responsabilités quotidiennes la vie plaisante d'administrateur des Éditions Lutetia et de patron des patrons au sein de la corporation de la presse nordiste. Aux *Nouveaux Temps*, il ne crée autour de lui aucune équipe digne de ce nom et abandonnera de plus en plus la définition de la ligne politique du journal à son autre ami d'avant-guerre, Crouzet, familier des milieux universitaires reconverti dans le journalisme par une conviction collaborationniste qui n'a pas l'élégant négligé de celle de son directeur. Crouzet lui-même est en contact permanent avec l'ambassade, qui serait allée jusqu'à faire écrire par l'un de ses employés certains des articles du quotidien. A partir de l'automne 1942, Luchaire ne passe plus guère au journal que pour les fins de mois. Dans son sillage navi-

1. *Les souvenirs nous vengent*, Genève, p. 10.

guent divers individus dociles aux consignes allemandes, dont l'un des plus étonnants est sans dou et Eugène Gerber, propriétaire des Éditions Théophraste-Renaudot, placé à la tête de *Paris-soir* en novembre 1940, mais aussi, à l'instar d'Oltramare, auteur dramatique raté, jamais découragé par ses fours successifs et monumentaux et qui, devant les refus des directeurs de théâtre parisiens, préférera voir créer sa dernière pièce à Nuremberg plutôt que de la laisser dans un tiroir...

Du bon usage des échanges culturels

Ce dernier trait n'est après tout que la caricature de ces chassés-croisés culturels qui, lorsqu'ils sont fondés sur d'incontestables réussites mondaines, jouent un rôle à tout le moins ennoblissant dans la panoplie de la propagande nouvelle. Tournées ou visites, artistes ou intellectuels, Allemands en France, Français en Allemange : tout concourt à renforcer la double image rassurante vers le passé d'une civilisation raffinée ayant su mieux que les autres mettre en valeur son patrimoine [1], vers l'avenir d'une Europe des cultures déjà plus qu'à moitié faite quand, hélas !, celle des diplomaties piétine encore. Comme toujours en la matière, ce qui compte est moins l'événement lui-même que l'image cent fois multipliée qui en est donnée à travers tout le pays par des médiateurs zélés.

L'obstacle de la langue est sans doute pour beaucoup dans le peu d'impact des tournées théâtrales allemandes en France. Limitées généralement à un très petit nombre de représentations, réservées à un cadre prestigieux, celui de la Comédie-Française, elles se réduisent alors aux attributs élémentaires de ce type de manifestations sous alibi culturel : l'applaudissement à la supériorité artistique allemande et la « soirée » du Tout-Paris collaborateur, propice aux grandes rencontres et aux petits ralliements, de Luchaire à Sacha Guitry, de Déat à Serge Lifar, de Harry Baur à Brinon. Ainsi en sera-t-il des séjours du Staatstheater de Munich (1943 : *Iphigenie auf Taurus* de Gœthe) comme de ceux de l'officieux Schillertheater (1941 : *Kabale und Liebe* de Schiller, sur un thème qui n'est pas sans présenter, par

1. L'Abteilung recommande ainsi en 1941 à la Staffel de Saint-Germain de faire présenter les œuvres d'art françaises antérieures à la Révolution comme le produit d'une nation encore toute « germanique ».

l'acteur Heinrich George interposé, quelque ressemblance avec celui du *Juif Süss;* 1943 : *Der Alkade von Zalamea...* de Calderon, exaltation du juste souverain).

Moins directement explicites mais dotés d'un langage plus spontanément international, les musiciens et les plasticiens se trouveront en revanche au centre des plus prestigieuses manifestations de ce collaborationnisme « désintéressé ». A l'exception de Wilhelm Fürtwangler, les plus grands chefs d'orchestre et solistes allemands qui n'ont pas fui le nazisme viennent à Paris. Eugen Bochum (1941), Clemens Krauss puis Hans Knappertsbusch (1942), avec le Philharmonique de Berlin, Wilhelm Kempf, Wilhelm Mengelberg (1943), Werner Egk (1943 et 1944) devant l'orchestre de Radio-Paris, le Deutsches Opernhaus de Berlin pour *la Chauve-souris* de Johann Strauss (1941), le Staatsoper, pour *Tristan* et *l'Enlèvement au sérail* (1942), divers grands artistes lyriques allemands à l'occasion du cinquantenaire de *la Walkyrie* à l'Opéra, en 1943, etc. Reprenant une formule familière outre-Rhin, l'orchestre de Radio-Stuttgart va jouer, sous la direction de Krauss, dans une usine de la banlieue parisienne — pas n'importe laquelle d'ailleurs, la très collaborante Gnôme-et-Rhône —, à l'émerveillement des « socialistes nationaux », qui y voient bien la preuve du retard de notre système social sur celui de nos voisins. L'apogée avait sans doute été atteint dès le printemps 1941, avec le cent-trentenaire de la naissance de Wagner et le centenaire de la composition, à Meudon, du *Vaisseau fantôme*. Le 22 mai, le Staatsoper donne *Tristan* avec, seule Française, Germaine Lubin (1890) dans son rôle mascotte d'Isolde; au pupitre, le jeune Herbert von Karajan, que l'on retrouve le 24 dirigeant la Staatskapelle dans la salle comble du palais de Chaillot. Le 25 enfin, l'inauguration d'une exposition Wagner à Meudon est l'occasion pour Brinon, cédant à un parallèle prévisible, de célébrer « ce monde apaisé qui se forge aujourd'hui dans la douleur et dont l'enfantement évoque l'immortelle musique de Richard Wagner [1] ».

Concrétisant sans plus tarder l'Europe nouvelle en gestation, nombreux sont les artistes français qui demandent ou acceptent d'être associés un soir à des confrères allemands : compositeurs comme Tony Aubin ou Jean Françaix en 1942, sous l'égide de l'Institut allemand

1. *Cahiers franco-allemands*, mai-juin 1941.

et du groupe Collaboration, interprètes comme Marius-François Gaillard aux Tuileries, avec Hans von Breda (1941), Alfred Cortot à l'Orangerie avec Wilhelm Kempf et Germaine Lubin. Pendant la seule année 1941, l'Opéra de Paris accueille celui de Berlin, monte trois Mozart, deux Wagner, le *Fidelio*, un Richard Strauss et le *Palestrina* de Pfitzner. Une société Mozart, correspondante de celle de Salzbourg, est créée la même année à l'instigation de l'Institut allemand. Un peu partout, les festivals Mozart, Beethoven, Wagner, Richard Strauss accaparent l'affiche, au point de susciter l'irritation de certains chroniqueurs musicaux de la presse parisienne.

L'exposition Arno Breker, de mai à juillet 1942 à l'Orangerie, ouverte quelques jours après le retour de Laval au pouvoir, focalise toutes ces images. Le héros du jour réunit, il est vrai, en lui la double qualité de sculpteur officiel du Reich et d'ancien « montparno », admirateur de Rodin et de Bourdelle, élève de Maillol, préféré du Führer. C'est le ministre de l'Éducation nationale en personne, Abel Bonnard, qui inaugure la festivité, entouré du gratin de la collaboration politique auquel se sont amalgamés pour l'occasion plusieurs artistes convaincus ou légers, un Derain, un Van Dongen, un Despiau, sans oublier le vieux Maillol lui-même. Photographies, déclarations radiophoniques, entretiens dans la presse écrite complètent l'opération, qui n'est pas un mince succès.

Allant plus loin, certains artistes et intellectuels français ne se contentent pas de se rendre à une invitation allemande à l'Orangerie. Ils franchissent le Rhin ou, subsidiairement, visitent une région occupée par les armées allemandes, comme le fait Brasillach en 1942 aux Pays-Bas, pour une série de « conférences informatives » organisées par le Reichskommissar. Pendant et après son séjour, l'intéressé est convié à payer son écot sous la forme d'un entretien, d'un article, voire de conférences. Toutes les catégories professionnelles sont touchées, de l'athlète au sculpteur, de la vedette de la chanson au syndicaliste. Cortot est fêté à Berlin comme le premier artiste français qui y ait été invité depuis l'armistice; le cent-cinquantenaire de la mort de Mozart réunit à Vienne un Jacques Rouché, directeur mécène de l'Opéra, un Marcel Delannoy, un Arthur Honegger, aussi bien qu'un Rebatet ou un Sordet. A travers les grands sites hantés de l'Allemagne, en octobre 1941, ce sont sept écrivains, et non des moindres, Bonnard, Brasillach, Jacques Chardonne, Drieu, Ramon Fernandez, André

Fraigneau, Marcel Jouhandeau, qui accompagnent Bremer sur les pas de Gœthe, de Schiller, de Liszt et de Bach, qui rencontrent Arno Breker et leurs *alter ego* venus d'autres pays occupés suivre le même circuit initiatique. Plus didactiques, les salariés de moindre envergure s'adressent à leur retour, en fonction de leurs compétences, à un public bien précis. Marc Augier parle de la jeunesse allemande, Simone Mohy de la femme allemande, Fernand Demeure de l'artiste allemand, Georges Montandon des lois raciales, Georges Dumoulin du Front du travail, Francis Delaisi de la Foire de Leipzig... Les plus sûrs peuvent pousser jusqu'aux arrières du front de l'Est, tels Brasillach et Jeantet, à l'invitation de Brinon, en juin 1943.

On aurait évidemment tort de traiter ces événements comme autant d'anecdotes folkloriques. Quand, d'Albert Préjean à Danielle Darrieux, un petit contingent d'interprètes jouissant d'une grande popularité auprès du public français répondent favorablement en 1941 à l'invitation du Dr. Frœlich, président de la Reichsfilmkammer, on peut penser, à en juger par ce qu'en rapportent les médias les plus répandus (actualités cinématographiques, radio, grands quotidiens, magazines illustrés), qu'une telle information laisse dans l'opinion publique un souvenir plus marquant que la sortie du dernier ouvrage de Déat ou le prochain discours de Doriot.

Le groupe Collaboration

Nulle part, cependant, la manipulation politique de ces « échanges spirituels [1] » n'a été plus évidente que dans le cas du mouvement « Collaboration, groupement des énergies françaises pour l'unité continentale », qui cherchera à systématiser ces diverses formules pour les faire servir à une meilleure connaissance de cette Allemagne qui, elle, avait su avoir « l'ambition d'étendre à l'Europe entière le bénéfice des méthodes qui lui avaient réussi [2] »! Installé à l'automne 1940, Collaboration s'est choisi pour président Châteaubriant qui, de son verbe enflammé, couvre le travail plus obscur mais plus efficace dont Jean Weiland, directeur général, René Pichard du Page, vice-président, et Ernest Fornairon, secrétaire général, ont pris la charge. Cinq

1. Circulaire de Laval aux préfets pour leur recommander le groupe Collaboration, 30 août 1943.
2. *Collaboration*, octobre 1942.

« sections » s'attachent à ne laisser de côté aucun des grands domaines : littéraire, artistique, scientifique, juridique, économique et social, plus une inter-section de la radiophonie, chargée de l'émission qu'on finira par concéder au groupe. Des « sous-comités » — qui rappellent par leur nom l'héritage du Comité France-Allemagne — essaiment en province. Dès le 29 décembre 1941, Darlan en a autorisé la création en zone sud. En septembre 1943, ils y sont au nombre de 33, contre 29 au nord, sans compter un sous-comité des Français de Berlin...

Le dynamisme paraît très variable selon les régions et, à Paris, selon les spécialités. Nombreuses sont à tout le moins les petites manifestations amicales à l'occasion de la venue d'artistes ou d'officiels allemands. La sous-section des arts plastiques, présidée par le conservateur du musée Rodin, fêtera ainsi Arno Breker, le 22 mai 1942, devant un parterre où figurent quelques-uns des grands noms de la peinture et de la sculpture contemporaine, Dunoyer de Segonzac, Paul Landowski, Vlaminck, Paul Belmondo et Othon Friesz, ces deux derniers vice-présidents de ladite sous-section. Les figures germano-françaises les plus répandues viennent tenir leurs conférences sous l'égide du groupe, qui en édite le texte en brochures : on y retrouve Bran, Grimm, Sieburg, accompagnés de Ferdinand Fried, de l'université de Prague, Max Clauss, Colin Ross... Grimm, lancé dans une tournée nationale qui lui permettra d'être reçu personnellement par le maréchal Pétain, affirme avoir pris ainsi, pour sa part, la parole devant au total plus de 50 000 auditeurs.

En province, à plusieurs de ces manifestations, préfets, présidents de la Ligue française des combattants, représentants locaux de l'Ordre des médecins ou de la chambre de commerce siègent au premier rang : c'est que le groupe acquiert, au long des mois, et en particulier depuis le retour de Laval, un caractère tout à la fois officieux et élitaire qui circonscrit assez bien le type de fonction qu'il est appelé à remplir dans la mécanique allemande : celui d'un cercle de notables, plus « culturel » à Paris, plus « économique » dans les départements, souvent contraints de s'y compromettre par les responsabilités qu'ils exercent, et flanqués ici et là d'une piétaille petite-bourgeoise que sa situation familiale (femmes et parents de prisonniers de guerre) ou professionnelle (du garagiste au limonadier) place dans une position de dépendance à l'égard de l'occupant.

Il n'y manque évidemment pas la section de jeunes, intitulée Jeunes de l'Europe nouvelle, constituée à la rentrée de 1942 sous la direction du « chef » Jacques Schweizer, avocat à la Cour, militant Jeunesse patriote avant-guerre. Le programme des séances de cinéma qu'elle accueille — *le Jeune Hitlérien Quex, le Juif Süss, la Marche vers le Führer...* —, les conférences qu'y donnent des représentants de l'Armée Vlassov, les manifestations qu'elle organise pour les anniversaires de Mers el-Kébir et du 22 juin 1941 donnent toutes leurs dimensions à l'entreprise du groupe Collaboration, chantre de « cette unité continentale dont l'Allemagne eut déjà la prescience et que les armées européennes sont en train d'édifier [1] ». Cas limite peut-être, mais qui met en pleine lumière l'enjeu réel de la propagande collaborationniste.

La presse aux liens

Les mêmes conclusions s'imposent à la lecture de la presse écrite, manifestation la plus riche et la plus diversifiée de l'idéologie nouvelle. Pluralisme de façade, d'ailleurs, car la vraie diversité est bien plutôt celle des moyens de domination que s'y est attribués l'occupant, et qui sont innombrables [2].

L'un des plus radicaux porte, purement et simplement, sur l'octroi du papier journal, extrêmement raréfié par la conjoncture. Double pouvoir, de surcroît, conféré au Dr. Klecker, dépendant non de la Propaganda mais directement de la section économique du Commandement militaire (« service Lehmann ») : il ne joue pas seulement des récompenses et des pénalisations entre journaux de zone nord; il entre aussi dans ses attributions de répartir le papier entre les deux zones : en juin 1943, le Nord reçoit déjà 65 p. 100 des quantités; à la fin de l'occupation, 75 p. 100. A l'autre bout de la chaîne, bien qu'elle prétendît bientôt à s'occuper aussi de la répartition du matériel d'impression, la Coopérative des journaux français a reçu en zone nord le monopole de la distribution des périodiques. Un quasi-monopole existait déjà avant-guerre, entre les mains de la maison Hachette. Les « révolutionnaires » de la collaboration pourront ainsi présenter leur main basse comme une véritable libération des esprits. « Dès la mi-juillet, racontera Augier, en complète collaboration avec les autori-

1. *Collaboration*, octobre 1942.
2. Voir Annexe IV (tirages 1943).

tés allemandes, nous occupions les locaux d'Hachette, fondions la Coopérative des journaux français, et tout ce qui faisait profession d'écrire pouvait, enfin, repartir vers des horizons nouveaux [1]. » La collaboration en question était à l'image de plusieurs autres en ce qu'elle signifiait tout simplement l'installation dans le fauteuil directorial du lieutenant Weber, Allemand « bien parisien », que ses supérieurs préféreront d'ailleurs transférer en 1941 à la tête d'un bureau d'achat, où il allait pouvoir exercer tout à loisir ses dons de trafiquant mondain. En zone sud, il faudra attendre le rétablissement d'une relative libre circulation entre les deux zones (1er mars 1943) pour que quelques publications parisiennes soient autorisées par Vichy, la plupart du temps dans les seuls départements riverains de la Méditerranée : *le Matin*, *l'Œuvre*, *le Cri du peuple*, *les Nouveaux Temps*, *l'Illustration*, *Toute la vie*, et *Signal*, ces quatre dernières figurant, d'autre part, parmi les rares titres autorisés par l'Allemagne dans les camps de prisonniers.

A l'intérieur de ce cadre général circule, par de multiples voies, un courant d'argent frais destiné à subventionner les organes bienveillants. Schleier prétendra avoir eu à disposer pour sa part d'un milliard de francs 1939, sur lesquels 300 millions auraient été distribués avant novembre 1943, selon des critères variables, qui ne tenaient pas seulement au tirage ni au zèle politique mais beaucoup aux relations personnelles. Même si nous nous limitons à la manne de la rue de Lille, il faut encore y ajouter les classiques « contrats de publicité » : près de 2 millions de francs pour *le Matin*, 541 000 à la *France socialiste*, 492 000 à *l'Illustration*, 298 000 à *l'Œuvre*, etc. Au bout de cette logique se trouve évidemment le moyen de contrôle le plus insidieux et de loin le plus efficace dans l'hypothèse d'une Europe pacifiée : la domination capitaliste sans intermédiaire des publications les plus variées, déjà connues ou nouvelles nées; et tout cela entre les mains du directeur du service des éditions contrôlées à l'ambassade, Gérard Hibbelen, auquel aurait été confié à cette fin un autre crédit d'un milliard de francs. Au 31 mai 1944, le jeune trust contrôle déjà directement *la France socialiste*, *Aujourd'hui* et *l'Auto*, sans doute *les Nouveaux Temps*, et participe au capital de *Paris-soir*, *Paris-midi*, *le Petit Parisien*, *l'Œuvre* et *le Matin*. S'ajoutent à cette liste quatorze hebdoma-

1. *La Gerbe*, 20 février 1941.

daires, une dizaine de bimensuels — parmi tous ceux-là deux des trois grands illustrés de politique générale, *Actu* et *Toute la vie*, et les deux principaux magazines populaires de cinéma, *Vedettes* et *Film complet*. Au total, huit sociétés anonymes, quatorze SARL françaises, 49 publications contrôlées intégralement, représentant près de la moitié des titres parisiens, et un droit de regard sur une trentaine d'autres...

Encore ces solides garanties pour l'avenir n'ont-elles été mises en place que progressivement. On devine aisément que ce n'est pas dans le détail de la censure et la quotidienneté de l'information dirigée que va se relâcher la tutelle allemande. Au stade des agences de presse en tout premier lieu, d'autant plus qu'il s'agit peut-être là du secteur de la presse écrite où l'occupant rencontrera, l'intérêt privé aidant, les interlocuteurs français tout à la fois les plus dynamiques et les mieux disposés à son égard.

Le soir même de l'occupation de la capitale, l'ancien directeur du bureau parisien de l'agence officielle allemande DNB, devenu, botté, le capitaine von Grote, se réinstallait dans ses bureaux et, en y transférant le matériel abandonné par l'Agence Havas, y posait les premiers fondements de ce qui deviendrait, sous le nom d'Agence française d'information de presse (AFIP), le symétrique, zone nord, du très officiel Office français d'information (OFI). L'AFIP, théoriquement constituée de capitaux fournis par les ténors de la collaboration, Luchaire et Brinon en tête, restera en fait et jusqu'au bout une annexe à peine déguisée du DNB, dont elle traduit et diffuse les dépêches. Son rédacteur en chef, ancien rédacteur du *Jour*, le quotidien conservateur de Léon Bailby dans les locaux duquel elle s'est finalement installée, son secrétaire général, ancien collaborateur d'Havas, assurent les apparences de la continuité : comme à la Coopérative, le véritable maître est un Allemand, le lieutenant Hermes, du Pressgruppe de l'Abteilung.

En octobre 1942, un accord nord-sud permettra à l'OFI d'absorber l'AFIP, mais en la limitant en zone nord à la diffusion des dépêches concernant la France. Les nouvelles de l'étranger restent l'apanage du DNB. Avant comme après cette date, le bulletin de l'AFIP diffuse avec diligence et quotidiennement les notes d'orientation de Vichy aussi bien que les consignes et insertions obligatoires de la Propaganda. A cette dernière sont liés les prête-noms placés à la tête des petites agences rédactionnelles et photographiques qui subsistent ou émergent après la débâcle : la Coopérative française des écrivains de presse, la Société des publications économiques, les éphémères lettres de la Correspondance de presse et de Presse-Information pour les premières, Fama, Sylvestre, LAPI pour les secondes. Menu fretin, cependant, à côté de la principauté journalistique que va se tailler jour après jour l'agence Inter-France.

Le royaume d'Inter-France

Nous l'avons aperçue, dans l'immédiat avant-guerre, fournissant à la presse de province opposée au Front populaire et au conflit avec l'Allemagne l'aliment d'articles particulièrement engagés. Son animateur, Dominique Sordet, fils d'un général de la cavalerie et ancien saint-cyrien lui-même, était depuis de nombreuses années le chroniqueur musical apprécié de l'*Action française* et de *Candide*. 1936 l'a jeté dans la mêlée. 1940 le voit parmi les premiers à rallier Paris pour y occuper le terrain mal contrôlé par l'AFIP et les petites agences. Comme en 1937, son état-major touche à toutes les puissances de l'extrême droite classique : l'armée, avec Michel Alerme, colonel d'infanterie coloniale en retraite, directeur en titre; l'épiscopat avec Marc Pradelle, ancien directeur d'un journal monarchiste du Val de Loire; le nationalisme historique, avec Xavier de Magallon, vieux compagnon de Déroulède et de Drumont; les milieux d'affaires, avec Georges Ricou, ancien mécène de l'Opéra-Comique, ou Henri Caldairou, futur secrétaire général de l'agence, et beaucoup d'autres. La double supériorité initiale d'Inter-France est d'être une société coopérative de presse, en d'autres termes de s'associer comme actionnaire chaque nouvel organe adhérant à l'agence et d'entretenir de bons rapports avec tous les puissants du jour, qu'il s'agisse des Allemands — Inter-France signe en décembre 1940 une convention avec leur agence Transocéan — aussi bien que de Vichy, qui autorise son extension à la zone sud dès août 1940, et la subventionnera même à compter de février 1942 (3 millions de francs cette année-là, 4,2 millions prévus pour 1944).

Jusqu'au mois d'octobre 1941, l'Agence s'est contentée de diffuser auprès de ses actionnaires ses articles, quotidiens ou plurihebdomadaires, assortis de tous les grands noms de la collaboration. En octobre,

Sordet ouvre un service de dépêches téléphonées et télégraphiées : Inter-France informations (IFI). Dès l'abord, les quotidiens régionaux y dominent, en tête desquels la plupart des plus grands, *Ouest-Éclair, la Petite Gironde, le Journal de Rouen...*, sans oublier *le Moniteur du Puy-de-Dôme* de Laval. S'y ajoutent les *Lettres confidentielles* — une dizaine de pages ronéotypées — de Sordet, une maison d'édition, la SEDIF, qui publie Georges Claude aussi bien qu'Émery, Crouzet comme Georges Champeaux. Pour faire pièce à Havas, une agence de publicité est même lancée en 1944. Dans les deux dernières années qui précèdent la Libération, Inter-France est un lobby avec lequel il faut compter. 180 périodiques, en particulier une foule de petites feuilles locales, se sont rattachés à sa branche rédactionnelle, laquelle un temps, en 1943, alimente même les organismes départementaux de la propagande d'État; 65 régionaux, à la branche informations. 4 022 articles et dépêches IF sont reproduites pendant le seul mois de décembre 1942. Le pourcentage de reproduction oscille entre 40 et 45 p. 100 : il est nettement supérieur à celui de l'OFI, dont pourtant une partie des textes est d'insertion obligatoire. Les grandes « journées d'Inter-France », les 10, 11 et 12 octobre 1942, sont la fête du nouveau pouvoir. Représentés par leurs directeurs ou rédacteurs en chef, ce sont 215 journaux qui ont accepté l'invitation. Banquets, conférences, visites, réceptions par les autorités allemandes; Marion, Bonnard, Brinon sont là : comme le confirme la lecture des *Lettres confidentielles* de Sordet, dans les débats internes à la Collaboration, la puissance d'Inter-France ne sera pas mise au service des plus modérés.

Encore l'adhésion à Inter-France résulte-t-elle d'un choix personnel. Le Pressgruppe a d'autres méthodes pour s'assurer la diffusion d'informations sûres. La plus brutale est celle de l'insertion obligatoire. Masquée, elle se transforme en celle de notes-consignes quotidiennes, très nombreuses — parfois une cinquantaine — et des plus méticuleuses, sur les sujets à mettre en valeur, ceux à passer sous silence ou à expédier en dix lignes, le type d'argument à utiliser, le vocabulaire exigé [1], la disposition typographique, etc. Ces consignes et quelques autres sont illustrées au cours de conférences d'information présidées par le Dr. Eich ou l'un de ses adjoints, parfois assistés,

1. Anecdote connue : le terme de « vandalisme » sera un beau jour banni par respect pour le peuple germanique auquel il se réfère.

dans une grande union sacrée, de représentants de la rue de Lille. Il ne s'agit nullement là d'une formalité : les conférences politiques et militaires ont lieu deux fois par jour, les économiques trois fois par semaine, et chaque publication parisienne doit faire accréditer un représentant permanent auprès d'elles. Ces institutions une fois rodées, l'occupant pourra se payer sans grands risques le luxe d'assouplir la censure directe et finale, sur morasses, auprès des bureaux de presse de l'armée allemande : elle s'étendait initialement jusqu'aux programmes de radio et aux chroniques sportives. A dater du 10 janvier 1943, elle se « limite » aux éditoriaux, aux articles à sujet politique, militaire et économique. Vers le même moment, à vrai dire, les services de la censure allemande s'installent en zone sud, à l'échelon régional. Réservés en théorie au contrôle des informations militaires, ils auront, on le devine, la prétention d'aller au-delà, occasionnant de multiples conflits d'autorité avec leurs collègues vichyssois.

Ersatz et à-peu-près

Bridée sans doute, mais par là même protégée par un tel appareil compressif, la presse collaborationniste s'installe de surcroît sur une terre largement brûlée. La majorité des quotidiens et hebdomadaires de Paris, une forte minorité de ceux de province sont morts de la guerre ou de la défaite. D'autres suivront, dans les malheurs du temps. La déperdition est ainsi beaucoup plus forte en zone nord (— 60 p. 100 des titres en 1939 et 1943) qu'en zone sud (— 32 p. 100). Parmi les survivants, plusieurs des noms les plus célèbres de la presse nationale, *l'Action française*, *la Croix*, *le Figaro*, *le Journal*, *Paris-soir* (Lyon), *le Temps*, *Candide*, *Gringoire*... se sont installés à demeure dans le Sud. Leurs tirages ont beaucoup baissé, leur influence s'est généralement restreinte. Dans l'impossibilité où ils sont de diffuser dans le Nord, ils sont virtuellement morts pour la collaboration parisienne. Quelques-uns, de surcroît, se saborderont au lendemain de l'occupation de novembre 1942. Sans doute voit-on reparaître ou remonter l'un après l'autre à Paris, en une dizaine de mois, une dizaine de titres eux aussi d'envergure nationale : *le Matin*, *Paris-soir* (Paris), *Paris-midi*, *l'Œuvre*, *le Petit Parisien*, *l'Auto* (édition de zone nord), *l'Illustration*, *Je suis partout*... Il n'en reste pas moins que cet éventail peut paraître — et paraît effectivement à l'autorité occupante — nettement insuffisant à satisfaire tous les publics qu'il s'agit de se concilier, de même qu'il peut paraître à certains collaborateurs aux dents longues insuffisant à satisfaire toutes leurs ambitions.

La tactique consistera donc à rassurer les habitudes en soulignant les signes de continuité — *le Petit Parisien* reparaît dans sa ville, le 8 octobre 1940, « avec son objectivité habituelle », dit l'éditorial —, tout en justifiant les innovations — nouveaux titres ou simplement nouvelles équipes — par les nécessités « révolutionnaires » de l'heure. Immédiats ou progressifs, ces changements s'opèrent généralement avec l'aveu des propriétaires (la famille Dupuy au *Petit Parisien*, la famille Baschet à *l'Illustration*), selon les cas résignés, convaincus ou ne demandant qu'à l'être. *L'Œuvre* et *le Petit Parisien* ont perdu dès l'abord leurs démocrates et leurs anglophiles (Albert Bayet, Geneviève Tabouis, Joseph-Élie Bois). Jean Piot au premier, Raymond de Nys au second couvriront encore quelque temps de leur nom connu des habitués une mutation politique déjà en bonne voie dès les premiers jours de juillet, *l'Œuvre* déatisée à cent pour cent, *le Petit Parisien* passé avec le directeur Lemonon et le rédacteur en chef Decharme entre les mains de créatures du néo-socialisme bordelais. A *l'Illustration* ce sont René Baschet et Robert de Beauplan eux-mêmes, codirecteur et rédacteur en chef, qui font les premières avances, de plus en plus pressantes, auprès des Allemands, dès le mois de juin. Abetz acceptera de lever la réquisition portant sur le siège social et l'imprimerie de Bobigny. En échange, il va imposer Lesdain comme « rédacteur politique ». Robert de Beauplan, en se ralliant au nouveau régime, à l'instar de beaucoup d'autres à travers la France, facilitera la transition.

Quand de telles complaisances ne sont pas espérées ou quand le temps presse, la reparution joue sur l'ersatz ou l'à-peu-près, comme dans le cas du *Paris-soir* de Paris, relancé le 22 juin sans l'accord de la direction Prouvost repliée à Lyon, qui continuera à tirer de son côté, jusqu'à l'invasion de la zone sud, un *Paris-soir* vichyste. Ce « vivant journal d'information réalisé par une équipe cent pour cent française » — *Paris-soir* Paris parle ici de lui — est bien une création à « cent pour cent » du lieutenant Weber, mais sous la houlette, plus habile qu'on ne l'eût cru, du dénommé Schliesslé, il va retrouver petit à petit les ingrédients du succès d'avant-guerre : abondante illustration photographique, romans-feuilletons, échos faciles, bongarçonnisme et docilité aux ordres du pouvoir. Relevant moins de l'escroquerie que de la contrefaçon, *la France au travail* (30 juin 1940) et *les Nouveaux Temps* (1er novembre) entendent occuper, sur les consignes expresses de l'occupant, les places laissées vacantes par *l'Humanité* et *le Populaire* d'une part, *le Temps* de l'autre.

L'échec du premier *Aujourd'hui* (10 septembre-22 novembre), avec Henri Jeanson pour rédacteur en chef, marque les limites de cette politique des substituts. Un quotidien animé par Jeanson, c'était l' « esprit parisien » qui semblait affirmer, trois mois à peine après la défaite, que, sur son terrain du moins — l'un des tout premiers pour qui voulait s'attacher les faveurs de l'opinion —, la France n'avait pas été vaincue et que son vainqueur militaire, magnanime, savait aussi sourire. L'animateur venait du *Canard enchaîné* et du *Crapouillot*, tous les deux sabordés, ses dialogues de films étaient dans toutes les oreilles, les longs mois de prison auxquels il avait goûté pendant la « drôle de guerre » pour propagande pacifiste pouvaient servir de garantie. L'équipe qui l'entourait est à son image, impertinente, populiste ou boulevardière. Jean Galtier-Boissière, Marcel Aymé, Marcel Carné, Robert Desnos, Léon-Paul Fargue, Henry Poulaille... Il n'est pas jusqu'au commanditaire qui ne soit tout à la fois mandataire aux Halles et propriétaire du théâtre des Ambassadeurs. Avec Jeanson, la frivolité ne risque pourtant pas de l'emporter, et chez lui l'ironie se fait vite sarcastique. Ses attaques contre l'ordre moral de Vichy — « nous ne macmahonnerons pas [1] » — ne suffiraient pas à lui attirer les foudres de la Propaganda, qui en a suscité bien d'autres. Mais qu'il refuse de chanter les louanges de Montoire, et l'on voit bien que l'on a fait fausse route. Jeanson sera congédié, plus tard incarcéré. Le remplace, en la personne de Georges Suarez, un polygraphe à tous vents, biographe selon les âges de Clemenceau puis de Briand, « nègre » de Jean Chiappe, pamphlétaire antiallemand pendant la « drôle de guerre ». Ce conservateur opportuniste est peu réputé pour son humour. Quelques petits fleurons de l'extrême droite succèdent à Desnos et Galtier-Boissière. Pour le journal, c'est une mutation du noir au blanc, ou plutôt à la grisaille, où il cantonnera désormais et jusqu'au bout, avec un succès public à l'échelle de ses ambitions.

1. 25 septembre 1940.

Une aimable diversité... quotidienne...

Malgré ce petit incident de parcours, Abetz et la Propaganda peuvent s'estimer satisfaits du panorama de la presse nordiste un an après leur arrivée. En province, une fois disparus les plus faibles et les plus mal sentants, les organes restés en place — à peu près tous les grands régionaux d'avant-guerre — persisteront pour la plupart jusqu'au dernier jour au nom de leur « service public ». Les informations portant sur le ravitaillement, en particulier, leur gardent leurs lecteurs tout en ne contribuant pas pour peu à la sensible restriction de la diffusion départementale des quotidiens de Paris. Politiquement, si les polémiques sont généralement moins violentes que dans la capitale, l'orthodoxie collaborationniste n'est pas moins évidente. Elle est parfois le cas des éditorialistes traditionnels, convertis plus ou moins soudainement, tel Jean des Cogniets *(Ouest-Éclair)*, Cretin-Vercel *(la Presse caennaise)* ou René Martin *dit* de Briey (1882), petite célébrité lorraine, naguère journaliste antifasciste, écrivain aigri et tenaillé par de gros besoins d'argent. Elle peut être aussi celui de nouveaux messieurs appelés à ces fonctions de magistère politique par une direction soucieuse d'être du bon côté, et qui l'entraînent insensiblement plus loin qu'elle ne l'aurait souhaité — mais il est trop tard, et l'homme trop puissant; ainsi Pierre Villette, de *Je suis partout*, au *Journal de Rouen*, ou les nouveaux rédacteurs en chef de *la Dépêche du Centre*, de *Centre et Ouest*, etc. Les dépêches d'Inter-France, une revue de presse bien orientée complètent le réseau, qui contribue à faire des journaux provinciaux de l'occupation des auxiliaires, peu zélés en général mais toujours dociles, de la propagande allemande, plus efficaces que leurs confrères de Paris, trop vite marqués.

Dans la capitale, les publics se réorganisent peu à peu. La bourgeoisie d'affaires a sa presse financière (le quotidien *la Vie industrielle*, l'hebdomadaire *Journal de la Bourse*, tous deux d'une prudence de serpent) et ses *Nouveaux Temps*. Ces derniers cultivent l'image de marque du vieux *Temps* en éclaircissant son austérité d'échos littéraires et artistiques — Mac Orlan y tiendra quelque temps le feuilleton littéraire — et en s'ouvrant systématiquement aux signatures extérieures, qui oscillent en moyenne entre un radicalisme rajeuni et un néo-socialisme de bon ton. Sur trois éditions, ils ménagent une édition boursière, la plus appréciée. L'appréciation ne va cependant pas très loin car le tirage, s'il progresse, n'atteindra jamais plus de 65 000 exemplaires, avec un bouillonnage de plus de 40 p. 100. La gauche petite-bourgeoise lit plutôt *l'Œuvre*, toujours appréciée des enseignants et dont le tirage, dès l'abord modeste — moins de 200 000 — se stabilise assez vite aux alentours de 130 000 pour ne plus guère bouger. L'audience auprès de la gauche ouvrière de *la France au travail*, devenue sans solution de continuité *la France socialiste* en novembre 1941, est sujette à beaucoup plus d'aléas. Tout comme *le Cri du peuple* PPF, ce quotidien populiste doit essuyer une rude concurrence de la part des grands titres populaires traditionnels, qui, sitôt réinstallés, domineront de loin le marché, malgré un sensible fléchissement au long de la première année.

Parti en tête, le journal de Bunau-Varilla a essayé de s'assurer une place prépondérante, allant même jusqu'à tenter d'opposer à *Paris-soir* une édition vespérale. L'extrémisme politique de l'avant-guerre n'a eu aucune peine à se transformer en surenchère forcenée, mais le style concis qui avait fait la réputation du titre s'est, lui, transformé en indigence. Dès que *Paris-soir* et *le Petit Parisien* ressortent, *le Matin* est dépassé. Ce n'est pas que ces deux raisons sociales, naguère associées à l'image de la modération politique, aient plus échappé que les autres au glissement vers un engagement de plus en plus avéré. L'un et l'autre vont au contraire passer sous la férule de rédacteurs en chef tous deux formés à l'école de *Je suis partout*, Claude Jeantet au *Petit Parisien* en 1940, Pierre-Antoine Cousteau à *Paris-soir* en 1941. Derrière eux arrivent d'autres collaborateurs, Henry Coston, Pemjean au second, Laubreaux, Rebatet, André Algarron au premier, peu convaincus des charmes de l'attentisme. Mais cette idéologisation ne s'accompagne pas d'une renonciation aux formules journalistiques populaires, et c'est sans doute ce qui, tout en n'empêchant pas le déclin de leurs tirages, permettra à ceux-ci de rester encore confortablement supérieurs à tous les autres, au *Petit Parisien* de ne bouillonner qu'à 12 p. 100 et de conserver une clientèle ouvrière à 35 p. 100, à *Paris-soir* une clientèle d'artisans et de commerçants à 32 p. 100 [1].

1. Dr. H. Eich, *Wege der französischen Presse*, Propaganda Abteilung, 1943.

... hebdomadaire

Au stade des hebdomadaires d'informations générales, le repli définitif de *Gringoire* en zone sud prive la collaboration du plus fort tirage d'avant-guerre et de la voix bien connue de son pamphlétaire de première page, Henri Béraud. Non que le journal d'Horace de Carbuccia ait soudain modéré le ton, bien au contraire, et Béraud est l'un des rares à trouver grâce encore aux yeux du Rebatet des *Décombres*. L'avènement du nouveau régime l'a trouvé prêt à en découdre avec les « responsables » de nos malheurs, et un recueil d'articles parus de 1938 à 1941, édité en 1942 sous le titre *Sans haine et sans crainte*, entend bien insister sur la continuité de ses convictions anglophobes, antibolcheviques et antisémites, de Munich au front de l'Est. Mais son patron, lui, a clairement choisi une collaboration « de raison », voire de calcul. Il va refuser la diffusion en zone nord et préférer, pour finir, saborder son hebdomadaire sans attendre le débarquement, désormais convaincu de l'échec allemand. Au reste maintes signatures connues du *Gringoire* d'avant-guerre se retrouveront au premier rang de la presse des Nouveaux Messieurs, tels Georges Champeaux, André Cœuroy, Philippe Henriot ou Jean-Pierre Maxence.

A Paris, la place laissée vide a été promptement occupée. *La Gerbe*, « hebdomadaire de la volonté française », par le format et les rubriques, affiche son intention de prendre la succession des *Candide*, *Gringoire* et autres *Marianne*. Elle n'en a pas toujours les moyens, malgré les qualités d'animateur qu'y déploie Fegy en 1941 et 1942. La politique des signatures y est largement pratiquée et permet effectivement de faire figurer au sommaire un Charles Dullin aux côtés d'un Steve Passeur, un Jean Anouilh comme un Jean Cocteau, de faire paraître nouvelles ou bonnes feuilles de Paul Morand, de Marcel Aymé, de Montherlant, sans parler des notables de la collaboration, académiciens ou académisables, car *la Gerbe* aime que le sarcasme soit de bon style. Mais on ne saura jamais dans quelle proportion le directeur de la publication, le vieux prophète barbu qui a nom Châteaubriant, la fait lire ou s'y désabonner. *La Gerbe des forces* l'a préparé à être, dès les premiers jours, le grand vaticinateur du monde en gestation, celui qui, nouveau converti du journalisme comme du nazisme, va écraser chaque semaine la première page de « son » hebdomadaire d'un style apocalyptique, hérissé de majuscules et de points d'exclamations, encombré de références historiques et bibliques, tout en prophéties et objurgations alternées : « L'Éclair », « Ordre de l'Heure », « Révolution du présent », « Tocsin sur la cité »... « Nous avons été sauvés... et nous ne le savions pas!... L'Angleterre a été sauvée... L'Angleterre capitaliste a été sauvée et elle s'est jetée sur l'Allemagne, et elle ne sait même pas ce qu'elle fait! [...] Voyons, messieurs, sommes-nous fous? [1]... » L'échec de son association des Gerbes françaises — quelques conférences des plus convenues là où aurait dû se concocter la messe des temps nouveaux — signe assez bien l'abîme qui séparait la réalité d'une collaboration quotidienne des discours de tout acabit qui prétendaient en rendre compte.

La même constatation s'impose à l'examen d'expressions aussi contrastées que l'élégance sur papier glacé de *l'Illustration* ou l'hystérie délatrice de *Au pilori*, sans oublier, dans l'entre-deux, la masse des feuilles obscures mais abondamment pourvues d'encre, plumes et papier qui, de *France-Révolution* — « défense et réconciliation de la race française » — à *France-Europe* — une sorte de journal corse de Paris [2], spécialisé dans les appels réitérés à l'épuration des cadres de l'État français —, affirment des convictions d'autant plus tranchées qu'elles crient généralement dans le désert. En flanc-garde, quelques titres jouent le rôle de chevaux de Troie en milieu attentiste. *L'Union française* de Philippe Dreux est l'antenne stipendiée de l'ambassade d'Allemagne en zone sud. *Le Trait d'union*, qui commence à paraître dès le 23 juin 1940, est diffusé gratuitement dans les camps de prisonniers. Si le rédacteur en chef, en 1944, Félicien Laubreaux, n'est autre que le frère du chroniqueur de *Je suis partout*, les articles sont signés de noms français obscurs et certains trahissent la traduction. Publication des plus maladroites, où les discours de Hitler sont publiés *in extenso*, quand ceux de Pétain subissent des coupures, *le Trait d'union* semble avoir surtout constitué un excellent combustible pour les cuisines des stalags.

Qu'on se garde de conclure à l'échec de toute propagande périodique imprimée. Le verbe classique achoppe sans doute, mais les

1. Discours salle Pleyel, 14 novembre 1942.
2. « N'oublions pas que le roi de Rome était le fils d'un Corse et d'une Allemande », 12 décembre 1942.

médias moins explicites, plus spectaculaires de la presse illustrée populaire, héritière en France du style *Match*, rencontrent moins de réticence consciente. L'édition française de *Signal*, inaugurée en juillet 1940 par l'évocation de la débâcle française, est en permanence là pour prouver aux journalistes français le rôle que peut jouer une photographie dominatrice, une mise en pages aérée, une thématique de l'optimisme conquérant plus que de l'aigreur étriquée. *La Semaine* (1940), du groupe Bunau-Varilla, grisement anonyme, réussit moins bien à s'imposer que *Toute la vie* (1941), du groupe Luchaire, et surtout *Actu* (1942), du trust Hibbelen, aux articles plus courts, nerveux et personnalisés.

Reste un secteur quelque temps négligé sur lequel l'occupant va se pencher sur le tard, celui de la presse pour la jeunesse, et plus particulièrement celle qui, destinée aux adolescents, peut contribuer à forger les troupes fraîches d'un authentique national-socialisme français. En zone nord, les derniers titres familiers au jeune public s'éteignent les uns après les autres. Quand sort, en janvier 1943, le premier numéro du *Téméraire*, il n'a plus de concurrent dans la capitale. Cette publication, luxueuse pour l'époque, rend encore aujourd'hui un son étrange. Les dessinateurs qui y collaborent ont parfois des noms connus de la presse de jeunes, et certains se retrouveront après guerre aussi bien à *Cœurs vaillants* (catholique)... qu'à *Vaillant* (communiste). Les signataires des textes sont en revanche des plus obscurs, et il est vraisemblable que certains de ceux-ci sont de pures et simples traductions de l'allemand.

Qu'il s'agisse des récits en bande dessinée ou des romans-feuilletons, la technique de mise en condition joue de l'ambiguïté des formules traditionnelles (science-fiction, espionnage, énigme policière, aventures exotiques, grand jeu scout...) pour présenter comme méchants des juifs explicites ou suggérés, des Anglo-Saxons, des « terroristes » — habilement assimilés aux malfrats du schéma classique où une équipe de jeunes permet à la police de mettre la main sur une bande de dangereux malfaiteurs —, etc. Les bons, tel le prototype central, Marc le Téméraire, aident quant à eux consciencieusement la préfecture de police et s'engagent sur le front de l'Est [1]. Un vaste folklore aryen colore tous les numéros, parfois positif (« le jeu des

1. Quelques mois auparavant, *O lo lê*, périodique destiné aux enfants bretons, ressortait des tiroirs *Tintin au pays des Soviets*...

Niebelungen »...), plus souvent terrifique, morbide et sadique (« le Ku Klux Klan », « les crimes rituels »...). Alentour du journal, des équipes hiérarchisées de « téméraires » tentent de forger les bases d'une petite jeunesse hitlérienne française, commandée par un « Preux », un certain Pierre Fribourg, organisée en anodins clubs de modélisme et moins anodins « clubs de police », et à laquelle sont projetés régulièrement quelques films allemands bien choisis. Cette publication mal connue, qui pourtant tire à 100 000 exemplaires les premières semaines et culmine à 150 000 en 1944, n'est sans doute, à l'instar des Jeunes de l'Europe nouvelle, un cas limite que dans la mesure où elle étale sans fard ce que toute une autre presse, « adulte », énonce avec plus de précaution...

La CNPF, exclusivité Luchaire

Dernier indice, quoi qu'il en soit, de l'importance reconnue par le monde parisien à la propagande par voie de presse écrite : la mise en place, sommant toutes ces entreprises diverses, d'une institution originale et largement autonome par rapport à l'État français, la Corporation nationale de la presse française (CNPF), créée par Luchaire au total mépris de la législation vichyssoise. « Organisation professionnelle de tous ceux qui, à un titre ou à un degré quelconque, exercent leur activité dans le domaine de la presse », cet organisme hybride sera habilité par Vichy en avril 1942, par un arrêté qui, tout en le confirmant en zone nord, l'y enferme aussi définitivement. Ses fonctions corporatives ne sont pas négligeables et ne seront pas négligées, en particulier pour ce qui concerne les œuvres sociales et le règlement de questions aussi délicates que le blocage des salaires ou le départ au STO. Mais il n'est que trop évident que le double pouvoir primordial de cette curiosité juridique est d'accroître encore la centralisation idéologique de la presse écrite, tout en élargissant dans d'agréables proportions les bénéfices pécuniaires du « gang » Luchaire, pour reprendre le propre terme de J.-A. Vidal de La Blache, collaborationniste de *Paris-soir* sans doute, mais adversaire acharné, comme beaucoup de ses confrères, du directeur doré des *Nouveaux Temps*.

Vue de plus près, la Corporation rançonne en effet visiblement les journaux de petite taille ou de spécialisation « non politique », par l'institution, par exemple, des « éditeurs de presse », sorte de gérants imposés, moyennant finance, auxdites publications. Le commissaire du gouvernement chargé de contrôler la gestion de la CNPF n'étant autre, à partir du retour de Laval au pouvoir, que Luchaire lui-même, les protestations auront désormais peu de chances de se faire entendre. Les créatures et les complices du président accapareront sans peine les fauteuils présidentiels des groupements corporatifs mis en place petit à petit à la suite de celui de la presse parisienne (Luchaire) : presse de province, presse périodique générale, agences françaises de presse. La presse Luchaire fournira de même le vice-président, le secrétaire général et le trésorier général de la Corporation. Cette position prédominante fait de Luchaire le pivot du nouveau Tout-Paris, et le Club de la presse qu'il installera avenue Henri-Martin accueillera tous les ténors du journalisme parisien, de Brasillach à Déat, de Sordet à Doriot : par-delà les querelles personnelles, c'était bien, pour l'essentiel, les mêmes valeurs qui étaient défendues.

Radio-Paris est allemand

Face à ces architectures en trompe l'œil, l'information radiophonique ou cinématographique ne déguise pas ce caractère de la même façon unifié et dépendant. Comme elle touche de surcroît directement un public pour le moins aussi large que celui de la presse écrite, tout en n'en présentant pas les apparences de tradition pluraliste, on devine l'intérêt que lui porte dès les premiers jours un occupant qui, du *Triomphe de la volonté* à Radio-Stuttgart, a déjà prouvé qu'il en faisait le fer de lance de sa propagande.

Malgré les restrictions, le nombre des postes récepteurs radio a poursuivi la progression exponentielle qui le caractérise depuis la mise en place des grands réseaux nationaux, à l'orée des années trente, passant de 4 700 000 en 1938 à plus de 5 100 000 en 1944. A cette date, la « guerre des ondes », ébauchée pendant la guerre d'Espagne et la crise de Munich, battra son plein sur tous les fronts. Pendant un court moment de l'été 1940, une petite équipe issue de *Je suis partout* (Laubreaux, Poulain, Rebatet...) avait cru pouvoir orienter la propagande radio de l'État français dans un sens délibérément fasciste. Après son départ et l'épuration complémentaire qui suivit le 13 Décembre, Radio-Vichy s'installera dans un style, fréquemment qualifié de bavard et d'académique, propre à une radio officielle étroitement dépendante des impératifs gouvernementaux. En face d'elle, la Propaganda a dès lors beau jeu de mettre en avant un organe plus combatif, qui sache sacrifier au besoin la mise en condition explicite à la manipulation indirecte. A la tête de son antenne radiophonique ne se trouve ni plus ni moins que l'ancien directeur de Radio-Stuttgart, Bofinger, flanqué d'un ancien communiste allemand converti et, pour les informations, de deux officiers allemands, Haëfs et Morenschild. Elle s'est emparée sans plus tarder des cinq stations, d'État ou privées, qui convenaient à ses projets, pour en faire le poste unique de Radio-Paris. Les émetteurs de zone nord qui n'en dépendront point seront confisqués au profit de l'Office d'information de l'armée allemande et du poste Radio-Mondial, à destination des colonies françaises.

Pendant l'été, on se contente de maintenir, sous cette étiquette parisienne, une programmation anodine et toute française, entre Henri Cochet et Tino Rossi, où ne s'intercale aucune véritable émission de propagande. A la rentrée d'automne, en revanche, la formule du Radio Journal, avant-guerre magazine d'information pilote de la radiodiffusion nationale, est reprise par une équipe de journalistes ralliés, souvent recrutés dans les rangs de l'extrême droite activiste et où prédominera peu à peu l'influence du PPF. Les consignes auxquelles elle est amenée à se soumettre viennent évidemment de plus haut, précisées qu'elles sont chaque matin, comme dans le cas de la presse écrite, par une conférence du Sonderführer Haëfs. Du moins le dynamisme est-il de ce côté. En janvier 1941, cinq bulletins quotidiens dament le pion sans peine aux deux seulement que leur oppose Radio-Vichy. Ils seront dix en 1943. A son apogée, Radio-Paris diffuse jusqu'à deux heures du matin.

A côté de nombreuses séquences dans le style distractif qui avait fait jusque-là le succès des postes privés, les émissions les plus engagées sont l'œuvre de deux agents sûrs, Oltramare, *dit* « Charles Dieudonné », et Dambmann, *dit* « Dr. Friedrich ». Le second commente deux fois par semaine, de 1941 à 1943, l'actualité sous la rubrique : « Un journaliste allemand vous parle », jouant, non sans habileté, semble-t-il, de l'argumentation fraternelle et du débat cartes sur table. Le « service Dieudonné », quant à lui, englobera à son apogée la série : « Les Juifs contre la France », où l'on va jusqu'à encourager la délation et signaler, par exemple, les adresses des appartements laissés « libres » par les israélites en fuite, aussi bien que l'émission-revue « Au rythme du temps », où une équipe mixte de comédiens (Maurice Rémy, Robert Le Vigan...) et de journalistes (Jacques Dyssord, Léon Michel...), traduisant l'actualité en saynètes et couplets, mêle intimement endoctrinement et variétés en un lacis destiné à empêcher que l'auditeur, à l'annonce de la séquence politique, ne tourne le bouton. S'y ajoute la chronique personnalisée : « Un neutre vous parle », où Oltramare reprend sa place de citoyen helvétique pour saluer en expert la naissance d'une Europe fédéraliste et communautaire et donner, du point de vue de Sirius, de sages leçons de collaborationnisme désintéressé : « Si l'Allemagne vous proposait une alliance pure et simple, je vous conseillerais de vous méfier. Vous risqueriez peut-être l'absorption... mais l'Allemagne vous propose d'entrer dans une société d'États, où vous prendriez votre rang et recevriez la contrepartie de vos services [1]... »

Tout alentour, un large éventail d'émissions spécialisées arpège sur tout le clavier : intellectuelles avec « A la recherche de l'âme française » ou « Les grands Européens », en coproduction avec l'Institut allemand, ouvriéristes avec « Le trait d'union du travail » ou « Les travailleurs français en Allemagne », dont les objectifs sont aisément discernables [2], sans parler des tribunes concédées aux mouvements les plus engagés, la LVF ou Collaboration, et destinées entre autres à s'assurer la participation, même épisodique, de quelques noms connus, définitivement compromis. Courrier des lecteurs à la nouvelle mode, « La rose des vents », de Peyronnet, est l'une des émissions les plus écoutées. Par le public mais aussi par l'occupant, qui s'en sert comme d'un sondage permanent de l'opinion, lui permettant de moduler la propagande en cours avec le maximum d'efficacité. Avec le temps, Radio-Vichy s'alignera sur son concurrent parisien. Les autorités allemandes en ont déjà défini les conditions techniques de diffusion. La part des émissions du Nord relayées par Vichy va aller croissant; à compter de novembre 1942, le journal parlé vichyssois est, à l'instar de la presse écrite, soumis à la censure allemande pour les informations militaires; enfin, le style des émissions politiques (« La question juive », les tribunes de la Milice...) devient copie conforme de celui de Paris.

1. Causerie du 6 décembre 1943, Archives INA.
2. En Allemagne même, les travailleurs français ont droit, à partir de mai 1942, aux émissions en langue française de « La voix du Reich ».

Henriot et Paquis, deux voix

Deux noms ont symbolisé devant leurs contemporains cette convergence — et, au-delà même, toute cette époque de l'histoire de la radio. Jean Hérold, *dit* Hérold-Paquis (1912), a successivement mené l'existence incertaine d'un journaliste raté, un temps proche des milieux démocrates-chrétiens, et d'un employé d'assurances sans conviction, avant de trouver sa voie dans la critique radiophonique, au grand journal catholique *Choisir*, puis, à la suite de son engagement militaire en Espagne aux côtés des franquistes, dans la pratique même de la radio, aux émissions en langue française de Radio-Saragosse. Avec un succès tel que son association des Amis de Radio-Saragosse regroupera jusqu'à 18 000 membres. En 1940, la protection du maréchal, qu'il a connu ambassadeur à Madrid, l'introduit dans les services de la propagande de Vichy. Avec quelque retard, il éprouvera lui aussi le besoin de remonter à Paris pour y respirer une atmosphère plus propre à satisfaire les convictions extrémistes et le tempérament excité qui le conduiront jusqu'au PPF et à l'adhésion d'honneur à la Waffen SS. Entré à Radio-Paris comme simple rédacteur, il y est rapidement promu chef de la rédaction militaire. A partir du 4 janvier 1942, il tient la critique militaire du Radio Journal, chaque soir après le bulletin de huit heures. Son énergie ne se satisfaisant pas de ces seules responsabilités, il s'illustre de temps à autre par quelque campagne retentissante, telle celle qui, dirigée contre le marché noir sous le titre « La grande colère des ventres », lui vaut d'être mis à pied quelques jours en 1943.

Philippe Henriot (1889) a suivi un itinéraire plus complexe avant d'atteindre à une renommée supérieure. Lui aussi est initialement un pur produit des milieux catholiques de droite les plus classiques, mais il n'aura pas à connaître les incertitudes d'Hérold-Paquis; sa voie est toute tracée. Né dans une famille d'officiers, professeur de l'enseignement libre, il milite vers 1925 dans le Bordelais aux côtés de l'abbé Bergey, député conservateur et éloquent. Converti à la viticulture, il succède lui-même à l'abbé en 1932 et devient à son tour l'un des orateurs les plus en vue tout à la fois de la Fédération nationale catholique dans les meetings et de la droite classique au Parlement, autoritaire, patriote, germanophobe. Sans doute sa virulence antisémite et antirépublicaine surprend-elle parfois, mais elle peut passer pour excès de tribune, intempérance de plume coutumière à un collaborateur attitré de *Gringoire*. Ses choix de bonne tradition réactionnaire, ses sorties violentes toutes empreintes de la marque de Bainville à l'adresse de cette « Allemagne qui forgera Hitler [et] ne doit pas survivre à Hitler [1] » semblent le destiner à un vichysme résolu, mais nullement à la collaboration de principe.

A l'origine, c'est effectivement Vichy qui l'accueille, comme propagandiste officiel de la révolution nationale. Jusqu'à la fin de 1943, son temps va se partager entre les bureaux de la Propaganda, d'incessantes tournées de conférences et, déjà, à compter de février 1942, des causeries régulières à Radio-Vichy. Comme chez beaucoup d'autres, c'est le 22 juin 1941 qui paraît avoir déterminé la radicalisation décisive de son engagement, aidé par une incontestable auto-intoxication de professionnel du verbe. L'antibolchevik viscéral est conquis, le chrétien tient sa croisade. Il met son éloquence au service des comités locaux du groupe Collaboration, adhère solennellement à la Milice et parade à la tribune en chemise noire. Comme celui de Darnand, le nom d'Henriot est écrit tardivement sur les tablettes des ultras, mais tout, dans leurs biographies, les désigne pour les premiers rangs. Quand le premier entre au gouvernement, le second fait de même. Celui-là a le maintien de l'ordre policier, celui-ci la mise en condition idéologique. Une loi du 5 février 1944 fait de droit du secrétaire d'État à l'Information et à la Propagande le président du conseil de la Radiodiffusion : Radio-Vichy est définitivement épuré. Taddei di Torella, Émile Vuillermoz, considérés comme sûr, sont promus.

Mais c'est le ministre lui-même qui va payer de sa personne, avec, à compter de janvier 1944, deux commentaires radiophoniques quotidiens sur des thèmes d'actualité. Pour les collaborationnistes aux abois, c'est un vrai miracle : « Avant Philippe Henriot, qu'avions-nous? Il arrive et tout est changé [2]. » Sa voix chaude aux accents pathétiques retient l'attention de l'auditeur, qu'il partage ou non les arguments qu'elle véhicule, habilement axés sur le thème de la France champ de bataille de l'Europe malgré elle, par la faute des Anglo-

1. *Gringoire*, 7 septembre 1939.
2. *Je suis partout*, 25 février 1944.

Saxons, des juifs et des gaullistes, au grand bénéfice des Rouges. Poussant toujours plus loin la logique de ses démonstrations, il s'en va, en mars, enregistrer ses chroniques au sein des forces policières et militaires en lutte contre les maquis de Savoie; à la veille du débarquement, sa voix vient d'Allemagne, où l'a conduit une dernière tournée. Le 28 du même mois de juin, il tombe sous les coups de la Résistance. L'Abteilung couvrira les murs d'affiches portant : « Il disait la vérité. Ils l'ont tué. » Même après sa mort, son nom aura servi la propagande allemande.

Hérold-Paquis, quant à lui, compense l'austérité éventuelle de ses bilans tactiques par la rage, parfois vocifératoire, du ton, la gouaille toujours grinçante qu'il essaie d'y introduire (« vous, LVF, donnez votre sang, les Juifs de Londres, leur salive » — 15 mai 1943) et l'affectation de solennité qu'il entend donner à ses déclarations en les achevant toutes par la formule, restée célèbre : « Car, comme Carthage, l'Angleterre sera détruite. » Henriot joue au directeur de conscience, Hérold au correspondant de guerre : chacun reste conforme à sa biographie. Pointe avancée d'une certaine rhétorique d'extrême droite, ils représentent l'un et l'autre pour la Propaganda une solution autrement satisfaisante que celle de suspectes voix mal localisées, un Ferdonnet, un Dieudonné, un Friedrich. « Un Français vous parle » aurait pu être, pour compléter le triptyque, le titre de l'émission d'Henriot. En se refusant de surcroît aux apparences du didactisme, en personnalisant au maximum leur témoignage, ils sont ceux qui approcheront du plus près la crédibilité recherchée. Il ne leur appartenait pas de faire mieux. Les militaires s'en chargeaient.

L'écran gammé

Le bilan de la propagande cinématographique est sensiblement plus limité, dans la mesure où la contribution française, des plus médiocres, ne vient pas, ici, à la rescousse d'un matériel allemand qui n'est vraiment admis sans rejet que lorsqu'il emprunte les détours de la fiction.

Passé les premiers mois d'incertitude et de réorganisation, production et distribution ont repris de plus belle. Qu'on diagnostique le froid, la sévérité de l'actualité ou la raréfaction de certains loisirs traditionnels, la constation s'impose à tous : rarement le cinéma, déjà avant-guerre médium populaire par excellence, n'a rassemblé dans ses salles un plus grand nombre de fervents. Mieux encore : en 1943, le chiffre des titres français dépasse d'une vingtaine d'unités celui de la production allemande, d'une dizaine ceux de l'avant-guerre. Le moindre acte de collaboration cinématographique prend, du même coup, une importance considérable. Encore ne faut-il pas se tromper d'objet. Ceux qui se penchent aujourd'hui sur la production commerciale du temps sont généralement déçus. La ligne commune est plus d'oubli que d'allusion, de lacunes que de lapsus. Le moralisme pénitentiel encourage le refus des « films morbides et déprimants [1] », mais l'ambiance est plutôt à un vichysme timide qu'à une exaltation fascisante, même insidieuse.

La collaboration existe, mais à d'autres niveaux. Le plus ordinaire est celui de la prise en main économique. Avant-guerre, déjà, une bonne part des films français était réalisée sous contrôle allemand. Les uns sous la forme de productions initialement francophones (metteur en scène et acteurs) tournées à Neubabelsberg, dans la banlieue berlinoise, pour le compte de la toute puissante UFA (Universum Film Aktiengesellschaft) — une partie des salaires est payée en devises allemandes non convertibles. Les autres sous l'étiquette « cent pour cent française » de films tournés à Paris, mais produits par diverses sociétés (Filmsonor, Regina...) aux ordres de Berlin. Un rapide sondage portant sur 80 salles de quartier, choisies au hasard pendant la semaine du 19 au 26 juillet 1939, révélait que 31 d'entre elles projetaient des films de l'une ou l'autre de ces catégories.

On pense bien que d'aussi bonnes habitudes ne se perdirent point après l'armistice. Sur les 225 longs métrages réalisés sous l'occupation, une trentaine le sont ainsi par la société Continental (Dr. Grevey), filiale de la UFA. Dans le même temps, Pathé n'en produit que 14, Gaumont une dizaine. Comédies, intrigues policières, drames historiques y alternent dans une large indifférence politique, sans en excepter le fameux *Corbeau* (1943) d'Henri-Georges Clouzot, dont on prétendra à tort qu'il fut diffusé en Allemagne sous le titre *Provinces françaises*, et même en y intégrant *les Inconnus dans la maison* (1942), d'Henri Decoin, où un scénario de Simenon servait de base à une intrigue parfumée d'antisémitisme.

1. *Ciné-Mondial*, 8 août 1941.

Le jeu idéologique est déjà plus explicite quand il s'agit pour les Français de faire bon accueil à la production de l'Axe, chargée de combler les vides laissés par la disparition progressive des films anglo-saxons. De 1939 à 1941, le nombre des titres allemands présentés à Paris passe de 33 à 72. Une bonne partie, ainsi que la production Continental, est distribuée par une société « française » à capitaux allemands, l'Alliance cinématographique européenne (ACE). Sur l'ensemble de la période, les films allemands et italiens atteindront, avec environ 250 titres, un contingent supérieur à celui de toute la production française. Dans les colonnes d'une presse zélée où, à côté des classiques et romanesques *Film complet* (125 000 exemplaires au printemps 1941) ou *Vedettes*, s'illustre le corporatif *le Film*, sans oublier les chroniques cinématographiques des organes d'information, Zarah Leander remplace Marlène Dietrich, les comédies viennoises tâchent de faire oublier les *musicals* américains et de « charmantes idylles berlinoises » la guimauve judéo-ploutocratique. La mise au service de la propagande est sans ambiguïté quand, dans le flot des titres à louanger, figurent soudain l'anglophobe *Président Krüger*, de Hans Steinhoff, présenté en septembre 1941 à Paris, *le Jeune Hitlérien (Quex)* en 1933, « chef-d'œuvre du cinéma politique » pour le critique italien fasciste Lo Duca, ou l'antisémite *Juif Süss* (1940) de Veit Harlan, présenté en février 1941. Toutes versions diffusées évidemment en langue française, doublées par des comédiens connus. La durée des exclusivités du premier et du troisième les placerait même, selon les témoignages de la même presse, en tête du palmarès de l'année. Le deuxième — « film exaltant l'esprit de sacrifice et d'abnégation d'une jeunesse enthousiaste », affirme sa publicité — est, quant à lui, souvent projeté devant un public d'adolescents par les organisations politiques françaises. La LVF le propose à un groupe de 500 enfants de prisonniers de guerre à la Noël 1941, le RNP en fait tourner une copie en province, qui est souvent présentée à des parterres de plusieurs centaines de spectateurs (plus de 1 000 « jeunes » à Orléans, le 14 septembre 1942, par exemple).

Mais il est enfin des discours de propagande plus directs, et qui requièrent la participation immédiate des autochtones, qu'il s'agisse des classiques bandes d'actualité hebdomadaires qui, diffusées obligatoirement dans chaque salle, constituent en fait la seule production touchant « tous les publics », ou, plus rarement, de quelques essais politiques sans fard, étrangers à l'inspiration vichyste, même si parfois l'origine en reste vichyssoise.

Dès le début de juillet 1940, les salles de zone nord avaient dû s'ouvrir aux magazines d'une filiale française de la Deutsche Wochenschau, les *Actualités mondiales.* Jusqu'au mois d'août 1942, elles occupent seules le terrain, pendant qu'au sud s'est lentement remis en place un système purement « français », dans la mesure où il hérite de sociétés d'avant-guerre, autour de France Actualités-Pathé Journal. Après de longues négociations, une convention franco-allemande unifie les deux régimes en créant une société à 60 p. 100 de capital français. Les Allemands et leurs alliés ont-ils reculé? C'est tout le contraire. L'influence allemande réelle est en proportion inverse. A la nécessité où se trouvaient déjà les journalistes de recourir pour les sujets étrangers à des documents allemands s'ajoute désormais l'exigence du visa allemand en contrepartie de la projection en zone nord, ce qui entraîne l'installation à Vichy d'un censeur allemand... *La machine à écrire l'histoire*, pour reprendre le titre du film dans lequel André Castelot et Jean Coupan, commentateur et réalisateur attitrés des actualités, justifient devant le public leur travail hebdomadaire, écrit plus que jamais sous la dictée du vainqueur.

Version doublée

On pense bien que les collaborationnistes n'avaient pas attendu cette date pour créer, à Paris ou à Vichy, leurs propres films politiques, les *Quex* ou les *Süss* à leur portée. A la première catégorie, celle des films virils, positifs, exaltants, se rattachent les courts métrages de la LVF, tel ce *Fort Cambronne* [1], reportage d'une douzaine de minutes sur la vie quotidienne et la haute mission civilisatrice des légionnaires français dans la zone slave qui leur a été affectée, ou encore, sur le tard, le film de Serge Griboff, subventionné par Henriot, *Travailleurs de France*, sur un scénario de Marcel Montarron — trente-cinq minutes d'une peinture idyllique des conditions de vie des travailleurs français en Allemagne, « calme courage, optimisme réconfortant, gaieté et goût ». Il est sans doute significatif que la grande majorité

1. Visible à la cinémathèque militaire du fort d'Ivry.

de ces productions appartient en fait à la seconde catégorie, celle des réquisitoires, des interpellations agressives *(Permissionnaires n'oubliez pas, Français souvenez-vous, Français vous avez la mémoire courte...)* généralement spécialisés : le juif, le F.·. M.·., le bolchevik, l'Anglo-Saxon, le résistant...

Le dessin animé de l'époque Henriot, *Nimbus libéré* — le professeur écoute la radio anglaise, se réjouit des victoires alliées... et reçoit une bombe sur sa maison : on a reconnu l'argumentation Henriot par excellence —, et la série antigaulliste et anticommuniste de *Monsieur Girouette*, sorte de café du Commerce bimensuel, s'essaient au sarcasme. Le fait est rare, l'effet nul. Le ton est plutôt au didactisme, au moralisme, voire au mélodrame. Les discours les plus construits — et les plus violents — viennent moins de réalisations françaises que d'adaptation par des besogneux de films étrangers : allemand pour *le Péril juif* [1], l'ex-*Juif éternel* (1940) de Fritz Hippler, sur une « idée » du Dr. Taubert, où la contribution française de Jacques Willemetz a surtout consisté à remplacer les inserts de statistiques allemandes sur l'emprise juive par des statistiques françaises; suisse pour *Français vous avez la mémoire courte* [2] (1942) issu en partie de *la Peste rouge* helvétique de 1939. Ce montage de bandes d'actualité, signé Jean Morel et Jacques Chavannes, et financé par les services de Marion, entend faire l'historique du bolchevisme, de son échec patent à l'intérieur comme au-delà des frontières soviétiques et, dépassant le propos maréchaliste sur lequel il prétend se terminer, justifie sans hésiter la diplomatie hitlérienne de l'avant-guerre en la présentant comme la seule réponse lucide à la menace rouge. L'ironie voudra qu'à la vue des images jusque-là censurées de la révolution russe et du Front populaire, une partie du public manifestât bruyamment son approbation : la carrière du film s'en trouvera singulièrement écourtée.

Les deux productions les plus notables de la collaboration française restent dans ces conditions l'antimaçonnique *Forces occultes* [3] et l'antisémite *les Corrupteurs* [4], l'une et l'autre recourant à un semblant de fiction pour faire passer un « point de vue documenté » entouré de tous les certificats de véracité nécessaires à un style de pamphlets si

1. Ivry.
2. Cinémathèque de Toulouse.
3. Toulouse.
4. Ivry et Toulouse.

inhabituel au sein du cinéma national. Les réalisateurs du premier (1943) vont même jusqu'à demander — et obtenir — l'autorisation, pour la première fois dans l'histoire, de tourner dans la salle même des débats de la Chambre, provisoirement désaffectée, aux fins d'y reconstituer quelques étapes de la carrière du héros de leur film, « inspiré d'événements véridiques et de crimes maçonniques rituels[1] ». Le G.·. O.·. admet dans ses rangs, pour mieux le circonvenir, un jeune parlementaire « national », natif de... Laval, remarqué pour sa trop grande ardeur à dénoncer le système (le rôle est joué par l'acteur PPF Maurice Rémy). Quelque temps, il paraît succomber au charme, mais se ressaisit *in extremis*, en comprenant que la solidarité maçonnique « ne vise qu'à favoriser de sordides intérêts particuliers, pour la plupart judaïques ». Membre de la Commission de la défense nationale, il s'élève courageusement contre l'éventualité d'une guerre dont il a découvert, au sein des loges, qu'elle est artificiellement suscitée par un complot maçonnique international. Au fond d'une ruelle obscure, notre héros tombera sous les coups d'un sbire. Par miracle, il survit, mais c'est pour apprendre de son lit d'hôpital l'entrée en guerre de la France. Les auteurs sont eux-mêmes deux anciens maçons, Jean Marquès-Rivière pour le scénario, Jean Mamy *dit* Paul Riche pour la réalisation. Ce dernier, naguère acteur chez Dullin, avait été un monteur de quelque réputation mais un réalisateur médiocre sous son vrai nom; sous son pseudonyme, il est devenu adjoint de Costantini et, dans les milieux du cinéma, dénonciateur patenté. Plus maladroit encore que vraiment simplificateur, le film, sorti de l'exotisme facile des cérémonies maçonniques reconstituées, manque de conviction et tourne court sur une fin peu mobilisatrice. Il peut difficilement passer pour « l'acte révolutionnaire » qu'il a voulu être.

Avec pour producteur une émanation de l'ACE, Nova Films (Robert Muzard), la plus connue des entreprises collaborationnistes du cinéma français, et pour réalisateur Pierre Ramelot, avant-guerre scénariste de second rang et qui sera le metteur en scène, peu convaincant, de la série *Monsieur Girouette*, les trois sketches qui constituent *les Corrupteurs* (vingt-neuf minutes, 1942) synthétisent assez bien toute cette production. L'œuvre elle-même oscille sans bien choisir entre le magazine d'actualité et la saynète démonstrative, chargés

1. *Le Film*, 3 avril 1943.

l'un et l'autre d'illustrer le triste destin des victimes de l'omniprésente corruption juive : le jeune homme, dévoyé par une consommation intensive de « films judéo-américains de gangsters » (« crime »); la jeune fille, contrainte de chute en chute à se prostituer pour avoir fait confiance à un odieux producteur de cinéma crochu (« déchéance »); la masse des petits rentiers ruinés par la spéculation boursière orchestrée par les banques juives (« scandale »). Le film se termine sur la vision de leur châtiment, à travers celui du *Juif Süss*, et celle de la terre promise à l'Occident après cette épuration, empruntée au *Juif éternel*. Deux emprunts significatifs en ce qu'ils renvoient, par des moyens strictement cinématographiques, au discours plus explicite de la presse écrite affirmant qu'au-delà des versions doublées, Hitler est plus que jamais « la version qui s'impose [1] ».

La France européenne

On ne s'étonnera pas de retrouver, pour finir, tous ces traits distinctifs dans le cadre de ce qui, aux yeux de certains de ses organisateurs, devait être le lieu géométrique où se rencontreraient toutes ces méthodes, l'exposition de propagande. Journaux *ad hoc*, conférences, projections, pièces de théâtre, concerts, rien ne manque aux plus iréniques d'entre elles, les deux expositions de la France européenne, organisées par Lesdain au Grand Palais (31 mai 1941; 4 avril 1942). Si ce n'est, semble-t-il, l'imagination. Les expositions à contenu plus agressif, antimaçonnique (octobre 1940, Petit Palais), antisémite (septembre 1941, palais Berlitz), antibolchevique (mars 1942, salle Wagram) [2], sont également les plus « allemandes » par le matériel utilisé, l'association française qui les prend à son compte n'étant généralement qu'un prête-nom.

Style *Péril juif* ou style *Corrupteurs*, il semble bien que ces opérations aient de la même façon péché par un schématisme plus fondé sur l'indigence intellectuelle que sur une systématique volonté de clarté pédagogique. Oltramare lui-même aura la rage de constater qu'à la seconde France européenne « on avait dépensé les millions de la pro-

1. A. de Châteaubriant, *Cahiers 1906-1951*, Paris, Grasset, 1955, p. 180.
2. Qu'Abetz prévoyait, en août 1941, dans les locaux de l'ambassade d'URSS à Paris... dès l'entrée des troupes allemandes à Moscou.

pagande pour montrer au public une paire de bœufs, une machine agricole et deux ou trois tableaux synthétiques [1] ». Le succès public des « anti- » ne semble pas contestable, même si les chiffres d'entrées rapportés par les organisateurs sont évidemment sujets à caution (à l'exposition antisémite, le cent-millième visiteur est fêté dès le vingt-deuxième jour); il est d'ailleurs prolongé par diverses tournées en province. L'échec cuisant de la seconde France européenne est, en revanche, un peu celui de toute la propagande collaborationniste, pas toujours sans écho dans la dénonciation des « responsables », mais maladroite dans l'acclimatation des schémas nazis, et pour finir radicalement incapable de proposer une solution de rechange concevable en face des valeurs démocratiques ou vichystes.

1. *Les souvenirs nous vengent*, *op. cit.*, p. 212.

5

Les sept couleurs

Partis uniques et chefs suprêmes

> Le costume des hommes doit être le même d'un bout à l'autre - costume mi-sportif, mi-militaire, avec des armes au 1er acte, assez débraillé au 2e acte, de nouveau militaire au 3e et au 4e.
>
> PIERRE DRIEU LA ROCHELLE *

Il était bien évident, pour les hommes politiques de l'ordre nouveau, que le fonctionnement des partis politiques, ces rouages caractéristiques du régime défunt, ne pouvait plus se concevoir en termes traditionnels. Le pouvoir pétainiste qui, dès le mois d'août 1940, ébauche avec la Légion française des combattants une forme d'association politique selon son cœur, interdira effectivement, à l'origine, toute activité publique aux partis classiques. C'est donc paradoxalement en zone occupée que cette vie associative trouvera dans les premiers temps son exutoire, l'évolution générale des rapports de force conduisant Vichy à peu à peu en tolérer puis autoriser l'exercice au sud, sous des habillages plus ou moins transparents. Une quinzaine d'organisations verront ainsi le jour, parmi lesquelles sept réussiront à faire réellement entendre leur voix. Toutes le feront, bien entendu, avec l'aveu des autorités allemandes, soucieuses de diversifier les publics à atteindre et de ne pas susciter l'ascension politique d'un groupement au détriment des autres, ce dernier point en complet accord, on s'en doute, avec le gouvernement de Vichy, quel qu'en soit l'animateur. D'où le second paradoxe de cette agitation partisane, de donner le spectacle simultané d'une demi-douzaine de partis uniques prétendant chacun représenter à lui seul le recours totalitaire exigé par les temps nouveaux.

* Indications scéniques pour sa pièce *le Chef*, jouée en 1939.

Feu et Tempête

La farce n'est d'ailleurs pas loin quand on découvre, avec les Parisiens de janvier 1941, les premières affiches du « Maître du Feu », suivies quelques jours plus tard du premier numéro de son organe périodique, *la Tempête :* « Le Feu, charbon incandescent, qui, il y a quelques semaines, brûlait secrètement dans le cœur de son chef, a trouvé, à Paris, des hommes qui l'ont suivi [1] ». Avec l'aide de journalistes exclus à l'automne du partage des dépouilles, le Maître, « François-Henry Prométhée », va donc pouvoir, pendant près de six mois, exposer à un public qu'on devine attentif les grandes lignes de son programme, et ce dans un style qui oscille entre le verset claudélien et le vers de mirliton : « Je veux l'ordre nouveau orienté vers le Beau — Je le veux développant le cœur et le cerveau [2]... » Le plus étrange est sans doute que, sous ces oripeaux, se cache en fait un élu de la IIIe République. Autodidacte de la dictature, Maurice-Robert Delaunay (1901) l'avait été aussi du parlementarisme aux élections législatives de 1936 où, à la surprise générale semble-t-il, il avait été élu député du Calvados : ce catholique fervent aurait voulu donner une leçon à un ennemi personnel de sa famille, radical et maçon. Homme de la terre, mais comme ancien élève de l'école d'horticulture de Versailles, il joue de ses origines modestes et de son indépendance antipoliticienne. Il ne s'est rallié à aucun parti et sera le seul député à voter contre les crédits de guerre. Une vieille tendance à la mégalomanie, nourrie par le souvenir d'un traité de Versailles dont il avait été à dix-huit ans le témoin obscur et émerveillé, trouvera à se cristalliser dans le grand ébranlement de 1940...

Nous ne nous serions pas arrêtés à cette équipée solitaire si elle ne déconstruisait pas, sous une forme caricaturale, la plupart des éléments originels de tous ces mouvements politiques : le coup de pouce financier de la rue de Lille — on a parlé d'une somme de 6 millions de francs; l'organe de presse, dont la parution régulière constitue au bout du compte le signe principal de l'existence d'une organisation; le mouvement lui-même (ici « le Feu »), serré autour d'un chef

1. *La Tempête*, 14 février 1941.
2. *Ibid.*, 28 février 1942.

incontesté, copieusement encensé par ses fidèles (en l'espèce, l'intéressé s'en charge fort bien lui-même); enfin, un discours foncièrement totalitaire et verbalement révolutionnaire qui superpose un lyrisme de l'énergie vitale à un pouvoir quotidien des plus limités, qui en appelle violemment au plébiscite de l'opinion, l'adjure de s'engager sans plus attendre à ses côtés. Il n'est pas jusqu'à la déception finale du chef, jusqu'à sa colère devant l'incompréhension de ses contemporains, qui n'anticipe sur le destin de tous les autres, grands et petits.

Du Front franc aux francistes, le second souffle des anciens

A l'instar de Delaunay, tous les nouveaux chefs ont à l'évidence une revanche à prendre sur l'ancien régime. Quatre d'entre eux entreprendront même de donner un second souffle à des organisations antérieures à la guerre et toutes d'ailleurs, à des degrés divers, tombées depuis plusieurs mois dans un profond sommeil.

Nous ne quitterons pas tout à fait la caricature, mais en teintes plus sombres, avec les deux plus petites d'entre elles, en même temps les deux plus pressées de reparaître, le Front franc de Boissel, restauré dès le mois d'août 1940, et le parti français national-collectiviste (PFNC) de Clémenti. Architecte diplômé des Arts décoratifs, Boissel s'est fait pendant l'entre-deux-guerres le propagandiste acharné de l'évangile gobinien. La conjonction de ses convictions ethno-racistes à prétention scientifique et d'une expérience d'ancien combattant de 14-18 particulièrement douloureuse — il en sort mutilé, pensionné à cent pour cent —, et dont il tirera en 1933 le livre des *Croix de sang*, l'a amené à trouver outre-Rhin un régime selon son cœur. En mai 1935, il est à Nuremberg l'orateur ancien combattant français des grandes manifestations organisées par la Ligue mondiale antijuive, et son symétrique allemand n'est autre que Julius Streicher, directeur du *Stürmer*. L'année suivante, il a l'insigne honneur d'être reçu par Hitler et revient d'Allemagne définitivement illuminé. Le gouvernement de Front populaire l'emprisonne pour menaces de mort à l'adresse de Léon Blum, le gouvernement Daladier fera de même à la déclaration de guerre. Le personnage est dès cette époque à ce point discrédité que même l'extrême droite évite de s'associer à ses campagnes. Le Front ressuscité est animé à l'automne 1940 par Auguste Féval, secrétaire, et Roger Cazy, délégué. Il ne comptera jamais plus de quelques dizaines de militants effectifs, recrutés pour l'essentiel dans la capitale. *Le Réveil du peuple*, son périodique, sait cependant s'assurer la collaboration de noms connus du petit monde antisémite, René Gérard, Pemjean, et l'on y trouve même les signatures plus étonnantes d'un Émile Nedelec, ancien président de l'association communiste d'anciens combattants, l'ARAC, et d'un Paul Le Flem pour la chronique musicale, ou de caricaturistes étrangers à l'extrême droite, un Frick et un Moisan. Ce phénomène est propre à tous ces groupuscules : sans troupes et vraisemblablement sans lecteurs, ils attirent cependant la plume insatiable des personnalités complaisantes et des chômeurs intellectuels.

Le PFNC peut se targuer de quelques semaines d'antériorité sur le mouvement de Boissel, puisque son leader en date la naissance des lendemains immédiats du 6 février. Mais Clémenti n'est pas un valeureux combattant. Né en 1910, un temps rédacteur (sportif) à *la République*, il a découvert la nécessité du redressement national à l'issue d'un contact direct avec la « pourriture » du régime. Sur ces bases autres, l'itinéraire ressemble à celui de Boissel : création en 1936 d'un organe à la parution chaotique, *le Pays libre*, casier judiciaire chargé — inculpé cinq fois, condamné trois fois, emprisonné deux fois —, même interruption à l'orée du conflit. *Le Pays libre* de février 1941, qui a désormais pour rédacteur en chef Jacques Dursort, appelé après la guerre à une vie politique contrastée, répercute les engagements martiaux du jeune chef, volontaire pour la Syrie puis pour le front russe mais qui se contente de transporter à l'automne le siège de son journal et de son parti à Lyon, d'où il entreprend une acerbe campagne contre les Parisiens. A cette date, en fait, le parti a déjà été mis en sommeil « jusqu'à nouvel ordre ». Il semble que son recrutement, à peine moins limité que celui du Front franc, ait été d'une qualité assez faible pour inquiéter jusqu'aux Allemands. Une « main » de clémentistes implantés à Dijon dès l'automne 1940 s'illustrera si fâcheusement dans des rixes avec des étudiants dijonnais que c'est l'autorité occupante elle-même qui interdira le parti dans le département.

Comparés à ces mouvements incertains, les francistes sont d'une autre exigence. D'abord, la palme de l'antiquité leur est due : le « serment de l'Arc de Triomphe », en date du 29 septembre 1933, fonde solennellement la geste franciste, qui s'inscrit dès lors beaucoup plus dans la filiation mussolinienne que dans celle du « sursaut national » de 1934. Bucard (1895), d'origine paysanne et d'éducation fortement catholique — on l'a destiné à la prêtrise —, est l'un de ces jeunes volontaires couverts de blessures et de médailles qui vont rester pour toujours hantés par l'« esprit du front », cette expérience d'une vie tout à la fois communautaire et hiérarchique : « En sommes-nous jamais descendus? », demandera-t-il en 1925. Une expérience électorale malheureuse l'échaude pour la vie. Après avoir erré une dizaine d'années à travers l'extrême droite de sympathies italiennes, il estimera au mois d'août 1933 le moment venu de résoudre lui-même ses propres contradictions. Son Francisme, ligue puis parti, poursuivra une existence cyclothymique jusqu'à la débâcle. Quand le chef revient en janvier 1941 d'un internement en Suisse, il n'est plus physiquement l'homme qui a soudé cette petite phalange consciente de sa dureté et jalouse de son indépendance — intérieure s'entend —, mais l'instrument ainsi forgé est encore solide.

L'idéologie qu'il véhicule continue à être la copie conforme de celle du Duce, un césarisme plébéien, aspirant à une «deuxième révolution française» où l'ordre primerait enfin sur la liberté, le corps national et la société hiérarchique sur l'individualisme, l'Etat totalitaire sur toutes les forces de dissolution. Ce fascisme de la première époque, l'idéologue attitré du parti, Paul Guiraud, fils du rédacteur en chef de la Croix, cherchera bien à le radicaliser dans un sens plus explicitement «socialiste», mais le francisme conservera jusqu'au bout au sein de l'extrême droite une image plutôt cléricale. L'opinion publique, elle, ne connaîtra qu'un petit noyau dur au particularisme farouche. Il y a eu, avant toutes les autres couleurs en France, des «chemises bleues» et une «Maison bleue» ; il y a des «avocats généraux» et des «préfets» francistes ; des cérémonies francistes originales, souvent revêtues de la pompe catholique ; il y a surtout une «Main bleue», de violents groupes d'action sous la direction du Dr Rainsart, chargés de tenir à bonne distance les «provocateurs». Le mouvement ne réussira pas à s'imposer[1]. Le recrutement se fait de plus en plus, au-delà de la très petite bourgeoisie qui l'emportait jusqu'alors, dans les milieux marginaux, chômeurs, déclassés,

1. Huit mille adhérents à son apogée? Sans doute beaucoup moins. Par suite de circonstances locales, comme dans le Morbihan, le chiffre peut cependant atteindre la centaine. Ailleurs, il est souvent proche de zéro.

travailleurs immigrés... Dans les derniers temps, le francisme ne sera plus guère qu'une police supplétive des forces allemandes, engagée dans une lutte sans pitié contre la Résistance.

Les nouveaux petits chefs

Affirmant bien haut la nécessité de tout reprendre à zéro, y compris la contestation du régime démocratique, nombreux vont être les partis nouveaux venus qui, « avec douze adhérents et une caisse [1] », vont tenter de s'imposer là où leurs aînés ont échoué. Leur raison sociale excipe généralement du national-socialisme, de la jeunesse ou tout simplement de la France. On verra naître ainsi le parti national-socialiste français de Christian Message, ancien séminariste devenu secrétaire d'un syndicat de limonadiers, le parti social-national de France, la Croisade française du national-socialisme, le Parti français, les Gardes françaises..., en même temps que le Front de la jeunesse (Marc Augier), le Jeune Front (Robert Hersant), le comité Jeunesse de France, etc.

Dans tous les cas, le processus d'installation est le même. L'octroi d'un local — souvent un appartement « aryanisé » — est l'occasion d'un contact direct avec les autorités allemandes. En attendant de disposer d'un journal, sorte de majorité politique, on s'attache à recruter un noyau de militants prêts à quelques actions d'éclat. C'est le cas du Jeune Front de Hersant, installé dès août 1940 et qui ne manifestera guère son existence que par le bris de quelques vitrines juives aux Champs-Élysées. La plupart de ces groupuscules ne dépassent pas ce stade. Pour percer, il faut tonitruer plus fort que les autres, ou présenter un passé à la hauteur.

Pierre Costantini (1889) remplit tout à fait la première condition. Corse de Sartène, il a nourri sa pensée politique de quelques idées simples dégradées d'une mythologie bonapartiste qui lui a inspiré jadis une *Ode à la Corse* et une *Grande Pensée de Bonaparte*. Brillant combattant de la Première, il en est ressorti invalide à cent pour cent, comme Boissel, et comme lui s'est senti expressément autorisé à faire parler *la Voix des morts*. De tous les nouveaux chefs, il est le seul à avoir poussé assez loin une carrière de militaire d'active, dans l'avia-

1. R. Brasillach, *La Révolution nationale*, 30 octobre 1943.

tion en l'occurrence, et la guerre de 1940 le retrouve commandant la base aéronautique d'état-major de Coulommiers. Mais, dans l'intervalle, il a quitté l'armée pour l'industrie et une carrière civile apparemment chaotique, où son besoin d'action ne trouve que bien imparfaitement à se satisfaire. Son évolution est celle de ces militaires en civil, nationalistes ombrageux et traditionalistes sans complications doctrinales qui, ayant vécu dans leur chair la défaite de 1940 comme la victoire de 1918, ne peuvent surmonter l'une et l'autre que par un nouveau patriotisme « européen », soutenu avec une chaleur décuplée. Mais ce que Joseph Darnand réalisera avec ampleur, Costantini ne fera que l'ébaucher à grands traits caricaturaux. Darnand terminera devant un peloton d'exécution, Costantini dans une maison de santé.

Chez un tel homme, Sedan ou Montoire ont moins d'importance que Mers el-Kébir. Au lendemain de l'agression de « l'Ennemie héréditaire », le commandant accédera soudain à une sorte de célébrité en lançant par affiches la fameuse formule : « Je déclare la guerre à l'Angleterre. Il s'agit de la France. Il s'agit de l'Europe. Il n'est plus permis d'attendre. » Dès cette date, Costantini a pris sa place dans le nouveau concert : celle de la voix fébrile qui crie tout haut ce que beaucoup d'autres cherchent à exprimer avec une rhétorique plus sophistiquée. A dater du 6 mars 1941, un organe au titre significatif, l'hebdomadaire *l'Appel*, et un parti, la Ligue française d'épuration, d'entraide sociale et de collaboration européenne, dont le nom est lui aussi tout un programme, donneront plus de continuité à cette voix, toujours prête aux formules choc (« Merci au soldat allemand », 5 février 1942) et flanquée de quelques autres, pas toujours obscures, qui s'illustrent par une violence de ton qui les rapproche assez sensiblement des « piloristes », y compris dans la délation.

Ce n'est pas l'un des moindres paradoxes de ce chef caractériel que d'accepter, moins de six mois plus tard, un rapprochement au sommet entre son mouvement et le PPF de Doriot, sanctionné le 2 septembre 1941 par la signature solennelle d'une sorte de pacte d'unité d'action et fêté en public salle Wagram, le 26 octobre. Et surtout que de voir ledit pacte être la seule union politique de la collaboration à résister aux épreuves du temps. Une analyse locale plus approfondie relativise cependant ces constatations nationales : hors de ses quinze « districts » de Paris, la Ligue est peu représentée; là où, comme en Côte-d'Or, elle occupe par exception une position prédominante

(97 membres sur 247 collaborateurs de partis et milices à l'été 1941, 187 sur 509 en décembre 1942), il semble bien que l'unité se soit résumée à un soutien commun à la LVF, confirmé en 1942 par une série de conférences de propagande commune aux deux chefs. Pour le reste et jusqu'au bout, les deux organisations — Costantini y ajoute en 1942 un diaphane Mouvement social européen — continuent de se manifester indépendamment l'une de l'autre.

Une autre tentative de regroupement avait concerné dès l'origine les deux plus importants mouvements politiques issus de l'ordre nouveau, le Mouvement social révolutionnaire (MSR) et le Rassemblement national populaire (RNP). Avant le second hiver, elle avait échoué. La personnalité contrastée de leurs animateurs respectifs, le style qu'ils avaient entendu donner par voie de conséquence à leur recrutement pouvaient en faire deux sensibilités largement complémentaires. Que leur éphémère cohabitation ait, au contraire, souligné plus encore leurs divergences éclaire sur les conditions de la vie politique en France occupée, aussi bien que sur la complexité relative des options politiques au sein même du cadre idéologique imposé par l'occupant. Paradoxale de bout en bout, l'existence du MSR est à l'image de son fondateur, féru d'action occulte dans la grande tradition mythique des comploteurs masqués, et en même temps contraint par les circonstances à développer l'essentiel de son action politique au grand jour, sous peine de n'être compris ni de la population ni surtout d'un occupant peu soucieux de romantisme, fût-il violent. Eugène Deloncle (1890) est le fils d'un officier de la Royale mort d'avoir refusé d'abandonner son poste : dès l'âge de huit ans, le jeune orphelin baigne dans la mythologie du jusqu'au-bout. Une forte intelligence scientifique et technique lui permet d'entrer brillamment à Polytechnique. La guerre, qu'il demande expressément à faire dans l'artillerie de campagne et dont il ressort, lui aussi, blessé, affermira chez lui le culte de l'énergie et de l'autorité qu'impose un peu partout son masque mussolinien et qui le conduira, au lendemain du 6 février, à franchir décidément le pas de l'activisme par l'adhésion aux Camelots du roi. Ses tendances technocratiques, quant à elles, se confortent dans les fonctions qu'il est amené à exercer au sein de la grande industrie : ingénieur-conseil des Chantiers de Penhoët, membre du comité central des armateurs de France, président de la Caisse hypothécaire maritime et fluviale, etc. En 1934, Deloncle n'est encore qu'un administrateur de sociétés du XVIe arrondissement séduit par l'action des ligues.

En fait, l'évolution qui va le conduire, en moins de dix ans, à n'être plus qu'un aventurier solitaire nageant dans les eaux troubles de l'espionnage est déjà amorcée. Très tôt, le manque de pugnacité de l'AF vieillissante l'en sépare. Nourri de la vision cryptique de l'histoire et de la politique que développent complaisamment les idéologies maurrassiennes, il est désormais résolu à opposer aux « sociétés secrètes » de la République l'Organisation secrète d'action révolutionnaire et nationale (OSARN), révélée au public en novembre 1937 sous le vocable romanesque de la « Cagoule ». Stocks d'armes, attentats de provocation, assassinats : Deloncle et ses compagnons travaillent résolument dans une hypothèse de guerre civile. La guerre étrangère ayant plus efficacement abattu le régime abhorré, Deloncle pense le moment venu de donner à l'OSARN un successeur « sur le plan visible [1] ». Plusieurs des principaux membres du comité secret de 1937 font confiance au maréchal : Deloncle coupe quelques amarres supplémentaires. Avec les cagoulards restés fidèles, tels Jean Filliol, qui a suivi son itinéraire depuis les Camelots du quartier de la Muette, et Jacques Corrèze, il s'en va fonder vers le mois d'octobre 1940 le MSR, dont la devise, on le devine, n'est rien d'autre que : « Aime et sers. »

Au sommet se retrouve l'amalgame cher à Deloncle entre de purs aventuriers de la politique, comme Fontenoy, et de solides illustrations de la notabilité bourgeoise, tels l'industriel idéologue Eugène Schueller ou le général militant Lavigne-Delville. Dans la lignée des reclassements politiques opérés par le traumatisme de la défaite, on verra aussi entrer au MSR quelques anciens adversaires de la Cagoule, représentants d'un espoir révolutionnaire déçu passés plus ou moins tôt à un anticommunisme virulent. Le meilleur exemple en est Georges Soulès, le futur Raymond Abellio (1907), dont la carrière technocratique — il a été polytechnicien, membre du cabinet Spinasse et directeur du service des grands travaux auprès de Blum —, l'activité militante extrémiste — il a fait partie de la minorité de gauche pivertiste de la SFIO — et le goût « cathare » du secret, rapprochent la personnalité de celle de Deloncle.

1. *La Révolution nationale*, 17 mai 1942.

Quand, en février 1941, Déat décide de lancer son propre mouvement, Abetz intervient pour que sa tentative se fasse en symbiose avec le MSR, qui a pour lui l'antériorité et la caution d'un animateur bien autrement connu qu'un Boissel ou un Costantini. Mais la question du pouvoir n'est nullement réglée. Quand Deloncle entre au directoire du RNP (sur cinq membres, trois sont au MSR), il a bien l'intention de dominer son partenaire, encore tout occupé à organiser autour de son nom un fragile mouvement « de masse », par la qualité de petites « sections » décidées. L'assassinat du ministre de l'Intérieur de 1937, le socialiste Marx Dormoy, est sans doute à mettre à leur actif; les attentats contre les synagogues de Paris, en septembre, le sont sûrement. Déat prendra pour lui les balles de Paul Collette, dirigées contre Laval le 27 août, et verra derrière tout cela la main de son *alter ego*. Deloncle et ses fidèles, particulièrement nombreux au sein des troupes de choc et de la Légion nationale populaire, devront quitter le RNP. On leur concédera un hebdomadaire, *la Révolution nationale*, confié à Fontenoy, de la tribune duquel ils pourront tout à loisir étaler leurs critiques à l'égard des ci-devant. Le mouvement ne s'en développera pas pour autant. Il n'aurait eu que 1 385 membres en 1941 [1] et va perdre son chef de file le 14 mai 1942, chassé par une révolution de palais qui faillit être violente et qui, animée par Soulès et l'ancien communiste André Mahé, lui reprochait d'être insuffisamment « socialiste ». Le MSR, à cette date, est déjà virtuellement rayé de la carte. *La Révolution nationale* devient, sous la direction de Lucien Combelle, un hebdomadaire « politique et littéraire » presque sage. En 1943, on retrouve Soulès membre du Front révolutionnaire national de Déat et Deloncle agent secret de l'Abwehr, complotant sans doute avec elle contre Hitler... Il finira abattu par la police allemande.

Le camarade Doriot

Ces agitations plus ou moins troubles contrastent avec la publicité qui, jusqu'au bout, va entourer les deux plus fortes personnalités de cette vie parisienne, l'une et l'autre quintessence de ces deux sensibilités que nous avons eu l'occasion de distinguer, celle du leader marginal

1. D'après R. O. Paxton, *op. cit.*, p. 243.

d'avant-guerre qui croit tenir enfin sa revanche, celle du Prométhée des nouveaux temps, prêt à toutes les surenchères en échange de sa reconnaissance comme maître spirituel et temporel de l'ordre nouveau. Le parallèle rhétorique entre Doriot et Déat est tentant, et court implicitement à travers toutes les chroniques. Il est parfois explicite comme chez Fegy qui opposera à leur apogée [1] « l'homme de la puissance » et « l'homme du verbe », le « métallurgiste » et le normalien, celui qui aurait pu être le chef du parti communiste et celui qui aurait pu l'être de la SFIO, sans préciser d'ailleurs pour quelles raisons ils ne le furent point. Assurément, la seule comparaison des « rentrées » politiques des deux hommes suffirait à en opposer les caractères : Doriot a cru au putsch, Déat a peaufiné un projet de parti unique. Poussant plus loin, on peut aisément voir s'opposer derrière deux biographies deux idéologies, deux organisations, voire deux recrutements sociaux sensiblement contrastés. Il n'en reste pas moins qu'il serait fallacieux de vouloir, tombant dans les pièges des mots et des attitudes, isoler jusque dans leurs dernières implications deux démarches qui, si elles ne sont pas nécessairement convergentes, n'en sont pas moins symétriques, quand on les considère du point de vue de l'occupant, et comme le double étai d'une domination unique.

Ses interlocuteurs allemands n'ayant pas répondu à son attente, le « Grand Jacques » adopte à l'été 1940, sans plus tarder, une ligne politique radicalement opposée à celle du putschiste et qui va étonner beaucoup d'observateurs. Il se déclare, pour reprendre le titre de son livre de 1941, *Homme du maréchal*, laisse en zone sud la rédaction de l'hebdomadaire de l'ex-PPF, *l'Émancipation nationale*, et fait preuve de la plus grande méfiance à l'égard des initiatives parisiennes. Inversement, le cabinet du maréchal subventionne l'hebdomadaire et finance le lancement du quotidien doriotiste de zone nord, *le Cri du peuple* (19 octobre 1940), qui n'a pas reçu l'autorisation de paraître sous le nom d'*Humanité nouvelle* mais ne s'en présente pas moins comme « organe de rassemblement autour du maréchal [2] ». L'assimilation est si complète que, lorsque Doriot se terre dans un village de Seine-et-Oise à l'annonce du 13 décembre, c'est par crainte... d'être

1. *La Gerbe*, 2 juillet 1942.
2. 29 novembre 1940.

arrêté par les Allemands, véritable otage du pétainisme en zone nord.

La lune de miel durera peu. Les deux univers politiques sont trop dissemblables, la méfiance des PPF d'avant-guerre entrés au gouvernement Darlan (Pucheu, Marion...) trop recuite, enfin les ambitions du chef trop voyantes pour que la rupture n'intervienne pas bientôt. Le ralliement a été en effet purement tactique, et les doriotistes paraissent surtout avoir cherché à noyauter les organisations maréchalistes. Indice du rafraîchissement, le PPF, mis en veilleuse sous la forme de vagues comités de défense du *Cri du peuple* ou autres amis de *l'Émancipation nationale*, réapparaît insensiblement en tant que tel dans les deux zones. En deux organisations séparées d'abord, par un dernier scrupule, avec une zone sud plus populeuse que la zone nord — 6 000 contre 4 000, dont 2 700 à Paris? —, puis réunifiées, après le congrès sud de Villeurbanne, du 20 au 22 juin 1941. L'offensive du 22 servira de part et d'autre de grand prétexte. L'ancien communiste a trouvé la croisade qui lui convient, le concurrent du RNP le moyen de mettre au pied du mur le professeur Déat et le comploteur Deloncle, l'aspirant dictateur le terrain sur lequel placer sa nouvelle allégeance.

A ce moment décisif de son destin, l'homme est déjà bien connu du monde politique français dans lequel il fait tache par l'originalité de son évolution personnelle tout autant que par sa seule présence physique. « Un grand, fort garçon brun, à la figure mâle, aux yeux francs... Tout en lui respire l'énergie et la volonté » : ce n'est pas *le Cri du peuple* qui parle, mais *l'Humanité* du 24 avril 1924. A cette date, Doriot est secrétaire des Jeunesses communistes, emprisonné à la Santé pour menées antimilitaristes. En 1916, en pleine guerre, âgé d'à peine dix-huit ans, le prolétaire de Saint-Denis a adhéré au parti socialiste. En 1920, retour de trois années sous les drapeaux, il a choisi sans hésiter la IIIe Internationale, a fait le voyage de Moscou, où il a siégé à l'exécutif du Komintern, et n'en est revenu que pour militer, toujours entre deux clandestinités, contre le capitalisme et ses valets. En ce même moment d'avril 1924, il est aussi, bien qu'emprisonné, candidat aux législatives, à Saint-Denis. Son élection, brillante, est une victoire des plus durs, et son siège de député un moyen d'*agit' prop'* parmi d'autres. C'est l'époque des violentes dénonciations du colonialisme français, du fameux télégramme de soutien au révolté berbère Abd el-Krim. C'est aussi et déjà l'époque des premiers grincements de dents, quand l'ambitieux secrétaire, qui a habilement manœuvré jusque-là entre les tendances contradictoires du jeune parti, voit lui échapper le poste de secrétaire général.

A l'heure de la consigne de lutte « classe contre classe », Doriot, éloigné des centres de décision, se montre favorable à l'unité d'action avec les socialistes. Il fait figure de porte-parole de l'aile droitière et est contraint, après autocritique, de se replier sur Saint-Denis – il en est devenu maire en 1931 – et la capitale rouge prend de plus en plus l'aspect d'un fief personnel. La marche vers le pouvoir personnel est engagée. Quand, le 24 juin 1934, à l'issue d'une longue lutte avec Maurice Thorez, Doriot est exclu pour indiscipline, il se comporte déjà en puissance autonome, et sa lettre ouverte à l'Internationale est une provocation délibérée en même temps qu'un premier programme. Situation d'autant plus paradoxale que, sur le plan stratégique, le PCF se met à adopter l'ensemble des propositions de Doriot. L'ambition du chef du «Rayon majoritaire de Saint-Denis», exacerbée par la petite guerre que lui opposent ses anciens camarades, n'aura dès lors d'autre exutoire que l'affirmation, chaque jour plus violente, d'une originalité largement nourrie de considérations autobiographiques. « Je suis un renégat », proclamera-t-il solennellement au baptême du PPF, le 9 juillet 1936. Entre-temps, l'antisoviétisme de 1935 s'est transformé en anticommunisme, puis en anti-antifascisme, face à la victoire du Front populaire. Lancer un tel parti coûte cher, et les besoins personnels du chef ne sont pas minces. L'Italie est là, qui ouvre son escarcelle. L'intrigue et la subvention deviendront les deux plus sûres constantes du mouvement, avant comme après l'éclipse de la « drôle de guerre ».

Le goût du pouvoir qui les sous-tend n'est cependant à tout prendre qu'une manifestation parmi d'autres de la vitalité du personnage. A l'issue de l'ère hypocrite du maréchalisme, cette virilité conquérante trouve sa voie dans un engagement authentique sur le front de l'Est, de surcroît grand règlement de compte avec la marâtre soviétique. Ses séjours sous l'uniforme ne sont pas de simples passages. Il est absent de septembre à novembre 1941, en février-mars 1942, par intermittence pendant l'année qui suit, plus continûment de mars 1943 à janvier 1944, etc. Son autorité sur ses troupes n'en décline pas pour autant, mais elle change de mode. Les discours et les conférences de presse du légionnaire Doriot, les prophéties et les exhortations du titulaire de la croix de fer, soigneusement mis en scène, sont généralement d'un autre poids que les articles de journaux ou les conférences académiques. Quand le chef revient quelques jours, en juillet-août 1943, pour vider un abcès en épurant le parti d'un cadre qui a osé l'engager dans une opération unitaire dirigée par le RNP, c'est encore Jupiter qui survient, tonne et foudroie.

Quand le chef est là et que la conjoncture semble s'y prêter, la question de la prise du pouvoir revient très vite à l'ordre du jour. Après le printemps 1940, après l'automne 1940, c'est l'automne 1942 qui paraît le moment décisif. Dès le mois de mai, l'arrivée du SS Oberg à Paris est interprétée par Doriot comme le triomphe des « révolutionnaires » sur les modérés. Des contacts sont pris avec le SD, comme autant de préavis de putsch. Au sein du gouvernement Laval, le PPF bénéficie sans doute de la complicité objective de quelques ministres, Benoist-Méchin et l'amiral Platon au premier rang. Tout est en place pour le grand « Congrès du pouvoir » d'octobre 1942. Le drame de Doriot est bien sûr de dépendre totalement du bon vouloir allemand. Celui-ci s'exprime clairement le 21 septembre par un télégramme de Ribbentrop à Abetz : Hitler s'oppose à cette opération, qui n'entre pas dans le cadre de sa stratégie générale. Le congrès aura quand même lieu, au Gaumont-Palace, devant 7 200 délégués, du 4 au 8 novembre, mais le discours fleuve du leader, malgré sa violence, n'est là que pour couvrir l'impossibilité de passer à l'acte. L'aggravation de la conjoncture militaire justifie sans doute un haussement de ton, mais qui ne bénéficiera ni à Doriot ni à Déat. L'homme à poigne dont l'étoile monte est Darnand, qui reprend avec plus de sincérité la tactique de « l'homme du maréchal ». Sans doute, et jusqu'à la fin, le parti reste-t-il soucieux du noyautage des administrations clés; la dernière chance est cependant passée. Doriot n'a plus qu'à repartir pour le front de l'Est. A certains de ses partisans, sa présence sous les drapeaux finira par ressembler à un « emprisonnement », dont les Allemands tirent le meilleur parti.

Le professeur Déat

Face à l'ouvrier Doriot, passé dans une certaine mesure d'un ghetto à un autre, Déat (1894) semble le parangon de cette petite bourgeoisie républicaine, dont toute la promotion sociale est inséparable des institutions laïques. Le père n'était qu'un petit fonctionnaire rural, le fils sera normalien de la rue d'Ulm. Sa jeunesse n'est pas celle des usines mais des salles d'études. A dix-huit ans, il n'est pas manœuvre mais élève d'hypokhâgne, terrien trapu jamais totalement débarrassé de son accent nivernais, bien décidé à mettre les bouchées doubles pour parvenir à la consécration universitaire. Ils ont tous les deux adhéré au parti socialiste avant d'entrer sous les drapeaux. Sorti de là, tout diverge. Doriot est un soldat mauvaise tête, emprisonné une fois, Déat un ancien combattant modèle, cinq fois cité. A l'heure où les plus enflammés optent pour Moscou, le sage agrégé de philosophie choisit la sociologie française, sous la houlette de Célestin Bouglé et Léon Brunschvicg. Le bon élève s'attachera à mettre noir sur blanc ce qui, au fil des années, va prendre corps de doctrine. La dissertation, rendue en 1931, s'intitule *Perspectives socialistes* et est éditée par Georges Valois. Elle établit son auteur comme le théoricien français du socialisme révisionniste, autoritaire et national.

Le petit professeur achoppe en revanche au contact avec les « masses ». Deux fois élu député, sous l'étiquette SFIO, deux fois battu; du témoignage d'un proche, le même destin l'attendait à l'issue de son troisième mandat, engagé en 1939 à la suite d'une élection partielle. Le secrétariat général du fragile parti « néo », un séjour éphémère à la tête d'un ministère technique dans un cabinet de transition en 1936 ne peuvent contenter l'ambition de ce doctrinaire dans la force de l'âge, très conscient de sa puissance intellectuelle, incontestable, mais qui est plutôt celle d'un clair pédagogue et d'un travailleur acharné, pur produit de la scolarité traditionnelle, que d'un esprit brillant, tout d'intuition et d'imaginaire. L'échec parlementaire des néos dans une conjoncture de large bipolarisation, son échec personnel aux élections de 1936 devant un communiste excitent sa critique du régime parlementaire et de l'extrême gauche. En 1939, c'est sous une étiquette de « rassemblement anticommuniste » qu'il se fait élire. Des traits déjà anciens montraient chez lui un antisoviétique acharné, fasciné par les expériences autoritaires anticommunistes. Son article du 4 mai ne fait que les confirmer [1].

Déat accueillera la victoire allemande comme la confirmation éclatante de sa clairvoyance politique. Rebatet verra à juste titre en

1. « Nous ne mourrons pas pour la Chine... ou pour Dantzig ou pour l'Autriche. » avait-il déjà écrit dans *Paris demain*, en septembre 1934.

lui « un de ceux..., infiniment rares dans le monde officiel, que la défaite accouchait, délivrait [1] ». Elle lui permet, à défaut de prendre le pouvoir en France, de le prendre définitivement à *l'Œuvre*, qui abandonnera sans tarder ses traditions d'éclectisme intellectuel pour le monologue interminable de son « directeur politique », fonction nouvelle qui sied aux temps nouveaux. « Les imbéciles ne lisent pas *l'Œuvre* », disait la publicité avant-guerre; « Tous ceux qui n'ont pas voulu mourir pour Dantzig lisent *l'Œuvre* », dit celle de 1940. Elle lui permet aussi, à défaut d'imposer à Vichy son projet de parti unique, de lancer solennellement la première grande organisation politique postérieure à la défaite, le Rassemblement national populaire (RNP). Le destin de Déat va dès lors être marqué par les inimitiés que lui attirent cette prétention au magistère et cette ambition non dissimulée. Dans un premier temps, c'est Laval dont il paraît soutenir l'action, et c'est tout le maréchalisme — le maréchal au premier chef — qui le vouent aux gémonies.

Son RNP naît dans une large mesure de la constatation de cette coupure fondamentale, illustrée par l'arrestation du 13 décembre et confirmée par l'échec de Déat à élargir sa formation aux amis du ministre Belin. Constitué au long du mois de janvier 1941, le RNP entend rassembler en un seul bloc les trois forces politiques initiales du nouveau Paris — le PPF est hors jeu, le Francisme attend le retour de son chef — : les hommes de gauche, ex-néos, ex-SFIO ou inorganisés [2], ralliés à la politique de Montoire; les anciens combattants de choc de Goy (UNC); le MSR et deux ou trois groupuscules nazifiants. Il bénéficie d'un *a priori* plutôt favorable de la part de la nouvelle intelligentsia en voie de constitution — Luchaire et *les Nouveaux Temps*, Châteaubriant et *la Gerbe*, le groupe Collaboration... La crise de l'été 1941, surmontée avec le brio que nous avons vu, laisse Déat maître d'un terrain désormais sans chausse-trappes. Elle le confirme cependant un peu plus dans ses tendances à l'autocratie. 1942 voit l'apogée du mouvement, son extension en zone sud, la tenue de son grand congrès doctrinal des 11 et 12 juillet. Laval est revenu au pouvoir; Déat s'attend à être appelé auprès de lui d'une semaine à l'autre.

1. *Les Décombres*, *op. cit.*, p. 525.
2. Ainsi un « groupement des instituteurs de la Seine », qui revendique 450 adhérents.

Il n'est plus nécessaire que d'amadouer le vieux maréchal. L'orgueil intellectuel du chef n'a jamais été autant en porte à faux.

La machine tourne, il est vrai, sans ratés, mais de plus en plus vite. Chaque dimanche, il tape à la machine, d'affilée, les six cours de la semaine à venir, baptisés éditoriaux. L'image d'un Déat idéal se projette à ses yeux : l'Allemagne ne peut pas être vaincue, parce que l'intelligence de Déat ne l'a jamais été, la politique de la France sera pure et dure, parce que c'est en étant pur et dur que Déat a eu raison avant (1933) et contre (1939) tout le monde. D'où ce ton définitif et ces phrases abruptes qui balisent sa radicalisation; dès le premier jour : « On refera une France intégrée à la Nouvelle Europe... Cette collaboration n'est ni une nécessité matérielle, ni un expédient provisoire, mais une doctrine fondamentale [1] »; dès le retour à Paris, l'offensive la plus remarquée contre Vichy, « platement réactionnaire... esprit de revanche... fanatisme [2] »; tout au long, les jugements les plus enflammés sur l'occupation allemande : « Une fête de l'Histoire [3] », Hitler : « Nous avons été battus par un homme de génie [4] », ou le régime : « La France se couvrira s'il le faut de camps de concentration et les poteaux d'exécution fonctionneront en permanence. L'enfantement d'un nouveau régime se fait au forceps et dans la douleur [5] »...

Deux discours

Que de Doriot on cite plus volontiers des actes — y compris de foi : « Je suis un homme du maréchal » — et de Déat plutôt des articles se retrouve assez bien quand on prend le temps de confronter les deux idéologies, au-delà d'une radicalisation qui leur est commune.

Il est certain, et ses concurrents ne se feront pas faute de le lui dire, que le PPF vit plutôt d'une sorte de vitalisme nourri d'un ample culte du chef, qui ramène la doctrine doriotiste aux deux ou trois obsessions autobiographiques de son incantateur. Les considérations annexes sont marquées au sceau de tel ou tel «expert» (Henri Mounier pour l'agriculture, Alain Janvier pour les questions religieuses, etc.), s'attachant

1. *L'Œuvre*, 5 juillet 1940. — 2. *Ibid.*, 13 octobre 1940.
3. *Ibid.*, 21 septembre 1940. — 4. *Ibid.*, 12 novembre 1943.
5. Propos rapportés par L. Rougier, *Mission secrète à Londres*, Genève, 1946, p. 54.

avec plus ou moins de bonheur à relier ses propres choix aux valeurs centrales. Au coeur de ces dernières, l'anticommunisme virulent du leader exclu prime toutes les autres : impérialisme moscoutaire, barbarie culturelle, échec économique et social du régime... S'y rattache un apparat destiné à renforcer le thème d'un héritage prolétarien indépendant du marxisme, assez bien représenté par un livre comme celui de Maurice-Yvan Sicard, en 1943, *la Commune de Paris contre le communisme*. L'autre constante renvoie très naturellement à la nécessité d'un État fort, d'un exécutif stable, à la formation d'« un pays totalitaire » et qui n'a pas peur de l'avouer, avec au besoin quelque rudesse, comme au congrès de 1942. Quant au nationalisme de Doriot, sa longue fréquentation des problèmes coloniaux, le développement particulièrement sensible du PPF en Afrique du Nord, au sein des deux communautés d'ailleurs, lui donnent très tôt la forme originale d'une aspiration à l'empire, au développement d'une « économie impériale » et d'une politique « impérialiste » [1], seule résolution aperçue par Doriot de la contradiction entre l'inévitable hégémonie allemande sur le continent et la promesse de la restauration nationale. Une « Jeunesse impériale de France » est même créée en mai 1942.

Le reste appartient à la politique de la main tendue : à l'Église catholique, à laquelle on promet un concordat; aux paysans, secteur social abandonné par les autres partis et par trop contrôlé par Vichy; aux autonomistes, principalement bretons, auxquels on laisse espérer une France fédéraliste au sein d'une Europe fédérale; aux antisémites, par la reprise sans originalité des théories pseudo-scientifiques signées Montandon, signe assez clair du placage, car économie est faite de l'antisémitisme « modéré » des nationalistes. Une telle idéologie tous azimuts ne va pas sans contradictions, ainsi dans le cas de l'organisation économique, qui superpose sans vraiment les concilier la critique acerbe d'un ancien PCF comme Celor et les exposés sagement corporatistes d'Albert Beugras, ancien ingénieur de Rhône-Poulenc. Elle a surtout beaucoup de mal à camoufler, dans le détail, une série de prises de position très réactionnaires [2].

1. Discours du congrès, *Le Cri du peuple*, 5 novembre 1942.
2. On verra même *le Cri du peuple* du 21 janvier 1943 célébrer l'anniversaire de l'exécution de Louis XVI en le présentant comme « un crime voulu et préparé par les Juifs, les F.·. M.·. et les Anglais »...

Vu lui aussi au stade de l'anecdote, le « socialisme » du RNP défend pied à pied un certain nombre de valeurs du régime défunt : la République (quatrième du nom), étiquette à laquelle il tient avec obstination, contre Doriot et les « totalitaires » affichés; le suffrage universel, qu'il maintient au niveau corporatif et municipal; l'école publique, pour laquelle René Chateau guerroie avec *Je suis partout;* l'anticléricalisme, au besoin agressif si l'Église le prenait de haut... Ne demandant qu'à être abusée, une partie de la presse parisienne dénoncera toujours en Déat un franc-maçon hypocrite, un ci-devant mal converti : il n'était assurément ni l'un ni l'autre. Sa biographie intellectuelle s'y opposait, celle d'une philosophie universitaire kantienne peu sujette à la tentation « matérialiste », d'une formation sociologique ouverte à la technique et aux sciences économiques, d'une expérience de la guerre surtout, confrontée à deux valeurs étrangères à la pensée socialiste classique, le fait national et l'autorité hiérarchique. *Perspectives socialistes* avait condensé sous une forme simple les apports successifs des socialismes révisionnistes et réformistes ambiants : Henri de Man, avec sa critique d'un marxisme définitivement « dépassé », Albert Thomas, avec la revendication de l'alliance nécessaire des ouvriers et des classes moyennes, Georges Sorel, avec la reconnaissance de la dimension nationale, Marcel Sembat pour l'accent mis sur un État socialiste moins fondé sur la nationalisation que sur la « maîtrise des forces » : contrôle du crédit, de la monnaie, des marchés. Par là même, Déat aboutissait à l'éloge d'un État fort et ne pouvait qu'être séduit par l'émergence des théories planistes à la mode à la CGT d'avant la réunification, ainsi que chez certains enseignants proches de la SFIO et dans les milieux coopératifs animés par le député Gabriel Lafaye.

Cet homme, qui rompra des lances pour la défense des bustes de Marianne, est ainsi le théoricien sans faiblesse du parti unique, sujet de prédilection auquel il ne consacre pas moins de trente articles entre le 18 juillet et le 4 septembre 1942, et d'un « socialisme de place assiégée [1] » qui s'inspire en partie de son abrupt plan d'économie de guerre présenté à la Chambre au cœur de la « drôle de guerre » [2], mais articulé cette fois clairement au sommet sur le plan, à la base sur la

1. *Germinal*, 24 avril 1944.
2. Comité secret des 9 et 10 février 1940 : « ... La cuisine roulante pour tous ».

corporation, avec pour objectif « la suppression du prolétariat né du capitalisme ». En un mot, ce régime totalitaire qui, par un jeu de mots philosophique, devient « le régime de l'homme total », puisque aussi bien le totalitarisme permet le retour à l'humanisme [1] : c'est un peu sur de tels jeux de mots que s'articule tout le déatisme, résultante de deux tensions symétriques, l'héritage intellectuel de l'Université classique, le traumatisme de l'irrésistible ascension des fascismes. De telles pirouettes permettent d'opter pour un « humanisme concret », profondément différent de l'humanisme traditionnel « du Juif errant » [2] qui a la sottise de poser les êtres humains raisonnables, libres et égaux, et, dans la pratique sociale, pour un antisémitisme qui ne crie certes pas à l'extermination, tout juste au grand renfermement universel, mais qui n'empêche pas le RNP de développer sur le tard sa campagne d'adhésion en direction des milieux bien caractérisés des administrateurs de biens aryanisés. Plus le temps passera et plus le discours déatiste vivra cette contradiction permanente en un style délirant, où Robespierre tend la main à Hitler [3], jusqu'à l'acte d'abdication final : « Nous avons découvert le rôle des mythes où le sentiment et l'action sont délibérément mêlés à la représentation. Nous avons découvert que le jugement de valeur était plus original et plus riche que le jugement de réalité [4]. »

Deux institutions

Deux aussi fortes personnalités impriment largement leur marque à l'organisation des deux mouvements. L'une et l'autre démarquent formellement le vocabulaire des structures dont elles sont respectivement issues, PCF et SFIO, mais le principe du chef les rapproche sensiblement. Les absences prolongées de Doriot donnent cependant plus de poids à la collégialité directoriale du PPF, dont les responsables au plus haut niveau ont de surcroît tous transité par le parti communiste. Victor Barthélémy (1906), secrétaire général du parti

1. *Le National populaire*, 25 août 1942.
2. M. Déat, *Le Parti unique*, Aux armes de France, 1942, p. 49 et 52.
3. « Révolution française et Révolution allemande, 1793-1943 », conférence de Déat le 18 décembre 1943.
4. M. Déat, *Pensée allemande et Pensée française*, Aux armes de France, 1944, p. 105.

dès l'époque difficile de la « drôle de guerre », fait figure de fidèle parmi les fidèles, mais aussi d'homme d'appareil en face du bouillant Simon Sabiani (1888), ancien député « socialiste indépendant » de Marseille, illustré avant-guerre par les expéditions sans douceur ni alibi de ses nervis contre les frets destinés aux républicains espagnols. *Condottiere* au petit pied, « Duralex » cherche à imposer la loi du PPF au Midi provençal avec l'aide des clans corses qui lui sont alliés, d'une bonne part des truands de sa ville et, à partir de novembre 1942, la complicité objective des autorités d'occupation. Dans l'entre-deux, Sicard (1910) est de mœurs plus douces, mais cet homme du verbe, naguère collaborateur de la presse antifasciste, est le plus farouche des racistes dans ses livres et à *l'Émancipation nationale* dont il est le responsable. A la propagande, il est flanqué d'un représentant des couches d'extrême droite, l'ancien franciste Vauquelin des Yveteaux, par ailleurs responsable des Jeunesses populaires françaises. Au-delà, la presse doriotiste souffre de porter une étiquette et de ne guère pouvoir dépasser le stade d'une sorte de populisme agressif, dans la veine du rédacteur en chef du *Cri du peuple*, jusqu'à son assassinat en 1942, Albert Clément, transfuge du PCF et de *la Vie ouvrière*, veine renforcée par les éditoriaux de divers communistes ralliés et les caricatures de Dubosc, ex-dessinateur attitré de *l'Humanité*. La vraie réussite des médias PPF réside plutôt dans le travail des intellectuels sympathisants au sein de structures en théorie autonomes telles que le *Paris-soir* de Cousteau et *le Petit Parisien* de Jeantet, l'un et l'autre quotidien ayant un tirage plus de dix fois supérieur à celui du *Cri du peuple*. Le critique littéraire Ramon Fernandez en est un peu le symbole et reçoit, avec le secrétariat des Cercles populaires français, la charge de donner à l'organisation de masse le vernis culturel qui sied, illustré en 1944 par la publication d'une collective *Histoire de France à l'usage de ceux qui l'ont oubliée*.

Le même mixte de dissidents de l'extrême gauche et de l'extrême droite soudé par un activisme commun et renforcé de quelques hommes de main se retrouve à la base. Au grand « Congrès du pouvoir », sur 7 198 délégués recensés, 4 187 viennent d'autres organisations, dont 1 556 du PCF et seulement 588 de la SFIO, face à 782 anciens PSF, 420 AF et 318 ligueurs des Volontaires nationaux. Localement, les proportions sont plus variables, et si les anciens communistes sont nombreux dans la région parisienne, il n'est pas rare que la grande majorité des adhérents de telle grande « section » (elles sont une cinquantaine en 1943), de tel petit « groupe » (ils seraient près de 200 à la même date) soit de l'origine la plus « réactionnaire » [1]. La forte représentation des anciens communistes dans les organes supérieurs tient plus à l'histoire du mouvement – et à la volonté du «chef» – qu'à la réalité des rapports de forces internes.

Avec une base plus homogène, le RNP nouvelle manière de l'automne 1941 présente moins de variété en son noyau central qu'en son pourtour. L'isolement du chef paraît d'autant plus grand que son entourage de parlementaires néos, Lafaye (1888), Montagnon (1889), Paul Perrin (1891), est relativement terne, en l'absence du prudent Marquet. Le reste appartient au dosage. Goy (1892), industriel, député conservateur, président de l'UNC, couvre Déat sur sa droite, du moins jusqu'à son exclusion en 1942. Henri Barbé (1902), renégat successif, et au plus haut niveau, du PCF et du PPF, apporte la caution prolétarienne. Au centre, pivot de l'appareil, siège la SFIO, en la personne du paul-fauriste Roland Silly, secrétaire de la fédération CGT des techniciens, placé à la tête des Jeunesse nationales populaires, et de Georges Albertini (1911), ancien membre du bureau des Étudiants socialistes et de la fédération SFIO de l'Aube, factotum apprécié pour ses qualités de plume et d'organisation, et qui deviendra tout naturellement le directeur général du cabinet ministériel de 1944. L'antécédent néo-socialiste, radical ou SFIO semble avoir joué un rôle analogue au niveau des sections locales, d'une taille très variable mais généralement plus modeste que celles du PPF.

Alentour, de même que l'influence de *l'Œuvre* continue à dépasser celle d'un simple quotidien de parti, de même le RNP irradie-t-il en de multiples organisations satellites d'esprit « social » qui, dans l'esprit de Déat, doivent permettre tout à la fois d'en répercuter l'écho en direction des intellectuels et de la classe ouvrière, et de reconstituer sous une forme détournée certaines institutions mises sous le boisseau par Vichy. Le Front social du travail (FST) a été créé en décembre 1941 par François Desphelippon, responsable avant-guerre des groupes d'entreprises SFIO. L'objectif initial est de rassembler à la base, sur le terrain des revendications sociales, ouvriers, employés

1. Exemple : en Côte-d'Or, un dixième SFIO et PCF, contre un tiers AF et plus de la moitié d'anciens Croix-de-Feu ou PSF.

et petits patrons, mêmes victimes des ploutocrates. Il ouvre ici et là quelques foyers, lance quelques campagnes sur les questions sensibles du ravitaillement et de la hausse des prix, mais, se gardant bien de mettre en cause l'occupant, s'interdit toute popularité. Le Centre syndicaliste de propagande (CSP) a pour secrétaire général un syndicaliste incontestable, Georges Dumoulin, mais pour secrétaire à l'éducation et à la propagande deux collaborateurs directs de Déat, Albertini et Lafaye. Sa grande affaire est de pouvoir organiser de vastes conférences syndicales nationales réunissant au grand jour le plus large éventail de délégués syndicaux [1]. La Charte du travail s'y trouve souvent mise à mal, les nationalisations, l'État communautaire et la culture populaire farouchement défendus, mais le style national-socialiste et « européen » des motions votées dessillerait les yeux les plus aveugles.

Une base

Les premiers résultats de l'enquête en cours du Comité d'histoire de la Seconde Guerre mondiale permettent d'appréhender avec plus de finesse la sociologie des deux formations, au-delà des chiffres gonflés ou approximatifs des contemporains, ces « 500 000 » adhérents RNP de juin 1941 qui ne seraient peut-être que 20 000, dont 12 000 en province, ces « centaines de milliers » de PPF qui n'ont pas dû de beaucoup dépasser le même chiffre. Le nombre global d'adhérents tous mouvements confondus (partis, groupe Collaboration, LVF, Milice, Waffen SS...) varie sensiblement d'un département à l'autre. Compte tenu même des doubles appartenances (10 p. 100 dans le Jura de zone nord), on peut dire qu'il reste très inférieur à 1 p. 100 de la population (0,33 p. 100 en Côte-d'Or, 0,08 p. 100 dans le Doubs). Par suite de circonstances locales, deux ou trois départements crèvent largement ce plafond, la Corse au premier rang, avec une pointe de 800 noms en décembre 1942 (dont 476 adhérents de partis), soit le chiffre de toute la Meurthe-et-Moselle, près de deux fois celui de l'Indre-et-Loire ou du Loiret. Avec une popu-

1. A celle des 15 et 16 novembre 1941, tenue à la Mutualité, 11 fédérations nationales, 12 unions départementales, 297 syndicats; mais seulement une centaine de délégués de la zone sud et de la zone interdite, sur 677.

lation à peine supérieure, la Mayenne n'en rassemble pas plus de 152, dont 65 aux partis [1]. Selon les lieux, le RNP ou le PPF tiennent le haut du pavé; la Vienne (300 en mai 1943) ou la Corse sont PPF, le Loiret (500 en septembre 1943) ou l'Indre-et-Loire (400 en octobre 1941), RNP. Chiffres dérisoires? Il faudrait mieux connaître ceux des partis d'avant-guerre : dans le Loiret, le RNP dépasse ainsi d'assez loin le chiffre total du PCF de 1935.

Il est encore difficile de régionaliser l'implantation des deux mouvements. Des renseignements fournis par le PPF lui-même, il semble bien que la région parisienne et le Sud-Est soient restés ses bastions. Localement, le recrutement des deux partis est très urbanisé, jusque dans des départements ruraux comme la Mayenne ou la Vienne (75 p. 100). Dans le Loiret, le RNP concentre 84 p. 100 de ses adhérents dans un milieu urbain qui ne représente que 37 p. 100 de la population. En compagnie de l'Orne, la Corse (20 p. 100 d'exploitants agricoles) fait de nouveau exception. Le PPF, plus activiste, semble attirer plus de jeunes que le RNP (Vienne, Meurthe-et-Moselle). Ce dernier est par contre plus féminisé (40 à 45 p. 100 en Côte-d'Or), sans doute en raison de la place qu'y occupent les employées d'administrations allemandes. La composition socioprofessionnelle des partis confirme en effet l'image « classes moyennes » qui est généralement donnée aux mouvements fascistes ou assimilés. Quel que soit le mouvement, la proportion des artisans, et plus encore des commerçants, est particulièrement élevée. Les professions « de contact » sont nettement surreprésentées : voyageurs de commerce au premier rang — quand il ne s'agit pas d'une couverture —, limonadiers ou garagistes à clientèle allemande, le RNP se distinguant sans surprise par sa tendance à attirer fonctionnaires, employés et enseignants. A Montbéliard, des cadres Peugeot s'engagent dans le PPF pour lutter contre certains de leurs ouvriers passés à la Résistance; ailleurs, au contraire, entrepreneurs et professions libérales font pression sur leur entourage et leur personnel pour qu'ils s'inscrivent. Le chantage au retour d'un prisonnier ou au rappel d'un passé « rouge » joue son rôle dans les milieux les plus modestes. La part du sous-prolétariat, agricole ou industriel, et des marginaux de toute espèce devient déterminante au sein des unités les plus activistes des partis, ces « milices »

1. Voir Annexe II.

dont les Gardes françaises ou les Groupes d'action pour la justice sociale du PPF sont parmi les plus représentatifs. Par-delà les couleurs des chemises, elles donnent leur véritable sens à l'apparente diversité idéologique et sociale des groupements totalitaires.

Sans doute, toutes les évolutions ne sont-elles pas superposables. Les groupuscules s'étiolent ou se sclérosent assez vite; le RNP, plus fragile que le PPF, supportera avec difficulté les revers de l'Axe : dans la plupart des cas — mais il y a des exceptions, comme en Mayenne —, son apogée se situe en 1942. Plus activiste, illustré par la LVF, le mouvement de Doriot campera jusqu'en 1943 sur des positions plus solides.

Lui-même connaîtra cependant le déclin, et le commun aboutissement comme flanc-garde de l'Abwehr [1], du SD, de la SS, où s'aboliront toutes ces prétentions à l'originalité comme au leadership. Une réelle prise du pouvoir totalitaire se fût traduite par l'élimination de la majorité des chefs et de leurs troupes. Son absence signifiera l'élimination de tous.

1. Le service de renseignement PPF d'Albert Beugras collabore directement, moyennant finance, avec celui de l'armée allemande.

6

Les cadets de l'Alcazar

Un fascisme : Je suis partout

> Les Français de quelque réflexion durant ces années auront plus ou moins couché avec l'Allemagne, non sans querelles, et le souvenir leur en restera doux.
>
> ROBERT BRASILLACH

On pouvait attendre au pied du mur la brillante équipe de *Je suis partout*, la seule unité politique ayant pignon sur rue qui se fût réclamée avant-guerre du fascisme.

Paradoxalement, on faillit ne pas la voir. Deux de ses animateurs, Brasillach et Cousteau, sont prisonniers de guerre. Plusieurs autres, happés par les exigences de l'action immédiate, sont montés au créneau en ordre dispersé. Dernier attachement à la germanophobie maurrassienne, prudence de militants échaudés par leurs mésaventures de juin? Toujours est-il que les administrateurs du journal se font tirer l'oreille. Montoire et le 13 Décembre les excitent de nouveau. L'équipe d'avant-guerre va peu à peu se reconstituer — Brasillach et Cousteau rentrent au bercail en 1941 — en retrouvant ses deux pôles familiers : un choix politique tranché, celui dès l'abord d'un collaborationnisme sans restriction; un lot renouvelé d'exécrations qui ne se limite point aux vaincus du jour — les hommes de l'ancien régime, cette fois-ci, sont ceux d'en face —, mais s'attaque à l'attentisme sous toutes ses formes, aux tièdes et aux « réactionnaires ».

Le triomphe

Ces difficultés de première heure ne doivent pas occulter en effet le sens profond de la reparution de *Je suis partout :* celui d'un

* *La Révolution nationale*, 19 février 1944.

triomphe. A cet égard, le premier numéro de la nouvelle série, le 7 février 1941, est tout à fait significatif de la tendance de ce petit groupe combatif à traduire les enjeux politiques en termes d'affrontements personnalisés entre une élite de chevau-légers et l'ensemble des forces, obscures ou camouflées, de l'anarchie et de la décadence. Une bonne partie du numéro est ainsi occupée par le règlement de vieux comptes avec les persécuteurs de juin 1940. Il ne faudra pas moins d'un livre de Lesca lui-même (*Quand Israël se venge*, 1941) et d'un autre de Laubreaux (*Écrit pendant la guerre*, 1944), sans parler des *Décombres* de Rebatet, pour épuiser la saga fondatrice des martyrs de la Cause. C'est qu'il ne fait plus bon s'attaquer aux « ubiquistes », et plusieurs contemporains s'en apercevront. Installé au carrefour des partis politiques et des médias, *Je suis partout* va se constituer, pour plus de trois ans, une véritable principauté; son fonctionnement en groupe de pression est sans équivoque.

Le tirage semble avoir doublé dès la première année, et culminé (à 220 000 exemplaires?), fait exceptionnel, en 1944, le tout « sans bouillonnage », comme tiendra à le préciser Brasillach à son procès, les abonnements, signe de fidélité, se multipliant de leur côté par quatre. Le public paraît plus jeune que jamais, assez estudiantin — le même Brasillach affirme au début de 1942 que la vente a doublé depuis un an au quartier Latin. La société anonyme est florissante. En 1942, symbole suprême, la rédaction émigre du quartier d'Alésia à la rue de Rivoli. Malgré l'abandon de Pierre Gaxotte, l'équipe est, il est vrai, plus dynamique que jamais. Elle perd Claude Roy, passé insensiblement à la Résistance et au communisme, mais elle gagnera d'autres jeunes, Claude Maubourguet, F.-C. Bauer, Michel Mohrt, Lucien Combelle surtout, ancien secrétaire de Gide. Elle s'assure plus que jamais les signatures d'Anouilh *(Leocadia)* et de Marcel Aymé *(Travelingue)*, de Drieu et de La Varende. Au sein d'une presse raréfiée, ses chroniqueurs culturels tendent à donner le ton. Laubreaux (1898) en est un peu le prototype. Ce Rubempré de Nouméa a derrière lui des débuts parisiens assez troubles. De tous les membres de l'équipe, il est celui qui, loin des extrémismes de droite (Jeantet) ou de gauche (Fegy), a le plus longtemps vécu à l'aise dans le régime : critique littéraire de l'officieuse et très radicale *Dépêche de Toulouse* et collaborateur de plusieurs journaux tenus par des israélites, y compris *le Plaisir de vivre* de Maurice de Rothschild, condamné pour plagiat après la publication de son premier roman, il a été chassé par Béraud, dont il avait réussi à devenir le secrétaire. La rubrique théâtrale de *Je suis partout* lui donne l'occasion de se revancher de ses déconvenues — il ira même, en 1942, jusqu'à rendre compte, avec faveur, d'une pièce dont il est l'auteur sous un pseudonyme, et dont le moins qu'on puisse dire est qu'elle n'obtint pas un succès sans mélange. On le craint et on le déteste bien au-delà des milieux dramatiques, où l'on sait qu'il ambitionne la Comédie-Française, car c'est lui qui a tenu à bout de bras l'hebdomadaire pendant la « drôle de guerre », et surtout lui qui amuse sa verve agressive à signer bon nombre de ces petits échos anonymes en page deux, proches de la dénonciation et par là même, en ces temps durs, l'une des formes d'action « politique » les plus graves qui soient.

L'influence réelle de l'équipe s'étend bien au-delà. Georges Blond (1906), qui s'est fait après Paul Chack le chantre de *l'Épopée silencieuse* de la Royale, fer de lance de la lutte contre les Anglo-Saxons, est cité pour le prix Goncourt 1941, et le premier livre de Rebatet, *les Décombres*, obtient l'un des succès de librairie de l'Occupation — 65 000 exemplaires au moins, peut-être plus de 100 000. L'hebdomadaire essaime Fegy à *la Gerbe*, qui ne réussira jamais à faire le poids en face de son aîné, Villette, *dit* Dorsay, au *Journal de Rouen*, Cousteau à *Paris-soir*. Il colonise littéralement *le Petit Parisien* par l'intermédiaire de Jeantet : Brasillach, Blond, Laubreaux, Henri Poulain, Rebatet y collaborent, souvent au plus haut niveau. Le caricaturiste Ralph Soupault (1904), qui a fait ses débuts à *l'Humanité* avant de se retrouver assez vite à l'autre extrémité de l'éventail politique, étale dans un peu toutes sortes de périodiques ses dessins vigoureux, peuplés de nez crochus et de mains rapaces, légendés avec haine et talent.

Brasillach, fasciste charmé

Rédacteur en chef sans partage jusqu'en 1943, source d'un rayonnement d'autant plus sensible que l'intéressé est l'un des plus jeunes du groupe, âgé de trente-deux ans seulement en 1941, Brasillach résume assez bien cet apogée solaire. Normalien de bonne race, il a déjà derrière lui une œuvre de critique et d'historien remarquée. A côté d'un *Virgile* et d'un *Corneille* qui sentent encore l'huile et le sage élève, ses *Animateurs de théâtre* et surtout, avec son beau-frère Maurice Bardèche, son *Histoire du cinéma* (1943, 2e éd.) signalent l'un des observateurs les plus aigus de la création de son temps. L'année même où Maurras lui a confié le feuilleton littéraire de *l'Action française*[1], il a inauguré, à vingt-trois ans, sa carrière de romancier par un fragile *Voleur d'étincelles*. Cinq autres romans suivront de son vivant, recueillant un succès qui est plus que d'estime, s'il ne va pas jusqu'à l'adhésion enthousiaste, parmi lesquels on retient généralement *Comme le temps passe* (1937) et *les Sept Couleurs* (1939). Peu à peu, cependant, c'est l'engagement politique qui va constituer l'axe de cette vie qui, jusqu'au bout, se voudra à sa façon « littéraire », tout en donnant à la plume de l'écrivain un poids considérablement accru.

Par sa famille naturelle — tôt orphelin d'un officier mort au champ d'honneur —, par sa famille universitaire — nourri au plus haut degré de culture classique —, Brasillach a cette certaine idée de la patrie française et de la civilisation occidentale qui ne porte pas à transiger sur le nationalisme et la défense de l'ordre social. Plus que le 6 février, c'est 1936, année du Front populaire et de la guerre d'Espagne mais aussi des jeux Olympiques de Berlin et de la victoire italienne en Éthiopie, qui le détermine. Il découvre avec un peu d'inquiétude et beaucoup de fascination les flamboiements de Nuremberg, sans inquiétude et beaucoup d'enthousiasme le fascisme catholique et francophone de Léon Degrelle, il commence à en découdre directement avec les antifascistes en s'engageant, le porte-plume à la main, sur le front espagnol, et ce sont avec Henri Massis *les Cadets de l'Alcazar* (1936), avec Bardèche *l'Histoire de la guerre d'Espagne* (1939). Septembre 1939 arrête net sa collaboration à l'*AF*. Elle ne sera jamais reprise. Quand il est libéré de son oflag, fin mars 1941, sur l'intervention de ses amis, il a déjà choisi son camp, et ce n'est pas celui de « la France seule » — « la Provence seule », dira-t-il par dérision...

Brasillach est un critique élégant et subtil, quoique assez conformiste, mais c'est un politique sans tendresse. Ses jeunes souvenirs de *Notre avant-guerre* (1941), rédigés pour l'essentiel sous l'uniforme, nous le montrent ami personnel de Jouvet ou de Pitoëff, féru du *Cui-*

1. Dont il fera paraître en 1944 une sélection dans *les Quatre Jeudis*.

rassé Potemkine, camarade sensible et grand amateur de canulars. Pourtant, c'est le même homme qui pose au même moment un regard d'une froideur glaciale sur les réfugiés antifascistes allemands, le même qui se plie au vocabulaire ambiant de *Je suis partout*, peuplé de « racaille marxiste » et de « sentine démocratique », le même qui va refuser tout apitoiement sur les rafles antisémites, soutenant avec agacement que les brutalités qu'on dénonce sous le manteau « sont le fait de policiers *provocateurs* (il souligne) qui veulent apitoyer les pauvres idiots d'aryens », qu'en un mot « il faut se séparer des Juifs en bloc et ne pas garder de petits [1] »... Les « petits », c'est-à-dire les enfants...

Dans le concert d'exécrations qui est celui de *Je suis partout*, la voix de Brasillach s'essaie pourtant à l'originalité. Prenant quelques distances par rapport à ses camarades, accaparés par l'actualité, il aime à faire comprendre qu'il est venu au fascisme par la poésie, parce que « le fascisme, c'est la poésie même du xxe siècle [2] », que « le fascisme, c'est la jeunesse » et que « la France ne doit pas être une nation vieille [3] ». Jeune lui-même, et précoce, chantre de l'amitié, de l'équipe, il reste inaltérablement attaché aux doubles valeurs de l'adolescence, tendresse et virilité, exigences et enthousiasme. Tout son portrait de Degrelle était fondé sur ce type de balancement, mais, dans la montée des périls, c'est très visiblement le fascisme hitlérien qui en est pour lui la meilleure synthèse. Ses romans fleurent Alain-Fournier, Giraudoux, René Clair, mais quand le héros des *Sept Couleurs*, Patrice, jeune fasciste en quête, a goûté de l'Italie et de l'Allemagne, c'est Nuremberg qu'il choisit et c'est une Allemande, Lisbeth, qu'il épouse. Quand Brasillach lui-même pénètre dans un camp de travail allemand, les pelles sont posées contre les arbres et les jeunes travailleurs musculeux chantent : qu'on puisse à ce point de perfection concilier l'abandon doucement rêveur qu'il baptise poésie et l'efficacité d'un effort soutenu, mâle et discipliné, le ravit définitivement. Entré dans l'Allemagne par Giraudoux, Brasillach y reste par Hitler. Son collaborationnisme est celui

1. *Je suis partout*, 25 septembre 1942.
2. *Lettre à un soldat de la classe 60*, in *Œuvres complètes*, Paris, Club de l'honnête homme, 1963-1966, t. V, p. 599.
3. Citation de R. Brasillach par H. Poulain, 9 mai 1942.

de deux amis (« Je suis germanophile et français[1] »), de deux amants (« J'ai contracté une liaison avec le génie allemand[2] ... »). D'extases en fascinations, le fascisme d'un Brasillach, tout spectaculaire, est sans doute à l'image de celui auquel adhéreront maints jeunes intellectuels de son temps.

Le meurtre du Père

L'analyse de cette première époque du nouveau *Je suis partout* (1941-1943) est évidemment essentielle à toute approche du phénomène fasciste dans son ensemble. Elle l'est tout particulièrement pour tout débat autour de la situation idéologique du fascisme français; et en particulier de la nature des liens filiaux qu'il entretient avec le maurrassisme orthodoxe. La question peut déjà se poser de savoir si la première génération de l'Action française partageait en tout l'univers positiviste et néo-classique du vieux maître de Martigues. Le cas de Barrès a justifié à cet égard qu'on s'y arrêtât[3]. Mais pour ceux des disciples qui rallient la rue de Rome à l'heure de la condamnation vaticane (1926) et de la crise occidentale, la réponse est encore moins évidente. 1917 et 1923, 1929 et 1933 sont entrés dans leur calendrier mythologique, quand les archéo-monarchistes pensent d'abord et toujours à 1789 et 1815, 1871 et 1914. Au bout de leur chemin, les jeunes maurrassiens de la dissidence en viendront à affirmer bien haut la solidarité profonde à leurs yeux des valeurs d'un Charles Maurras et de celles d'un Édouard Herriot, comme symétriquement Brasillach de sa prison, au soir de la défaite, en cherchant à confirmer sa fidélité au fascisme-poésie, y ajoutera entre parenthèses : « (avec le communisme, peut-être)[4] ».

Sans doute *l'Action française* continue-t-elle à paraître en zone sud jusqu'au dernier jour, son directeur se refusant à la saborder malgré la présence allemande. Sans doute est-il allé à l'heure de la Relève jusqu'à dire qu' « avec toute la France, les prisonniers heureusement libérés remercient M. Hitler[5] ». Sans doute ses haines traditionnelles,

1. Lettre à Rebatet, 14 août 1943, in *Œuvres complètes*, *op. cit.*, t. X, p. 585.
2. *La Révolution nationale*, 19 février 1944.
3. R. Soucy, *Fascism in France : the Case of Maurice Barrès*, Berkeley University of California Press, 1972.
4. *Lettre à un soldat de la classe 60*, in *Œuvres complètes*, *op. cit.*, t. V, p. 599.
5. *L'Action française*, 28 août 1942.

reprises et amplifiées par la défaite, si l'origine et l'esprit n'en sont pas toujours les mêmes, le rapprochent-elles du discours tenu par la collaboration parisienne, surtout si on y ajoute, dans les derniers temps, sa violente dénonciation des « terroristes » et son appel à leur impitoyable extirpation. Il n'en reste pas moins qu'il s'agit là d'un pétainisme exacerbé, et peu attaché aux contingences, et non d'un quelconque ralliement à cette Germanie dont il a été depuis le début du siècle l'adversaire le plus constant. D'où cette polémique permanente entre le patriarche de Lyon qui parle en août 1942 du « clan des Ja » et ceux qui, tel Rebatet, affirment avec hauteur : « Ce n'est point moi le renégat, ce sont eux [1]. »

Il faudra sans doute aux lecteurs de Jacques Bainville et de Léon Daudet se plonger dans Nietzsche et Gobineau qu'ils ignorent ou qu'ils méconnaissent et s'introduire eux-mêmes à la pensée d'Alfred Rosenberg avant, comme Brasillach le tente à la fin de 1942, d'y introduire les autres, mais le collaborationnisme offensif de *Je suis partout* ne s'arrête guère à ces contradictions apparentes, qui appartiennent pour lui au passé. Si l'attachement à des valeurs aussi fondamentales que l'ordre et la hiérarchie vitale définit plus sûrement la droite que le nationalisme et l'option monarcho-patriarcale, alors Rebatet a raison, et le fascisme apparaît ainsi comme l'hommage d'une droite rajeunie au mouvement ouvrier contemporain, et particulièrement au bolchévisme : avant-garde, parti de masse, vocabulaire anticapitaliste..., une droite mettant au goût du jour — le jour des masses, des races et des krachs — les thèmes de sa longue tradition. D'où la claire affirmation, face au vieux maître incompréhensif, que le conflit ouvert est d'abord idéologique, et non le désormais classique affrontement de divers impérialismes territoriaux.

A ce stade, le fascisme de *Je suis partout* a une supériorité sur la plupart de ses nouveaux compagnons de route : il sait faire sonner son droit d'aînesse. Jeantet est le plus vieux « national-socialiste » français, Villette est un « fasciste de toujours », Lesca un « fasciste irréductible autant que calme ». « Nous ne sommes pas des convertis » est le slogan favori de ces trois premières années [2]. Le choix n'est plus désormais à poser en termes d'entente avec l'Allemagne, formulation du couple pacifisme-bellicisme d'avant-guerre, mais de rallie-

1. *Les Décombres, op. cit.*, p. 12.
2. C'est le thème d'une grande conférence de *Je suis partout*, le 3 mai 1942.

ment ou non à une idéologie conquérante et qui, malgré qu'on en ait, « pour longtemps, en ce XXe siècle, à l'intérieur et à l'extérieur, est la figure même du destin [1] ». « Je souhaite la victoire de l'Allemagne », précise rudement Rebatet avant Laval et sans se soucier des oreilles délicates, « parce que la guerre qu'elle fait est *ma* guerre, *notre* guerre [2] ». A cet égard, les cadets ubiquistes ne varieront jamais sur l'essentiel : la nécessité d'un régime autoritaire et communautaire intégrant la France sans hésiter à l'effort de guerre européen. Pas plus que sur le ton qu'ils ont adopté dès le début pour le défendre et l'illustrer : un sourire bienveillant et un peu protecteur pour les néo-fascistes parisiens — *Au pilori*, par exemple, n'est rien d'autre, pour Brasillach, qu'un confrère « hurluberlu mais sympathique [3] » —; une colère rageuse à l'égard des attentistes : c'est à eux « que nous avons, maintenant, à demander des comptes [4] »; une haine plus meurtrière encore qu'avant-guerre, en ce que ses appels peuvent être entendus, pour les grands adversaires de toujours : la société secrète, le bolchevik, le juif, le politicien de la IIIe. « La mort des hommes à qui nous devons tant de deuils... tous les Français la demandent [5]. »

Ce fascisme peut bien faire quelques calculs, dire avec Brasillach qu'il est « pour la collaboration dans la dignité parce que c'est tout simplement le seul moyen de nous en tirer [6] », parler d'intégration économique et de fascisme à la française, spécifique, condition nécessaire d'une renaissance analogue à celle de la Prusse après Iéna, de l'Allemagne après Weimar : pour l'essentiel, il se refuse à l'analyse et opte pour le sentiment. Plus qu'un esprit « social », voire « national », « le fascisme, c'est l'esprit d'équipe avant toute autre chose [7] ». A lire la description d'une messe du travail à Nuremberg sous les yeux conquis du Patrice des *Sept Couleurs* [8], on recense aisément les grands thèmes de la mythologie de référence : la virilité des corps dénudés sur le stade, l'esthétique de la communauté, la nation surgie du sol et qui se doit de le féconder, le parti unificateur, le culte du chef

1. R. Brasillach, *Je suis partout*, 2 octobre 1942.
2. *Les Décombres*, *op. cit.*, p. 605.
3. *Œuvres complètes*, *op. cit.*, t. X, p. 577.
4. A. Laubreaux, *Écrit pendant la guerre*, *op. cit.*, 45.
5. R. Brasillach, *Je suis partout*, 6 septembre 1941.
6. *Ibid.*, 21 mars 1941.
7. R. Brasillach, *ibid.*, 21 juillet 1941.
8. *Œuvres complètes*, *op. cit.*, t. II. p. 426.

enfin qui « achève de brasser cette foule énorme et d'en faire un seul être, et [qui] parle ». Cette régénération collective par l'ordre, le verbe et le travail, Brasillach n'en approchera plus sous l'occupation l'équivalent, si ce n'est en 1942, aux deux solstices, quand il se rendra dans un « beau parc d'Ile-de-France, au milieu de jeunes camarades de vingt ans [1] », passant la nuit avec eux autour de grands feux de bois à parler et à chanter. Alain-Fournier s'y sentirait quelque peu dépaysé en entendant y lire à haute voix « un poème sur la mort d'un héros national-socialiste, une page du Nietzsche le plus noir, une autre de Bernanos, une autre du Céline des *Beaux Draps* », mais un Brasillach lui-même a bien du mal à dépasser cette sorte de scoutisme de grand finissant. La plupart de ses compagnons, tirant de plus strictes conclusions de leur engagement, iront chercher plus loin cette « fête totalitaire [2] » à laquelle il aspirait.

Restent les purs et les durs

Jusque-là, les ultras ne pouvaient guère reprocher à leur chef de file que la profondeur de son imprégnation royaliste, sa tendance à exciper du culte du chef par un « retour à l'esprit mon-archique [3] », à voir dans le socialisme l'image très vieille France d'un État qui « joue le rôle du roi des anciennes monarchies patriarcales, arbitrant les conflits entre les grands et les faibles [4] ». Vers le début de 1943, Brasillach va, en revanche, s'opposer à Cousteau sur l'antisémitisme, commencer à mettre en cause le STO; c'est, significativement, la crise italienne de juin qui crève l'abcès. La rédaction de *Je suis partout* réagit comme un petit conseil fasciste, directement interpellé par ce que Brasillach qualifiera un an plus tard comme étant « une œuvre de vingt ans extraordinairement caduque [5] ». En face de Lesca, principal actionnaire aux ambitions directoriales de plus en plus affichées, Brasillach réclame, selon ses propres termes, les « pleins pouvoirs » idéologiques, en particulier le droit de modérer à l'avenir l'affirmation

1. 27 juin et 24 décembre 1942. Peut-être s'agit-il des Jeunes de l'Europe nouvelle?
2. *Lettre à un soldat de la classe 60*, in *Œuvres complètes*, *op. cit.*, t. V, p. 601.
3. *Je suis partout*, 29 janvier 1943.
4. *Ibid.*, 7 juillet 1941.
5. *Lettre à un soldat de la classe 60*, in *Œuvres complètes*, *op. cit.*, t. V, p. 598.

sans nuance de la victoire allemande. Ils lui sont refusés. Il part, suivi seulement de Poulain et de Blond. Ni à *la Révolution nationale* ni à *la Chronique de Paris*, il ne retrouvera la chaleur d'une équipe dont il soit de surcroît l'animateur. Politiquement, il est brisé, et en sera réduit à formuler dans sa prison finale l'étrange exigence d'un « fascisme tolérant [1] » qui tienne compte des acquis de la Constitution anglaise... Mais ce n'est un échec que pour lui.

Désormais libéré de ses dernières entraves, le noyau dur de *Je suis partout* va pouvoir rallier sans ambiguïté le camp moins du fascisme que du vrai « national-socialisme ». Lesca opte clairement, dans un article-manifeste en forme de règlement de comptes initial, pour une Europe « fédérée sous la direction de l'Allemagne nationale-socialiste [2] »; Cousteau dénonce les « fascistes en peau de lapin » et réclame : « Le pouvoir aux fascistes [3]! »; Rebatet rejette « corporation » ou « communauté » pour ne plus voir qu' « un seul mot : socialisme, parce que les bouches des malins et des niais n'ont jamais osé le prononcer [4] »; le sentimentalisme communautaire devient anti-intellectualisme, exaltation de la minorité agissante et de la force qui va. Laubreaux, Lesca, Villette et peut-être Rebatet adhèrent au PPF. Soupault y est déjà, il en devient même secrétaire général pour Paris-ville et membre du comité directeur. Le passage à la Milice suivra de peu. L'hebdomadaire ouvre ses colonnes aux Waffen SS. C'est le temps des conférences sur le thème : « Nous ne sommes pas des dégonflés » et des banquets de condamnés à mort. Quand Darnand accède au pouvoir, c'est à *Je suis partout* qu'il réserve la primeur de sa déclaration de guerre : « Aucun des crimes de nos ennemis ne restera impuni [5]. » Dans les derniers mois, l'hebdomadaire tend à ressembler à un double de *Combats*, l'hebdomadaire de la Milice, tant les collaborateurs sont communs et la lutte armée antiterroriste y prend de place.

Les Décombres sont antérieurs à cette dernière étape, mais toute la personnalité de Rebatet (1903), dont Brasillach a dit qu' « il établit autour de lui un climat de catastrophe et de révolte auquel nul ne

1. *Lettre à un soldat de la classe 60*, in *Œuvres complètes*, *op. cit.*, t. V, p. 600-601.
2. *Je suis partout*, 10 septembre 1943.
3. *Ibid.*, 17 septembre 1943.
4. 21 janvier 1944. Réunion du 15, salle Wagram.
5. *Je suis partout*, 7 janvier 1944.

résiste [1] », est au diapason de cette radicalisation finale. A vingt-six ans, après quelques années de bohème grisâtre, il est entré à *l'Action française* pour y tenir deux chroniques, musicale et cinématographique, jusque-là assez délaissées. Son travail quotidien à la veille de la guerre avec un Maurras déclinant va nourrir pour longtemps son exécration de la vieille doctrine. 1940 le libère, antisémite tonitruant, « wagnérien, nietzschéen, antisémite, anticlérical, connaissant par le menu le folklore national-socialiste [2] ». Son gros livre de 1942 le dépeint tout entier, écorché vif, dilettante éclairé qui sacrifie tout aux nécessités simplificatrices d'une lutte à mort, et déjà au seul stade de la dédicace : « A ma mère. Aux amis qui me restent. » L'ouvrage est, dans une large mesure, le récit de la seule période pendant laquelle la presse écrite n'a pas absorbé toute l'énergie de Rebatet : la « drôle de guerre », la débâcle, l'été de Vichy. S'y ajoutent, pêle-mêle, quelques considérations rapides sur les grandes questions du jour, de l' « armée française » à la « religion chrétienne », traitées sur le même ton forcené qui fait de ce texte fleuve de 664 pages une rhapsodie de carnets de déroute et de pamphlets personnalisés, où passe ici et là cet irrépressible accent d'appel au meurtre déjà repérable avant-guerre. Briand? — « Le premier homme politique dont j'eusse réclamé l'assassinat comme une mesure de salut public [3]. » Le conservateur antimunichois Kerillis? — « On ne polémiquait pas avec un misérable énergumène... on le faisait occire convenablement [4]. » La foule du Front populaire? — « Cette crapule qu'un seul canon de 37 braqué sur elle eût mis à genoux [5]. » Un pogrom nazi? — « Je nageais dans une joie vengeresse. Je humais la revanche de ma race [6]. » Rien d'étonnant à ce que cette rage plus négative que positive trouve ses meilleurs accents à décrire par le menu la société militaire de la « drôle de guerre » et la déliquescence française du printemps 1940, d'une part, dans l'évocation furieuse, en quelques portraits charges, du vieux Maurras, ou de l'ordre moral vichyssois, de l'autre.

On pourrait s'étonner aujourd'hui de l'incontestable succès rencontré par un tel ouvrage. Appât du scandale, masochisme ambiant cultivé par Vichy et que reprendraient à leur compte les ultras, un

1. *Notre avant-guerre*, Paris, Plon, 1941, réédité en Livre de poche, p. 278.
2. L. Rebatet, *Les Décombres*, *op. cit.*, p. 61.
3. *Ibid.*, p. 22. — 4. *Ibid.*, p. 237. — 5. *Ibid.*, p. 40. — 6. *Ibid.*, p. 62.

ton au-dessus? Sans doute un peu tout cela, mais solidement articulé autour de ce que ce pamphlet emprunte en l'exacerbant au style « anarchiste de droite », si familier à la sensibilité française : la vieille veine *anti-*, mais cette fois mise au service du totalitarisme conquérant, le « râleur » devenu rageur, la goguenardise à l'adresse des puissants du jour transmuée en démolition féroce des puissants d'hier. Ce qui ne veut pas dire que, nazie par procuration, une bonne part du public qui fit ce succès, doublé à la même époque par celui de *Je suis partout*, n'eût pas constitué en puissance, de par sa composition sociale — petite bourgeoisie inquiète pour son avenir rassemblée autour d'un petit noyau dur fourni par la jeunesse intellectuelle —, l'armature d'un futur régime fasciste aux couleurs de la France.

Mais il est sans doute significatif de cette tendance ultime du fascisme français que ce soient les valeurs et les idoles de la droite classique qui aient été placées en première ligne du jeu de massacre : bourgeoisie veule et enjuivée, armée de badernes, « raclure » des Croix-de-Feu, sénilité de l'Inaction française : férocité documentée, dépit amoureux. Il l'est plus encore que l'ensemble du réquisitoire paraisse comme porté par une fureur de géant terrassé : « J'aurais voulu être requis par des besognes plus positives. Ces pages auront trompé un peu mon impatience. Mais que vienne donc enfin le temps de l'action[1]! » Deux années plus tard, Rebatet et toute l'équipe Lesca auraient pu, malgré les apparences, reprendre la même phrase. L'« action » souhaitée se ramène pour la plupart à suivre à la trace les commandos de la Milice ou à crier, comme Rebatet à la fin du meeting des « pas dégonflés » du 15 janvier 1944 : « Mort aux Juifs! Vive la révolution nationale-socialiste! Vive la France! » Avec cette circonstance aggravante que la France ne les reconnaît plus guère et que la révolution nationale-socialiste n'est pas particulièrement prête à comprendre le sens de cette politique de la frénésie. Devant ces *Décombres* accumulés par ces iconoclastes paradoxaux, Himmler aurait dit : «La France est là tout entière.» Il n'est pas certain que ce fût le résultat escompté.

1. *Les Décombres*, *op. cit.*, p. 14.

7

Les enfants du paradis

Une gauche socialiste et nationale

> Pas de révolution possible sans collaboration franco-allemande et, inversement, pas de collaboration sans révolution.
> *La France socialiste*
> premier éditorial, 1er novembre 1941

Nul mouvement politique en apparence plus étranger au monde de la collaboration que le Front populaire. Constitué en réaction contre la montée internationale des fascismes de toute couleur, passionnément attaché à des valeurs situées aux antipodes de celles que défendra quatre ans plus tard l'ordre nouveau, il a essuyé les insultes les plus violentes de la plupart de ceux qui tiendront sous l'occupation le haut du pavé, à Vichy comme à Paris. Pourtant, les « hommes de gauche » certifiés par ce passé commun ne vont pas plus manquer dans le nouvel échantillonnage des options politiques que les fascistes de vieille souche.

Une certaine extrême gauche

Pour un petit nombre d'isolés, le destin politique qui les mène de 1940 à 1944 ressemble encore à une série de pièges dans lesquels ils tombent avec plus ou moins d'innocence et de célérité. Ainsi Gérin, l'objecteur de conscience qui avait défrayé la chronique au début des années trente, accepte-t-il de tenir le feuilleton littéraire de *l'Œuvre*. Il y retrouve des libertaires attiédis, soucieux de continuer à vivre coûte que coûte de leur plume, et même l'ancien animateur du *Canard enchaîné*, Jules Rivet, qui va par ailleurs travailler dans un *Petit Parisien* bien éloigné de l'anticonformisme qui avait fait sa réputation. Gustave Hervé, Hermann-Paul et jusqu'à Sébastien Faure les ont, chacun à sa façon, précédés sur la même voie.

Reste un cas extrême dont les antihéros, prisonniers de leur passé, ne pourront guère pousser très loin les avantages éventuels. On veut parler ici de ces responsables communistes qui non seulement refusèrent de suivre leur parti dans son soutien progressif au pacte germano-soviétique, mais poursuivront leur itinéraire, au printemps 1940, jusqu'à saluer sans sourciller le signataire occidental dudit pacte, avant de prêter leur nom à la campagne de propagande antibolchevique déclenchée un an plus tard, le jour où les Panzers rendront le pacte caduc. Alors que plusieurs des anciens députés ayant rompu avec le PCF en 1939 se retrouvent dans la Résistance, d'autres noms, et non des moindres, vont donner des gages à l'occupant, par le biais d'un fantomatique Parti puis Bloc ouvrier et paysan, quand il ne s'agit pas d'un pur et simple ralliement au PPF.

A côté de l'édition en affiches de la lettre de Marcel Cachin condamnant les attentats individuels contre les soldats allemands [1], ledit Bloc se fera surtout connaître, le 6 septembre 1941, par la publication dans plusieurs journaux de la zone nord d'une solennelle « Lettre ouverte aux ouvriers communistes », propre à jeter le trouble dans une classe ouvrière soumise depuis l'aube du 22 juin à une intense campagne clandestine de mobilisation antiallemande. Les signataires y critiquent l'absence de démocratie interne de l'organisation communiste, sa dépendance à l'égard de Moscou, et de cette dernière la « politique sectaire et aventuriste ». Ils prophétisent une guerre éclair à l'est, où « l'URSS peut apprécier, maintenant, toute la puissance de l'armée allemande qu'elle s'était si bien employée à tourner contre nous seuls en août 1939 », appellent de leurs vœux « une Europe unie et pacifiée » et terminent sur une exhortation conjointe à la « révolution sociale et populaire » et à « l'unité française ». Chemin faisant, une demi-douzaine de responsables PCF et CGTU, en fait restés fidèles à leur parti, sont cités, pour donner le change. L'escroquerie se poursuit-elle au niveau des signatures, abondantes puisqu'on n'y recense pas moins de quinze parlementaires, plusieurs maires ou anciens maires de la région parisienne, une dizaine de cadres syndicaux du bâtiment, des fonctionnaires, des métallurgistes de la région parisienne, des cheminots PLM, etc. ? En fait, si plusieurs noms ont

1. Lettre au colonel Bœmelburg, datée de la Santé, le 21 octobre 1941.

été inscrits sans l'aveu des intéressés, la plupart, on le saura, sont ceux de ralliés indubitables.

Contemporain de la publication de cette lettre, l'assassinat, en pleine rue, de Marcel Giroux, *dit* Marcel Gitton (1903), secrétaire général du POP, rallié au PPF, frappe le « renégat » le plus connu. A l'époque du Front populaire triomphant, il est membre du secrétariat national du PCF, député de Saint-Denis, vice-président de la commission de l'Armée à la Chambre; secrétaire à l'Organisation, il a reçu la mission de confiance du plan de mise en clandestinité du Parti. Une confidence du préfet de police Langeron à son frère en loge Albert Bayet apprit au PCF que Gitton était en fait devenu un agent de renseignement de la police française. En 1939, le pacte sera l'occasion d'une rupture souhaitée de part et d'autre. Avec ses deux trahisons gigognes, Gitton n'était plus qu'un mort en sursis. Le sursis fut des plus courts.

Ce destin tragique n'empêchera pas la plupart de ses compagnons de route de rester là où l'occupant a accepté de les maintenir, voire de les rétablir contre le vœu de Vichy, en particulier dans la « banlieue rouge » de Paris : Jean-Marie Clamamus (1879), premier sénateur communiste de l'histoire française, maire de Bobigny; Marcel Capron (1896), député, maire d'Alfortville; André Parsal (1900), député de la Seine; Marcel Brout (1887), député de Paris; Soupé, maire de Montreuil; Vassard, maire de Maisons-Alfort... En 1942, le Bloc adhère au Comité d'information ouvrière et sociale. C'est l'une de ses rares manifestations publiques. Confinés dans des responsabilités de gestionnaires, ses membres ou sympathisants ont visiblement pour principale fonction de maintenir la continuité souhaitée par l'Allemagne là où elle pourrait difficilement être assurée par un représentant de la droite classique. Qu'ils aient eu ou non la velléité de faire plus, les communistes ralliés de la onzième heure n'auront été jusqu'au bout que des éléments passifs de la collaboration.

« *La France au travail* », *échec d'un populisme nazi*

Plus bavards, mais tout compte fait moins utiles, les rédacteurs de *la France au travail* représentent, à l'autre extrémité de l'éventail politique, la seule tentative de quelque ampleur d'un discours authentiquement national-socialiste à destination du monde ouvrier. Peu d'initiatives journalistiques, on l'a vu, ont été plus « inspirées ». L'équipe rédactionnelle, mise sur pied dans la hâte, n'a pas dès l'abord la vigueur et la cohésion requises, et continuera à connaître une existence agitée jusqu'à sa mutation finale, une quinzaine de mois plus tard. Le milieu dans lequel se recrute ce commando ouvriériste est en fait raréfié par la débâcle comme par l'obscurité ou le discrédit des premiers animateurs, deux avocats remarqués pendant la « drôle de guerre » par leur défense de pacifistes ou de communistes favorables au pacte, Me Juliette Gouflet et Me Picard, ce dernier ancien militant solidariste, auxquels succédera le vieux Jean Drault, ancien compagnon de lutte de Drumont. Mais *la France au travail* figure surtout en tête des entreprises au sauvetage desquelles Oltramare — « Dieudonné » — est convié par ses maîtres. Ses éditoriaux, non exempts de vivacité, contribueront sans doute à faire lire le journal, mais son énergie se révélera impuissante à rassembler autour d'elle des collaborateurs ayant à tout le moins son vert tempérament, et le populisme d'extrême droite qui va être la constante idéologique de *la France au travail* ne sera jamais que le résultat bâtard de la rencontre, perpétuellement instable, de journalistes marginalisés, transfuges de la presse communiste, réactionnaires déclassés ou simples plumitifs en chômage. Pierre Benedix a été jadis le rédacteur des violentes « Pointes rouges » de *l'Humanité*. Il en est bien revenu. Élie Richard collaborait avant-guerre à l'autre grand quotidien communiste, *Ce soir*, tentative ambiguë, patronnée par Louis Aragon, d'une synthèse entre le style de *l'Humanité* et celui de *Paris-soir*. Jacques Ditte, de son côté, est monté jusqu'aux fonctions de rédacteur en chef, mais c'est dans le camp opposé, à *l'Ami du peuple* de François Coty. Paul Achard, Sylvain Bonmariage, Titayna, le baron de Bellaing, *dit* Jacques Dyssord, gentilhomme béarnais déchu, Martin-Dubois, passé de l'anarchisme au *Courrier royal*, tous polygraphes de seconde zone, ont traversé bien des salles de rédaction. Parmi les jeunes qui, à leur tour, parcourront le journal, René Saive (1910) est parti du conservatisme antimunichois de *l'Ordre* pour aboutir au camp des anticonservateurs munichois, pendant qu'Henry Coston, secrétaire de rédaction à l'été 1940, s'essaie à la conciliation d'un socialisme avancé avec un antisémitisme qui ne l'est pas moins. A cette faune trouble ne manque même pas Fontenoy, installé en octobre par Laval, inquiet du ton agressif des éditoriaux de Dieudonné, et qui ne réussira guère qu'à faire s'effondrer le tirage (de plus de 180 000 en août à 60 000 à la fin de l'année?) et à décourager plusieurs collaborateurs, avant de laisser au mois de février 1941 Dieudonné, Achard, Richard et Saive maîtres d'un terrain singulièrement rétréci.

Même si l'on tient compte de cette courte période lavalienne, le ton du journal reste dans les grandes lignes le même : socialisant, critique à l'égard de Vichy, antisémite et sans fard pronazi. Il s'agit visiblement d'encourager les classes laborieuses au « respect du travail, à l'esprit de sacrifice et de discipline [1] », tout en leur livrant en pâture quelques « responsables » dûment choisis et dont on réclame sans plus attendre la mise en jugement. Les juifs au premier rang, contre lesquels on dépêche quelques experts forcenés, mais aussi les « trusts », dont on dénonce la puissance inébranlée; on ira même jusqu'à lancer de véritables campagnes nominales contre le « trust des pommes de terre » ou la société du journal *l'Auto*... Plus frappante est la violence des attaques contre l'Action française et ses « trente années d'agitation stérile [2] », et surtout contre Vichy, dès les premières semaines qui suivirent la mise en place de ce « guignol » : « C'est la droite qui triomphe et le ministère d'Ordre moral qui recommence [3] », « Laval au pouvoir, c'est le capital qui parle...; du drapeau blanc des parlementaires, il s'est fait, depuis longtemps, une cravate [4] ». En un mot, « les décisions du sérail de Vichy n'ont aucun prix à nos yeux [5] ». Il faudra sans doute en rabattre, et sans attendre l'arrivée de Fontenoy. « L'entourage » du maréchal continuera cependant à faire les frais de la critique, cette camarilla de « revenants » et de ploutocrates qu'il faudra bien chasser un jour.

Les vrais défenseurs de la classe ouvrière sont ceux qui ne l'ont pas abandonnée en juin 1940 pour fuir vers le sud. Les vieilles élites discréditées essaient de reprendre le haut du pavé : qu'elles sachent bien que « la place est prise [6] ». La population commence-t-elle à souffrir du ravitaillement et d'un nouvel ordre des choses, qui limite singulièrement les libertés publiques? Voici les responsables : les « accapa-

1. Éditorial du premier numéro, 30 juin 1940.
2. Dieudonné, *La France au travail*, 5 janvier 1941.
3. Martin-Dubois, *ibid.*, 14 juillet 1940.
4. *Ibid.*, 13 et 14 juillet 1940.
5. *Ibid.*, 15 juillet 1940. — 6. *Ibid.*, 1er juillet 1940.

reurs », les « mercantis », « l'incurie administrative ». Qu'on se mobilise donc sans plus tarder pour « la confiscation de tous les bénéfices de guerre », « l'institution d'un prélèvement sur les grosses fortunes » et même le « contrôle national » des banques, des mines, des chemins de fer, des grandes entreprises... Le numéro du 1er mai s'ouvre sur deux citations et deux portraits : le maréchal et Jean Jaurès. « Cette guerre-là est rédemptrice, y prophétise Dieudonné, le capitalisme est à bout de souffle... Plus rien n'arrêtera l'humanité sur la route des conquêtes sociales... »

Toute l'équipe déploie beaucoup d'ingéniosité pour compromettre les différents secteurs de la classe politique qui leur a été en quelque sorte impartie. Les pacifistes? Dès le premier numéro, ce n'est qu'un cri, par la suite objet de toute une série d'articles : « Libérez-les! » Le milieu syndical? « Les chômeurs ont des droits sur nous [1] »; on lance une souscription pour une famille « victime de représailles patronales », on fait l'éloge du dernier livre de Jean Fréville, on proteste contre la dissolution de la FSGT (Fédération sportive et gymnique du travail)... Le mouvement communiste? « Les communistes se trouvent parmi les meilleurs Français, parce que, dès septembre, ils avaient compris et crié : A bas la guerre étrangère [2]! » L'emprisonnement de Florimont Bonte a été « une injustice [qui] a porté malheur à la France [3] », et on lance une campagne pour, cette fois, la fille de Gabriel Péri.

Le lecteur ne peut cependant se faire aucune illusion sur la préoccupation qui circule entre ces lignes : le panégyrique du socialisme à l'allemande et de « l'idée française..., l'idée de rapprochement avec l'Allemagne qui furent celles d'Édouard Drumont [4] ». Le raisonnement est simple : c'est le IIIe Reich qui vient de porter les coups les plus durs au capitalisme international. Là où le socialisme soviétique a échoué, le national-socialisme, socialisme en expansion, apporte la solution de l'« État communautaire ». Socialisme « simpliste », dira-t-on? Mais c'est qu'il est authentiquement « populaire », profondément enraciné dans un « sol » qui est le peuple : il va de l'avant et conquiert toujours plus de ce « sol ». Conviés à parler en langue socia-

1. *La France au travail*, 3 octobre 1940.
2. *Ibid.*, 3 juillet 1940.
3. *Ibid.*, 30 octobre 1940. — 4. *Ibid.*, 24 juillet 1940.

liste, les nazis de *la France au travail* ne peuvent ainsi rien proposer de plus qu'une sorte de société spartiate, image provisoirement intériorisée d'un engagement militaire international qu'on espère bien être bientôt celui de la France nouvelle. La tradition discursive du mouvement ouvrier français s'y oppose par trop, et le verdict des lecteurs, on l'a vu, va être négatif. La chute du tirage du quotidien n'est pas seulement imputable à la légèreté de Fontenoy : le public parisien a maintenant d'autres organes populaires à sa disposition, autrement plus attractifs que cette feuille mal bâtie. Comme, d'autre part, l'occupant a désormais à sa main un ensemble d'hommes de gauche à la biographie incontestable, la solution s'impose d'elle-même. Dieudonné, appelé à d'autres fonctions, quitte définitivement le journal au mois de juillet 1941. L'équipe finale, insensiblement, s'ouvre à de nouveaux noms. Tout est en place pour qu'en novembre des cendres de *la France au travail* naisse *la France socialiste.*

Les socialistes aussi

Sans doute les responsables socialistes et socialisants qui se contenteront d'un ralliement affiché au maréchal ne manquent-ils pas. Des gestionnaires à la Clamamus restent en place jusqu'à la Libération à la tête de communes ouvrières, tel Georges Barthélémy, le très violent rapporteur du projet de loi portant déchéance des parlementaires communistes, qui périra en juillet 1944 abattu par deux « inconnus » sur le parvis de sa mairie. Des commentateurs professionnels reçoivent une tribune publique, ainsi Ludovic-O. Frossard avec son *Mot d'ordre* de Marseille, entouré d'anciens SFIO et CGT de toutes tendances. Mais rares sont ceux qui accèdent aux responsabilités ministérielles, un Belin au Travail dès 1940, un Chasseigne au Ravitaillement, dans les derniers mois. Ils y seront d'ailleurs toujours relativement isolés, ne tenant leur pouvoir que de la bonne volonté du chef de l'État ou du gouvernement. Les militants et les idéologues soucieux de choisir le camp de la France du « peuple », pour reprendre la distinction de Marquet, considéreront très vite qu'ils aliènent moins leur liberté de jugement en s'installant à demeure en zone nord, où un occupant plus habile et plus dynamique que l'État français se garde bien de les détromper, leur donnant même de larges facilités techniques et financières pour mettre sur pied les organes de contre-information et les organismes de substitution qu'ils jugeront nécessaires d'opposer à l'ordre moral de Vichy. Trois courants convergent alors pour constituer cette alternative de gauche interne au nouveau système. Le plus structuré est sans doute le courant syndical, issu de l'aile anticommuniste de la CGT d'avant-guerre. Le plus atomisé est certainement le courant pacifiste, agrégat d'individualités plus ou moins remarquables, avec une forte proportion d'intellectuels. Plus difficile à estimer, le courant révisionniste réunit des socialistes de toutes minorités, de droite comme de gauche, ayant en général transité par la SFIO à un moment quelconque de leur évolution politique. Plusieurs de tous ces noms se retrouvent évidemment au RNP, qui pêche dans le même vivier. Mais nombreux sont ceux qui se contenteront d'une sympathie discrète à l'égard de l'organisation déatiste; certaines équipes paraîtront même l'ignorer complètement.

Les pacifistes intégraux qui ont choisi Paris figurent parmi les plus connus. Leur passage en bloc a été facilité par les réseaux d'amitié, renforcés par l'épreuve commune de la dernière année d'avant-guerre. Toutes les grandes disciplines du savoir sont représentées, toutes les grandes voies de la carrière enseignante. Challaye (1875) est un philosophe, Delaisi (1873), un économiste, Zoretti (1880), un scientifique, professeur de mécanique de la faculté de Caen, Émery (1898), professeur à l'École normale de Lyon, un polygraphe encyclopédique. Leurs droits à se réclamer de la gauche française la plus classique sont difficilement contestables. Delaisi, camarade d'Hervé et de Pierre Monatte au sein du syndicalisme révolutionnaire d'avant 1914, a collaboré régulièrement à *la Flèche*, *Vendredi*, *Regards*, et s'est fait une spécialité de la dénonciation des « 200 familles » et des trusts pétroliers; Challaye, conférencier infatigable, a mis autant d'énergie à prôner publiquement l'athéisme philosophique que le pacifisme intégral; Émery est encore à la veille de la guerre président de la fédération rhodanienne de la Ligue des droits de l'homme; Zoretti n'est rien de moins que l'introducteur du syndicalisme dans l'enseignement supérieur, le maître à penser de la plus grande expérience d'éducation ouvrière en France, l'ISO-CCEO de la CGT, le leader au sein de la SFIO, on l'a vu, de la tendance « Redressement ». Suspendu de ses fonctions universitaires par le gouvernement Daladier pour pacifisme, il sera purement et simplement révoqué par celui de Laval, en octobre 1940, pour son passé de militant laïque.

Aucun de ces hommes ni de leurs disciples n'a de raison de ménager le nouveau régime; aucun cependant ne songe à adopter une position de résistance, encore moins d'attentisme. La paix et l'union européenne tant souhaitées sont à portée de la main. Qu'elles aient été réalisées par le feu et le sang est sans doute déplorable, mais n'est-ce pas justement ce qu'ils ont toujours voulu éviter? Va-t-on donc attendre une nouvelle revanche, une nouvelle hécatombe pour s'entendre enfin entre ennemis d'hier? L'Allemagne, vainqueur intelligent, propose la paix des hommes de bonne volonté. A Paris même, Abetz et son entourage affichent leurs sympathies pour une collaboration résolument « socialiste ». Que, sans plus tarder, chacun y travaille, et la concorde dans le sein d'une nouvelle organisation, enfin rationnelle, de l'Europe, triomphera en tous lieux.

Les socialistes SFIO d'option antimarxiste se sont généralement rattachés à la tendance Paul Faure. L'unanimisme du Front populaire les avait amenés à faire taire leurs réticences à l'égard des principes officiels du parti socialiste; la défaite les rend loquaces. Que le vieux Compère-Morel (1872), ancien député, ancien administrateur du *Populaire*, qui n'a cessé d'osciller dans les années trente entre les néos et l'aile droite de la Vieille Maison, se rallie, et bruyamment, à la *Collaboration!*, pour reprendre le titre exclamatif du livre qu'il fait paraître en 1941, est de peu d'importance. L'évolution d'un Rives et d'un Spinasse est plus représentative.

Rives (1895), enseignant et franc-maçon, est à l'image exacte de la gauche laïque du régime défunt. Député SFIO de l'Allier, il est l'homme qui pourra faciliter le ralliement au nouveau pouvoir des socialistes rosis par l'exercice des fonctions électives. Il recevra la direction d'un quotidien, *l'Effort*, installé symboliquement à la charnière des deux zones, à Lyon, et qui fonctionne dès l'abord comme une sorte d'ersatz du *Populaire*, dont il reprend plusieurs collaborateurs. Organe confidentiel (8 500 exemplaires, avec des pointes à 15 000), mais dont la voix est relayée par les revues de presse de Paris, le réseau Inter-France et les multiples articles que les journaux nordistes demandent à son nouveau directeur. Promu porte-parole, ce dernier n'aura plus de cesse qu'il n'ait prouvé par la surenchère la sincérité de sa conversion. Bien que paraissant en zone sud, son journal n'a bientôt plus rien à envier aux feuilles les plus franchement collaborationnistes de la capitale, et finira par passer purement et simplement sous le contrôle du trust Hibbelen. Sur le tard, quand Déat deviendra ministre et tiendra à rester fidèle à son serment de ne plus jamais venir siéger à Vichy, Rives en sera le délégué officiel auprès du gouvernement. Il n'approchera jamais plus près les honneurs ministériels.

Une collaboration Front populaire

Spinasse (1893), au contraire, a déjà goûté à ces honneurs, et pas dans un vague gouvernement de transition, comme Déat, mais bien aux premiers rangs du gouvernement du Front populaire par excellence. Avec ce polytechnicien, qui prenait à son cabinet un Soulès et un Jean Coutrot, c'était un peu du technocratisme de gauche qui était arrivé au pouvoir. Depuis la défaite, Spinasse a définitivement choisi le camp de l'Europe rationnelle. Il a été le premier directeur de *l'Effort* et s'est retrouvé en janvier 1941 aux côtés de Montagnon et de Châteaubriant pour développer devant un Abetz convaincu d'avance une féroce critique du conservateur Flandin, assimilé à un « agent de Londres ». Après l'entrée en guerre à l'est, le temps est venu pour lui de tenter sa chance. Ce sera l'aventure du *Rouge et Bleu.*

La gauche parisienne manquait d'un hebdomadaire de bonne tenue, sérieux comme *Vendredi*, éclectique comme *Marianne*, plaisamment illustré comme *Regards*. Ainsi naît, le 1er novembre 1941, cette « revue de la pensée socialiste française », qui a choisi l'écarlate de la Révolution et l'azur du blason de France pour concilier les inconciliables. Rives, Albertini, René de Marmande et le gérant, André Guérin, rattacheraient le périodique au déatiste orthodoxe. Un Hubert Lagardelle, un Anatole de Monzie, un Georges Lefranc l'en éloignent. Albert Souleillou, qui vient de la presse PCF, Pierre Marie, qui vient de la presse SFIO, Louis Chéronnet, Nino Frank, Émile Guillaumin, Pierre Hamp, N.-G. Vedrès lui confèrent enfin une image culturelle sans conformisme, souverainement indifférente aux oukases moralisateurs de la zone sud, célébrant à son gré Sartre et Michaux, Jacques Prévert et Louis Guilloux. Les dessins de Maurice Henry, de Henri Monier et de Moisan achèvent de ternir la réputation de ces « bicolores » qui monopolisent dès le départ l'hostilité active de tous les organes de presse héritiers de l'extrême droite.

C'est que les plus « compromis » de ces partisans du Front populaire ne sont pas venus là avec l'intention de faire amende honorable. « Ils restent les militants, les députés, les ministres de 1936, et n'en rougissent point [1]. » Sans doute le tort du gouvernement Blum a-t-il été, en quelque sorte, de n'avoir pas été néo, de ne pas avoir joué la carte du planisme technocratique. Du moins a-t-il cherché, à sa façon qui en valait bien d'autres, à atteindre les deux objectifs qui sont précisément ceux du nouveau régime : « rétablir l'ordre » et « reconstituer l'unité nationale », et ce, sans rien sacrifier aux principes de « démocrates respectueux de la pensée humaine ». « Nous avions misé sur la loyauté communiste, sur le bon sens de la classe ouvrière, sur l'intelligence de la bourgeoisie. Et nous avons perdu sur tous les tableaux [2]. » Dans ces conditions, Riom est d'« une injustice cruelle » : la droite germanophobe de 1934, qui « repoussa les propositions raisonnables de l'Allemagne », est tout aussi coupable [3] : « Le peuple français veut des juges et non des accusateurs. » Sachant qu'il ne touche pas là à une question taboue, *le Rouge et le Bleu* pourra ainsi se payer le luxe de développer dans ses colonnes la défense très Front populaire de l'éducation ouvrière et de l'organisation des loisirs, sur le thème : « Non, les loisirs ne sont pas responsables de nos malheurs [4]. »

Comme, par ailleurs, on chercherait vainement dans les mêmes colonnes une attaque antisémite ou antimaçonnique, comme le titulaire de politique extérieure réussit le tour de force de parler beaucoup plus des victoires japonaises ou des difficultés internes de Churchill que du front de l'Est, on peut s'étonner qu'un organe aussi peu engagé ait reçu l'autorisation de paraître. On s'en étonne moins quand on voit le même Spinasse ne rejeter « la collaboration dans l'adulation et la servitude » que pour mieux exalter la collaboration dans l'égalité des droits avec un vainqueur socialiste et non impérialiste. Puisque aussi bien « l'Europe sera unifiée ou périra [5] », travaillons donc à la construire, y compris hors du territoire national : le seul cas où l'hebdomadaire prendra clairement position en faveur d'un homme politique

1. *Le Rouge et le Bleu*, 1er novembre 1941.
2. *Ibid.*, 7 février 1942.
3. *Ibid.*, 1er février 1942.
4. P. Marie, *ibid.*, 6 décembre 1941.
5. Cf. *le Rouge et le Bleu* du 27 juin 1942 : « Asservis, nous pouvons l'être demain. Non par la force mais par l'impuissance où nous serions d'apporter à l'Europe notre contribution matérielle et morale. »

du nouveau régime, il s'agira de Laval, celui du discours sur la Relève, celui du « je souhaite la victoire de l'Allemagne [1] »...

Aux yeux de Laval, précisément, qui a sans doute financé l'opération, comme à ceux d'Abetz, il semble bien qu'on n'ait pas attendu plus de ces convalescents de Front populaire. Peu sensible à de telles subtilités, le monde politique parisien tirera bientôt à boulets rouges sur cette étrange publication qui « n'a rien dit des mesures de protection de la race... et n'a pas davantage soufflé mot de l'étoile jaune [2] » mais qui, en revanche, a le front d'attaquer directement certains collaborationnistes de droite, les « ubiquistes » en tête. Costantini, procureur universel, ira jusqu'à demander « que Spinasse soit envoyé dans un camp de concentration, chez ses amis juifs [3] ». Déat, qui n'a pas accepté la critique par Spinasse du Parti unique, ne défendra pas le journal. Laval l'abandonne à la vindicte parisienne. A la fin d'août 1942, le Commandement militaire suspend sa parution *sine die*. L'expérience n'aura pas duré dix mois. Ce message original a-t-il du moins touché un large public? On peut en douter. Le tirage global n'a pas dû dépasser les 20 000 exemplaires, les abonnés n'étant que 3 200 en janvier 1942. L'ambiguïté n'avait payé ni d'un côté ni de l'autre.

Des syndicalistes proallemands

Le syndicalisme collaborateur est le fruit le plus évident de la crise profonde qui a secoué le mouvement ouvrier français après l'échec du Front populaire. Dès avant la guerre, la fascination des expériences corporatistes étrangères doublait dans l'esprit de nombreux responsables leur refus social-démocrate ou anarcho-syndicaliste d'un contrôle communiste sur la CGT réunifiée. C'est d'ailleurs au sein de ces groupes que s'était d'abord développé, avec un contenu purement social, le vocable de « collaboration », conçue ici comme celle qui devait s'instaurer entre patrons et ouvriers, loin de la lutte des classes, stérile et dépassée [4]. Quand la victoire nazie sera là, l'image

1. *Le Rouge et le Bleu*, 27 juin 1942.
2. *L'Appel*, 20 juin 1942.
3. *Ibid.*, 18 août 1942.
4. Pendant l'hiver 1938-1939, Belin fait paraître une série d'articles intitulée « Propos sur la collaboration ».

des deux collaborations va se superposer tout naturellement dans l'esprit des plus doctrinaires.

Sans doute la CGT a-t-elle été dissoute par Vichy, mais les unions locales et départementales restent en place. Pourquoi les débats du monde ouvrier ne s'y poursuivraient-ils pas, même si c'est dans une atmosphère singulièrement raréfiée? Les unitaires de Racamond, les centristes de Jouhaux, les « fédéraux » de Belin sont hors jeu. Restent tous ceux qui, très vite, s'impatientent des lenteurs et des ambiguïtés de l'État français dans sa mise au point de la Charte du travail, les soupçonnent de cacher un parti pris patronal, et qui croient trouver parmi les hommes politiques purs et durs de la zone nord l'élément moteur d'un pouvoir syndical rénové. On trouve parmi eux plusieurs responsables cégétistes, loin d'être de second rang : Marcel Lapierre, ancien journaliste du *Peuple*; Marcel Roy, secrétaire de la Fédération des métaux; Pierre Vigne, ancien secrétaire des Fédérations française et internationale des mineurs; Gaston Guiraud, jusqu'au retour des unitaires secrétaire de l'Union des syndicats de la région parisienne. Les plus chenus se réclament souvent du syndicalisme révolutionnaire du début du siècle. Aimé Rey, de la Fédération des métaux, secrétaire de l'UD Ain-Jura, justifiera même son choix par la logique des « vieilles théories d'action directe d'août 1914 [1] ». Georges Dumoulin (1877), de la Fédération des mineurs, appartient à cette dernière sensibilité. Militant syndical et socialiste dès les dernières années du XIXe siècle, il est déjà en 1910 l'un des responsables nationaux de la CGT. Zimmerwaldien, il ne se situe pas spontanément à la droite du mouvement ouvrier. Mais son anticommunisme foncier s'est nourri des luttes qu'il a menées contre la CGTU dans son bastion du Nord. Avec le temps, son refus des thèses bolchevistes se transforme en sympathie pour le corporatisme. En 1933, *l'Action française* l'a même cité avec faveur pour avoir préconisé dans son département l'entente avec le patronat.

Tous ces hommes se retrouvent généralement dans les colonnes de *l'Atelier*, « hebdomadaire du travail français », fondé le 7 décembre 1940 par Gabriel Lafaye et l'obscur René Mesnard, aventurier plutôt que militant, directeur avant-guerre d'un petit journal syndical révisionniste. Le rédacteur en chef, Marcel Lapierre, a des états de service

1. *L'Atelier*, 6 décembre 1941.

moins contestables, puisqu'il a exercé les mêmes fonctions à *l'École libératrice* mais son dynamisme ne semble pas avoir évité à ce périodique de « bouillonner à 66 p. 100 [1] », sur un tirage qui ne nous est malheureusement pas connu.

Unique en son genre, *l'Atelier* fournira, quoi qu'il en soit, l'armature idéologique du syndicalisme autorisé pour toute la zone nord [2]. Institutionnellement, il s'ouvre avec faveur aux organisations, généralement dépendantes du RNP, qui prétendent s'adresser au monde du travail : le Front social du travail, bien sûr, mais plus encore le Centre syndicaliste de propagande, au bureau duquel figurent entre autres Dumoulin (secrétaire général), Mesnard (trésorier), Rey, Vigne, Zoretti, et qui voudrait fonctionner en zone nord comme un véritable substitut de la CGT abolie. On retrouve la plupart des mêmes hommes dans la plus connue du grand public de toutes ces entreprises à vocation sociale, le Comité ouvrier de secours immédiat (COSI), mis sur pied en mars 1942, au lendemain du tragique bombardement de Billancourt. L'objectif, en apparence, est des plus charitables, puisqu'il s'agit de venir en aide aux sinistrés les plus défavorisés. En réalité, le financement, en ce qu'il a d'allemand, qui est majoritaire, provient pour l'essentiel des sommes versées par la France au titre des frais d'occupation... L'opération de pure propagande proallemande n'est que trop visible, aggravée d'une gestion financière anarchique qui cache vraisemblablement un certain nombre de trafics peu licites. Georges Yvetot, ancien secrétaire général de la Fédération des bourses du travail, auquel succédera Mesnard, couvre l'opération de son nom, qui est celui d'une vieille figure du socialisme révolutionnaire. Localement, les COSI sont l'objet des convoitises opposées des mouvements politiques. Selon les lieux, le RNP ou le PPF l'emporte, noyaute le comité et en nourrit sa propagande. Loin d'être « ouvriers » dans leur composition, les COSI semblent avoir ainsi recruté dans les mêmes classes moyennes que les autres organisations. Suspects à la population comme au gouvernement, ils finiront leur existence largement discrédités et réduits à des effectifs dérisoires.

1. R. Brasillach, *Je suis partout*, 13 juin 1942.
2. En zone sud, *Au travail*, de Louis Bertin (UD de Savoie), tâche de remplir un rôle analogue.

René Chateau, au carrefour de « l'Atelier »

Entre ces trois sensibilités de la gauche collaborationniste, on imagine toutes les circulations possibles. Un nom les résume assez bien, celui de René Chateau (1906). Sa biographie commence comme celle d'un intellectuel ultra-pacifiste à la Challaye. Ancien « cothurne » de Brasillach, cet élève d'Alain devenu lui aussi agrégé de philosophie a été un membre actif du comité central de la Ligue des droits de l'homme. Mais, par son action politique, il se rattache tout à fait aux courants de la gauche indépendante, qui cherche en tâtonnant une solution hors des sentiers battus à la crise du régime. Franc-maçon, il est en 1936 le seul élu du minuscule parti Camille-Pelletan, dissidence de gauche du parti valoisien. Le « social » le saisira pour finir. Entré à l'automne 1940 à *l'Œuvre*, il acceptera un an plus tard de donner son nom à la direction politique du nouveau quotidien « inspiré » de la classe ouvrière, *la France socialiste*. Georges Daudet en a amélioré la composition, les relations publiques et la rédaction; Chateau y fait venir les signatures nécessaires et s'attache à lui donner, à travers ses éditoriaux, une cohérence politique nouvelle, fondée sur des valeurs mieux intégrées. Bon an mal an la publication stabilisera son tirage entre 115 000 et 130 000 exemplaires. L'Allemagne n'est pourtant jamais loin, ne serait-ce que par l'intermédiaire du trust Hibbelen, dont le quotidien fait partie intégrante. Le trust lancera même *in extremis*, en mars 1944, un hebdomadaire reprenant dans une large mesure, mais sans les risques d'un Spinasse, l'expérience du *Rouge et Bleu : Germinal*. La rédaction en chef en était confiée au critique Claude Jamet, symbole de qualité littéraire, mais l'orthodoxie politique était sous le contrôle de Rives et de Chaumet, symboles, eux, des plus suspectes accointances [1].

Et cette dualité est en elle-même un symbole plus large, celui de toute la situation idéologique de cette gauche prisonnière : attachée en surface aux grandes valeurs de la justice sociale, manipulée en fait en vue de nourrir en main-d'œuvre la machine de guerre allemande. D'où l'échec de Chateau quand il voudra, avec la Ligue de la pensée française, recréer à sa façon les deux ligues laïques abolies, des Droits

1. Annexant les morts, *Germinal* publiera, contre l'avis de sa veuve, un roman d'Eugène Dabit en feuilleton et rendra hommage à Marcel Martinet.

de l'homme et de l'Enseignement : « repaire de francs-maçons [1] » follement attachés à défendre « la liberté de conscience », elle sera tuée dans l'œuf. D'où l'embarras d'un Émery, reflet en cela de ses amis politiques, quand il lui faudra se justifier, dans une postface, du reproche que lui adresse son éditeur Sordet de ne pas mentionner juifs et francs-maçons parmi les responsables de nos malheurs [2]. D'où l'empressement mis par tous à brandir les signes de la continuité socialiste : 1er Mai, mur des Fédérés, grands ancêtres (Saint-Simon, Fourier, Considérant, Buchez, Proudhon, Blanqui, Pelloutier, Jaurès), grands contemporains et, pour finir, synthèse vivante des ancêtres et des contemporains, Lagardelle (1874). Jeune étudiant collectiviste du XIXe siècle, fondateur en 1899 avec *le Mouvement socialiste* du lieu de rencontre socialiste-révolutionnaire de Jaurès et de Sorel, de Vandervelde et de Mussolini. Après une éclipse provinciale d'une vingtaine d'années, en désaveu de l'évolution par trop marxiste du mouvement ouvrier français, on l'a retrouvé en 1933 conseiller social de l'ambassade de France à Rome, où le fascisme italien achèvera de le conquérir. Il fait figure dans les milieux parisiens de parangon de la fidélité « socialiste française », et n'en disconvient pas.

Tout ce qui peut paraître essentiel à la distinction idéologique de ce discours de gauche est par là même marqué au sceau d'une grande irréalité. Irréalité de la déploration rituelle de la peine des hommes, des exigences réitérées d'un relèvement général des salaires, d'un contrôle des prix, d'une réforme drastique des circuits de ravitaillement. Irréalité des débats entre partisans d'une syndicalisation de la Charte par l'adoption du principe du syndicat unique mais obligatoire (Lagardelle) et du groupement horizontal interprofessionnel (Dumoulin), et critiques radicaux d'une organisation vichyssoise par trop favorable aux intérêts patronaux (Rey), etc.

Qu'on se garde d'ailleurs d'exagérer le caractère définitif de ces prises de position; la conjoncture joue son rôle, qui est grand. Ainsi le retour de Laval au pouvoir, avec Lagardelle dans son sillage comme ministre du Travail, marque le ralliement et la promotion d'un Dumoulin, ou d'un Lafaye, la création, le 7 juin 1942, sous la présidence de

1. Marquès-Rivière, *Le Cri du peuple*, 3 mars 1943. « Ce pays n'est pas encore épouillé de sa vermine. »

2. *La IIIe République*, Paris, Inter-France, 1943. Émery s'en sort tant bien que mal en plaidant son manque de compétence...

ce dernier d'un Comité d'information ouvrière et sociale (CIOS), destiné en théorie à faire entendre auprès du gouvernement la voix du monde ouvrier. L'échec final de Lagardelle, très isolé entre les tenants du corporatisme traditionnel et les syndicalistes classiques passés dans la clandestinité, ne dessillera pas tous les yeux, et l'on verra un Zoretti accepter au printemps 1944 la mise sur pied d'une ambitieuse « Université du travail », axée sur la formation permanente, quand Déat accédera au ministère croupion que Laval lui a enfin concédé.

Derrière ces faux-semblants demeurent les mutations les plus significatives vécues par la thématique de la gauche traditionnelle : le rejet de la « liberté-droit », dépassée, pour le choix de la « liberté-fonction [1] », l'antiparlementarisme, au nom du refus anarcho-syndicaliste « de toute médiation de l'action sociale [2] » et sur lequel font chorus plusieurs anciens parlementaires, l'exaltation de l'autorité enfin. Quand Rives énonce que « l'ordre est forcément scientifique et par là même brutal dans ses exigences [3] », il est dans son rôle de nouveau converti; mais c'est l'« indépendant » Spinasse qui se déclare lui-même hautement « autoritaire » et « antilibéral », et c'est le modéré Chateau qui, tout en entretenant avec Déat une longue polémique sur la nécessité du « pluralisme », est le premier à convenir que nous sommes « à l'aube d'une époque autoritaire [4] ». Autant d'appels à la discipline sociale qui donnent tout son sens à ce droit à la parole : encourager le travail volontaire outre-Rhin et, quand il le faudra, justifier le STO, accessoirement l'engagement militaire. Convaincus sans peine d'avoir été pendant des années « les victimes inconscientes d'une incomparable puissance de mensonge et de tromperie [5] », ces hommes vont multiplier les enquêtes et voyages d'étude, puisque aussi bien « la découverte par les Français de ce qu'est réellement le national-socialisme allemand est une condition indispensable au ralliement de la France ouvrière à l'idée de la collaboration européenne [6] ». La pirouette qui nie le nationalisme allemand au nom du

1. P. Rives, *Germinal*, 26 mai 1944.
2. A. Rey, *L'Atelier*, 6 décembre 1941.
3. *Germinal*, 24 avril 1944.
4. *La France socialiste*, 21 février 1942.
5. R. Mesnard, *L'Atelier*, 29 mars 1941.
6. C. Letisserand, *La France socialiste*, 20 décembre 1941.

principe : « Le socialisme allemand conquiert l'Europe, mais en même temps, il est conquis par elle[1] », et le jeu de mots déjà évoqué sur « la nécessité de faire aller de pair la collaboration sur le plan extérieur avec la collaboration sur le plan social[2] » justifient alors les prises de position les plus vigoureuses à « entrer à fond dans la bataille européenne » contre les ploutocrates anglo-saxons, plus souvent à partir sans honte et sans crainte vers les usines allemandes. Les débats platoniques du CSP, la pratique sociale du FST y contribuent à leur échelle. Quant au CIOS, il n'est que trop visiblement, pour le jeune travailleur qui le connaît sous le nom de « comité Lafaye », l'office central de propagande en faveur de la Relève puis du travail obligatoire, celui qui, prétendant parler au nom de l'ensemble de la classe ouvrière française, affirme au chef de l'Arbeitfront qu'elle « est prête à contribuer, par son travail, à la construction d'une Europe nationale et socialiste[3] », celui qui couvre des termes d'« organisation ouvrière » le STO et d'« atteinte à la liberté du travail » la lutte des réfractaires, un office au sein duquel se retrouvent pourtant tous les grands noms de la gauche syndicale : Dumoulin, Mesnard, Desphelippon...

On comprend qu'au bout du chemin un double isolement ait attendu ces hommes : par rapport à une population peu sensible à ces arguments par trop inspirés; par rapport à un mouvement ouvrier qui, dès le début, les rejetait dans une position strictement minoritaire. Et que, pendant longtemps, un silence profond ait entouré leur équipée.

1. *La France socialiste*, 22 novembre 1941.
2. *L'Atelier*, 25 janvier 1941.
3. *Le Rouge et le Bleu*, 11 juillet 1942.

8

Le Français d'Europe

L'idéologie ordinaire de la collaboration

> L'Allemagne sait ce que veut la France. Elle le sait quelquefois mieux que la France elle-même.
>
> ALPHONSE DE CHÂTEAUBRIANT *

Ces débats et ces règlements de compte autour de la Charte du travail ou du dernier article de Maurras figurent un peu les deux plateaux d'une balance dont le fléau mesurerait l'idéologie commune de la collaboration, plus centrée, pendant cette courte période d'une quotidienne lutte militaire et politique en évolution rapide, sur quelques obsessions violentes, positives ou négatives, qu'attachée à constituer une théorie originale. L'hétérogénéité doctrinale des origines et la crispation des clans sur eux-mêmes sans autre sanction que le bon ou mauvais vouloir de l'occupant rendaient difficile toute synthèse consciente. Une conjonction de fait s'opérera cependant, au fur et à mesure de l'élimination des « mous », par l'assimilation progressive en chaque composante de thèmes souvent étrangers à sa tradition intellectuelle, mais dont le critère de sélection ne sera jamais que l'adéquation au vocabulaire nazi, le mythe de l'Europe nouvelle, tard venu dans l'arsenal de la propagande allemande internationale, se présentant comme le point oméga de la conciliation finale.

Le régime et ses affidés

Le répertoire des haines collaborationnistes est volumineux. Des hommes, on l'a vu, s'y spécialisent. Des organismes, parfois complexes, s'édifient au grand jour autour d'une ou deux de ces obsessions. Il existe même un hebdomadaire, *Au pilori*, dont la seule raison d'être

* Discours salle Pleyel, 14 novembre 1942.

est d'alimenter ces exécrations en rappels historiques, mises au point « scientifiques » et dénonciations personnalisées. Organe inspiré, au sein duquel se côtoient vieux monomaniaques et jeunes journalistes aux dents longues, il module appels au meurtre et délations en fonction des consignes allemandes. Il joue ainsi un rôle d'aboyeur particulièrement visible à la veille de la fameuse rafle *dite* du Vel d'Hiv, en juillet 1942. Son audience est difficile à déterminer. Certains parlent d'un bouillonnage de plus de 80 p. 100, mais les archives de la préfecture de police indiquent au contraire en 1941 un chiffre particulièrement bas : 26 p. 100, pour un tirage qui se maintiendrait jusqu'à 1943 au-dessus de 60 000 exemplaires (voir Annexe IV). Du moins un tel brûlot donne-t-il le ton de la critique de collaboration : elle a pour l'essentiel les mêmes boucs émissaires que Vichy, mais là où le prêche moralisateur aurait tendance à l'emporter — *la Gerbe* y verse parfois, sous la plume du fils de Péguy ou d'un Châteaubriant des mauvais jours, mais ce ne sont que de courts instants de faiblesse —, là où les considérations nationales sont mises en avant — *Je suis partout* en aurait la velléité mais ne s'y tient guère —, elle crie et tempête volontiers, parle en termes « européens », populistes et raciaux.

Ainsi le procès des responsables de nos malheurs engagé par Vichy devant la cour de Riom se double d'une sorte de procès de Paris, dont le dossier est alimenté par toute une littérature rétrospective, et les conclusions s'avèrent des plus expéditives. Qu'il s'agisse des épaisses études de Georges Champeaux, parues sous le titre de *la Croisade des démocraties*, ou des courtes séries diffusées dans la presse populaire — « Et ce fut la guerre » (*la Semaine*, printemps 1942), par exemple —, le verdict est le même : le crime des accusés de Riom, trop peu nombreux d'ailleurs, n'est pas d'avoir mal préparé la guerre, mais bien de l'avoir déclenchée. Dès le scandaleux traité de Versailles, le ver était dans le fruit, avec ces « îlots insalubres qui s'appelaient Tchécoslovaquie et Pologne [1] », car, comme le dira Desphelippon, c'est « dès 1919 qu'il fallait briser, par la collaboration, le cercle infernal des guerres de revanche [2] ». En fait, « la France n'était plus française. Elle était orientée selon les agréments de l'étranger [3] »; rien d'étonnant à ce qu'elle ait refusé, au moment crucial, la main tendue du Führer,

1. *France-Europe*, 11 juillet 1942.
2. *La France socialiste*, 26 novembre 1941.
3. F. de Brinon, déclaration à la presse, 5 mars 1943.

à l'instar de ses complices de Versailles : « Rien n'empêchait la Pologne de conclure un règlement pacifique avec l'Allemagne. Le Führer le voulait [1]. » En un mot, l'armistice de Rethondes « répare l'injustice causée à l'honneur allemand en 1918 [2] ».

Encore faut-il châtier vite et bien. Bucard n'est pas le seul à demander : « Où sont les guillotines [3]? », et Brasillach n'est pas le dernier à associer, à plusieurs reprises, « Montoire et Montfaucon [4] ». On devine que lorsque certains de ces otages démocrates tombent sous les coups de « justiciers » sans mandat la collaboration n'en éprouve aucune gêne; pour le même Brasillach, l'assassinat de Marx Dormoy, en 1941, a bien été, au bout du compte, « le seul acte de justice accompli depuis l'armistice [5] »...

Ces châtiments n'ont pas ainsi le sens d'une simple revanche de 36 ou de 39; ils sont par essence profondément collaborationnistes : le sang versé devient, selon une formule du PPF en mai 1941, le sacrifice qui permettra de marquer « d'un trait rouge la ligne de démarcation entre la IIIe République et la Révolution nationale ».

La même préoccupation finale, mais cette fois dirigée contre ceux de ses membres qui risquent, par leurs origines politiques, de rester par trop attachés aux valeurs de l'ancien régime, se retrouve au cœur de l'obsession antimaçonnique. De toutes elle est sans doute, avec l'anglophobie, celle qui remonte sans solution de continuité le plus haut dans la généalogie morale de la droite contemporaine. Aussi les contacts y sont-ils nombreux entre les penseurs légitimistes restés fidèles au maréchal et les milieux les plus excités de la collaboration. Le catholique intégriste Robert Vallery-Radot (1885) et l'historien antirépublicain Bernard Faÿ (1893) sont très représentatifs du premier groupe. Faÿ, professeur au Collège de France, passé expert en la dénonciation de l'universel complot maçonnique, sera couvert d'honneurs par Vichy et recevra la charge, en septembre 1941, de l'installation à Paris d'un musée permanent des sociétés secrètes. Son type de discours traditionaliste trouve un relais plus proche de l'hystérie dans les activités multiformes de quelques maçons rénégats,

1. F. de Brinon, déclaration du 15 juillet 1943.
2. *Paris-soir*, 24 juin 1940.
3. *Le Franciste*, 30 juin 1941.
4. *Je suis partout*, 18 et 25 octobre 1941.
5. *Ibid.*, 21 mai 1943.

les uns venus de la Grande Loge de France, comme Jean Rivière, *dit* Marquès-Rivière (1903), déjà converti avant-guerre au catholicisme conservateur mêlé de mysticisme oriental, les autres du Grand Orient, comme ce Paul Riche, déjà rencontré comme cinéaste, costantiniste et délateur. L'antimaçonnisme trouve enfin un renfort de poids dans l'antisémitisme, qui pose comme principe la solidarité du juif et du maçon [1]. A une telle synthèse travaillent de jeunes publicistes disciples de Drumont, comme Coston qui prend en main, en 1941, *le Bulletin d'informations antimaçonniques*, où il peut donner toute la mesure du talent d'archiviste souterrain qui fera sa réputation.

Le *Bulletin* est plus virulent, plus « parisien ». Les *Documents maçonniques*, sous la direction de Faÿ et avec Vallery-Radot pour rédacteur en chef, se veulent plus « scientifiques » et documentaires, mais leur second rédacteur en chef est l'acharné Marquès-Rivière. Une abondante propagande écrite et orale complète [2] le tableau d'une dénonciation multidirectionnelle qui va des *francs-maçons fossoyeurs du premier Empire* à *la paix maçonnique de 1919*. Dans l'entre-deux, 1830, 1848, la Commune, la fin de l'empire colonial espagnol, la mort de Raspoutine et jusqu'au massacre des Romanov. A l'irreligion et à... l'objection de conscience, venus de l'antimaçonnisme classique, s'ajouteront, en prise directe sur l'actualité, l'Intelligence Service, la ploutocratie américaine, le philosémitisme, le communisme (!) et jusqu'à la « trahison de l'Italie ». Au plus profond des confusions obsessionnelles, la maçonnerie finira même par superposer toutes les images négatives de la judaïté — et l'on ira jusqu'à parler de ses « crimes rituels » à l'instar de ceux qu'on attribue aux israélites. Faÿ lui-même, répondant aux réticences de ceux qui répugnent à faire des sociétés secrètes un adversaire à l'échelle des autres, affirmera avec vigueur que tous les ennemis de l'ordre nouveau sont solidaires et que « ce n'est pas parce qu'un microbe est petit qu'il est moins dangereux [3] ». Costantini, logicien du délire

1. La revue *Documents maçonniques* paraît avec une étoile de David en couverture.

2. L'une et l'autre publication organise autour d'elle un réseau de propagande complémentaire : brochures, livres, conférences. Les *Documents maçonniques* ne tiennent à eux seuls pas moins de vingt-quatre conférences au cours du seul mois de mai 1943.

3. *Documents maçonniques*, août 1943.

collaborationniste, réclamera même, après l'institution de l'étoile jaune, un brassard pour les anciens maçons...

Liée généralement à la dénonciation du maçon et à celle du régime, la critique de la ploutocratie ou, à la rigueur, du capitalisme, réconcilie d'autant plus aisément ces tendances parfois contradictoires qu'elle se réfère finalement, à gauche comme à droite, aux mêmes schémas moralisateurs. Qu'il s'agisse en effet des syndicalistes antimarxistes ou des héritiers d'un catholicisme antilibéral, c'est le même diagnostic psychopathologique qui est dressé : égoïsme, esprit de lucre, vampirisation du prolétaire sont les seules causes du mal. Ceux qui, tels un Rebatet, un Drieu, un Oltramare, ont un vieux compte à régler avec leur propre classe se déchaînent parfois en une fureur antibourgeoise sur le sens de laquelle il ne faut pas se méprendre : définissant leur révolte devant l'exploitation économique en termes éthiques, c'est plutôt à l'ordre moral bourgeois que beaucoup en auront; l'ère révolue des « bourgeois conquérants », sûrs d'eux et dominateurs, n'est pas loin de les séduire aussi profondément que celle des grands chevaliers « aryens » du Moyen Age.

Churchill = Staline

On retrouve la même ambiguïté dans la philippique entretenue contre l'Angleterre, Babylone de la ploutocratie, mère de la démocratie parlementaire. On sait ce que l'on a à lui reprocher, la liste est longue, du bûcher de Rouen à Fachoda, et de Dunkerque à Mers el-Kébir; mais il reste difficile d'en préciser vraiment l'image, entre celle d'une puissance déjà à genoux, bluffant (à Dakar, à Dieppe), un système politique à l'agonie, un Churchill gâteux, « imbibé de whisky [1] » et poursuivi par une malchance tenace, sorte de Paul Reynaud en plus sadique, et celle du « chien enragé de l'Europe [2] », encore capable de mordre (en Syrie, à Diégo-Suarez...) avant d'être enfin abattu par le continent coalisé. Entre ces deux excitations passagères et complémentaires, le thème central de l'anglophobie reste cependant cet hommage indirect à un adversaire d'autant plus dangereux qu'il garde la tête froide : la reconnaissance de sa « perfidie » et du talent qu'il met à « truquer » (Brasillach) les Ententes cordiales,

1. L. Rebatet, *Les Décombres*, *op. cit.*, p. 601.
2. M. Augier, *La Gerbe*, 31 octobre 1940.

à jouer en virtuose de la société secrète (l'Intelligence Service) et de la ploutocratie (la cavalerie de Saint-Georges). Les anglophobes professionnels existent, mais ils sont peu nombreux et travaillent en ordre dispersé. Certains adoptent le style hobereau (d'Entraives ou Coudurier de Chasseigne, dans *l'Illustration*), d'autres le style corsaire. Paul Chack (1875) est le parangon de cette propagande. Ancien officier de marine, abondamment décoré, prolifique vulgarisateur — très lu dans les familles — des hauts faits de la Royale, le vieil homme s'engagera, après Mers el-Kébir et Montoire, dans une croisade personnelle qui n'est pas sans rappeler celle de Georges Claude et qui le conduira à tenir chronique, à patronner diverses organisations compromettantes... et à lancer pour finir dans la presse quelques appels à la délation.

A l'ombre du Royaume-Uni, les États-Unis n'auront jusqu'au bout qu'un statut second, dû pour une large part à la profonde ignorance dans laquelle la société française reste encore d'une nation isolationniste dont on connaît mieux les vedettes de cinéma et de jazz que le président, l'armée ou les milieux d'affaires. On fera ainsi d'elle la peinture d'un monde peu à peu envahi par le métissage, la juiverie, le maçonnisme, les trusts et le gangstérisme, d'ailleurs parcouru de courants trop divers pour qu'on puisse dire que tout son peuple soit vraiment derrière son chef. Roosevelt n'est guère qu'un pantin ridicule, vaniteux comme une star, manipulé par son entourage, son peuple un monde de « robots sexués » et de « brutes incapables », qu'il n'est pas un seul instant question de mettre en balance avec le chevalier de Bamberg ou « la jeunesse bouclée de Benozzo Gozzoli [1] ». Abusés par une image culturelle qu'ils traduisent en termes de loufoquerie et d'adolescence, les collaborationnistes ne prendront jamais autant au sérieux les lointains États-Unis, tard entrés dans la guerre et traditionnels amis de la France, que la proche Angleterre, ennemie héréditaire. Le terrible Rebatet lui-même parle à leur sujet de « gamins » et d'« âge ingrat [2] » : ce n'est pas de là que peut venir le plus grand danger.

A l'extérieur comme à l'intérieur, il est une menace autrement inquiétante, celle du bolchevisme. Sans doute ne s'en aperçoit-on guère jusqu'au matin du 22 juin 1941, et l'on voit la gauche collabo-

1. R. Brasillach, *L'Écho de la France*, 24 mai 1944.
2. *Les Décombres*, *op. cit.*, p. 602.

rationniste célébrer avant cette date le profond « réalisme » du pacte germano-soviétique, en fêter même l'anniversaire, comme *la France au travail* au mois d'août 1940. Mais à compter de l'offensive allemande, l'argumentation antibolchevique va pouvoir se développer en un jeu à trois étapes. Immédiate : le communisme international, c'est la barbarie; seconde : Staline est le véritable chef de la coalition antiallemande; finale : le marxisme est une doctrine juive.

Beaucoup plus clairement que l'argumentation antidémocratique, celle-là touche aux fibres mêmes du corps social. Le capitaliste, le maçon, le démagogue exploitent une société; au pire, ils sont les syndics d'une décadence. Le bolchevik, lui, n'est rien d'autre qu'un Hun [1], un Oriental du camp de Marc Antoine à Actium [2], un Arabe à Poitiers [3], un Barbare de l'An mille s'abattant sur l'Europe divisée du traité de Verdun, dont la date est bien l'une des plus tristes de notre histoire [4]... D'abord, parce que l'URSS est un *melting pot* de peuplades asiates, fanatisées par les Rouges contre notre culture millénaire. Ensuite, parce que toute l'idéologie communiste est fondée sur le matérialisme le plus dissolvant. Dans les grands moments d'excitation, la double référence initiale apparaît sans masque. Asiate? « Cannibale politique [5] » plutôt. Athée? Pour tout dire, « le Diable, on ne l'adore pas en théorie en URSS, on l'adore en pratique [6] ». Le bouledogue anglais, le vampire ploutocratique, la mygale maçonnique restaient métaphoriques : le bolchevisme est *vraiment* un satanisme mangeur d'hommes, il est bien « le principe du Mal », comme le dira Chack au micro de Radio-Paris [7]. Mers el-Kébir n'a pas suffi à amener la création d'une légion antianglaise; le 22 juin qui, en théorie, n'engage pas la France, suscite tout de suite la LVF, son comité d'honneur et ses Amis, ainsi qu'un organisme *ad hoc* à usage interne, le Comité d'action antibolchevique (CAA), évidemment présidé par le même Chack, flanqué d'un Centre d'études antibolcheviques (CEA) confié à Louis-Charles Lecoc et à Chaumet. Le CAA mettra sur pied l'exposition du Grand Palais et la fera circuler à travers la

1. *Le Matin*, 12 juillet 1941.
2. *Je suis partout*, 1er novembre 1941.
3. *Le Matin*, 23 juin 1941.
4. A. de Châteaubriant, *La Gerbe*, 27 août 1943.
5. *Au pilori*, 3 juillet 1941.
6. Colonel Labonne, *Je suis partout*, 18 avril 1942.
7. Août 1941, Archives INA, KO 10 B.

France; le CEA éditera une quinzaine de brochures consacrées au rappel du *Front populaire, fourrier du communisme* hier ou à la description de l'Europe demain *si les Soviets...*

La barbarie bolchevique est un thème qui s'impose de lui-même, y compris à gauche, où l'on sait bien que *le Bolchevisme, ce n'est pas le socialisme* [1]. La peur du Rouge est cependant si grande qu'elle se nourrit encore de deux arguments d'ordre cryptique. Le premier est destiné aux sympathisants éventuels de la lutte gaulliste et anglo-saxonne étrangers ou hostiles au communisme. Quand l'image du colosse aux pieds d'argile commence à perdre de sa crédibilité, il énonce à coups d'anecdotes que, sans plus tarder, Staline dicte sa loi et qu'en cas de victoire il aura tôt fait de dévorer ses deux imprudents complices. Le second, chaque jour plus virulent, affirme que le marxisme, inventé par un juif, introduit en Russie par des juifs, « n'est pas autre chose qu'un essai de dictature juive [2] ». Il renvoie ainsi, comme en abîme, à l'obsession majeure, celle qui, d'un enjeu moins grave que la lutte à l'est, touche au contraire au plus profond des subconscients et qui, pour susciter moins de craintes immédiates, déclenche pourtant les processus les plus délirants.

Juifs et enjuivés : une maladie sociale

L'antisémitisme de la collaboration ne peut évidemment s'avouer inspiré par l'Allemagne, fantasmatique et largement déterminé par l'appât du gain. Comme il voudra aussi se distinguer de l'antisémitisme plus modéré du premier Vichy, national et politique, il lui faudra bien consacrer une part appréciable de son énergie à justifier les deux prétentions dont l'association fait son originalité : celle d'être purement « français », celle d'être scientifique, « racique ».

Ainsi on voit fleurir en rappels historiques la continuité des mesures antisémites de la monarchie française. Ainsi on célèbre le souvenir des trois grands antisémites français de l'époque contemporaine : le fouriériste Alphonse Toussenel, auteur des *Juifs, rois de l'époque* (1847); le « socialiste-national » Drumont, grand réconciliateur des tendances opposées de la collaboration, puisqu'on rappelle sa sym-

1. Titre d'une brochure d'A. Chaumet pour le CEA.
2. *Le Matin*, 13 mai 1943.

pathie pour les communards tout en signalant que Maurras disait de lui : « Nous avons tous commencé à travailler dans sa lumière »; enfin, Georges Vacher de Lapouge, décédé à la veille de voir ses idées l'emporter. La mémoire du comte de Gobineau a, de son côté, un prêtre zélé en la personne de son petit-fils Serpeille, collaborateur attitré de *la Gerbe*, prompt à monter au créneau, sur quelque front que ce soit, pour défendre la pensée grand-paternelle contre toutes les déviations.

A quelques mois de la guerre, Gontier avait diagnostiqué la « renaissance du sentiment racique chez les jeunes générations [1] ». Ses arguments à prétention biologique en faveur d'une législation raciale propre au génie français seront souvent repris par les épigones des années quarante, mais on ne peut pas dire que les plus actifs aient été d'incontestables représentants des jeunes générations. Contemporains du vieux Drault, Pemjean (1860) et Urbain Gohier (1862) ont connu les prisons du XIXe siècle pour propagande anarchiste, antimilitariste et antibelliciste. On les retrouve, le premier directeur littéraire des éditions Baudinière, le second traducteur des *Protocoles des sages de Sion*. Quant à Louis Thomas, tout à la fois ancien officier de chasseurs et ancien directeur de *l'Ère nouvelle* radicale-socialiste, c'est un aventurier des lettres, discrédité dans les milieux journalistiques, et qui trouvera une situation stable comme administrateur des éditions Calmann-Lévy aryanisées [2].

La prétention à la scientificité est à peine mieux représentée par les deux hommes auxquels songera Bonnard en 1942 pour occuper respectivement les deux chaires, nouvellement créées à la Sorbonne, d'« Histoire du judaïsme contemporain » et d'« Études raciales » : Henri Labroue (1880) et Georges Montandon (1879). L'accueil réservé par les étudiants au premier, ancien député conservateur de Bordeaux saisi sur le tard d'ambitions universitaires, dissuadera le ministre d'installer le second. Celui-ci, suisse naturalisé français, a un passé d'ethnologue racial qui l'a fait nommer en 1933 à l'École d'anthropologie. Considéré comme « bolchevisant » dans les années vingt, il est passé à la veille de la guerre dans le camp des antijuifs militants : après avoir consacré un livre encore modéré à *l'Ethnie*

1. R. Gontier, *Vers un racisme français*, Paris, Denoël, 1939, p. 11.
2. On lui doit la formule : « La liquidation des biens juifs en France doit être un adjuvant pour la fortune privée de nombreux Français » (*Au pilori*, 8 mai 1941).

française, il annonce en 1940 un volume intitulé *l'Ethnie juive ou Ethnie putain*. Le livre ne paraîtra pas, mais Montandon ne chômera pas pour autant. Dès cette année, il publie un *Comment reconnaître le Juif?*, suivi d'un *Portrait moral du Juif selon les ouvrages de L.-F. Céline, Édouard Drumont, Léon de Poncins et autres*. On le retrouvera au sein de toutes les instances antisémites de la collaboration. En 1943, il donne encore une traduction, destinée aux étudiants en médecine, du *Manuel d'eugénique et Hérédité humaine* du nazi Otmar von Verschuer, avant d'être abattu par la Résistance, en juillet 1944.

« Ethno-raciste », Montandon est un des adversaires les plus farouches de l'antisémitisme d'État prôné par Maurras — dont il subodore une ascendance juive, « marrane » — et que reprend largement à son compte le premier Commissariat aux questions juives de Vichy, dirigé à partir de mars 1941 par Xavier Vallat. Jusqu'à son départ, contemporain du retour de Laval, la politique antisémite de Vichy n'a pas le caractère radical, extensif et précipité souhaité par les nordistes. Sans doute, et dès le 29 août 1940, la loi de 1939 réprimant les menées racistes est-elle abrogée, aux cris de « Vive la liberté[1] »; sans doute le gouvernement surenchérit-il sur la législation allemande dans sa définition du juif; sans doute une loi française autorise-t-elle la « concentration » des juifs étrangers, etc. Les antisémites de Paris restent méfiants. Dès ce moment, leur combat se confond avec celui de la section juive du SD (Dannecker) et quand, le 1er mars 1941, une liste de noms est soumise à Abetz pour qu'y soit choisi le directeur de l'« Office central juif » proposé par la section, y figurent ceux de Faÿ et de Poncins, de Vacher de Lapouge junior et de Montandon, de Serpeille de Gobineau et de Darquier de Pellepoix, de Céline... — mais pas celui de Vallat.

Ce dernier, parlementaire conservateur, fort peu germanophile, est placé à la tête d'une administration dont le siège est à Vichy mais le centre véritable à Paris. Bon gré mal gré, il sera amené à prendre plusieurs des mesures qu'exige l'Allemagne, économiques aussi bien que policières. En face de lui, l'occupant saura agiter, le temps qu'il faudra, un épouvantail médiocre, à y regarder de près, mais fort efficace dans la conjoncture : l'Institut d'études des questions juives

1. *La France au travail*, 30 août 1940.

(IEQJ), organisme de statut privé confié à un certain capitaine Sézille [1]. Aux yeux du public, sa plus évidente tâche aura été la mise sur pied de l'exposition du palais Berlitz. En fait les services de Sézille n'y sont à peu près pour rien : l'exposition est allemande, mais il fallait bien que la couverture soit française. L'aryanisation économique est un chapitre autrement sérieux, par les milliers de postes de commissaires et administrateurs de biens juifs sous séquestre qu'elle institue. L'IEQJ souhaiterait avoir la haute main sur l'attribution de ces fonctions alléchantes. Il devra se « contenter » de soutenir ses candidats, d'accélérer les ventes, de dénoncer aux autorités les camouflages et les complaisances, au bout du compte d'organiser lui-même de véritables provocations policières avec l'aide de sa propre police, les « sections spéciales ». Sa section juridique, animée par deux avocats, prépare des modèles de mesures antijuives. Sa section scientifique (Charles Laville) concocte la théorie. Sa section de propagande diffuse périodiques et brochures [2].

Élargissant sensiblement son audience, une association d'Amis de l'Institut est mise en place. Sézille parle, au début de 1942, de 33 000 adhérents; le chiffre réel se situe sans doute autour de 11 000 : administrateurs de biens juifs — ou candidats auxdites fonctions —, prisonniers de guerre libérés, divers opportunistes désireux de se faire bien voir des puissants du jour. On aurait compté 3 300 militants du MSR, et 2 100 du PPF, un nombre assez élevé de médecins et d'avocats, peu de fonctionnaires et d'enseignants.

A la date de ce bilan Sézille a cependant cessé de plaire, et les heures de son Institut sont comptées. Quand Darquier de Pellepoix (1897) remplace Vallat, rien ne s'oppose plus à sa dissolution. Le nouveau commissaire, faux gentilhomme et vrai Gascon, ancien combattant de 14-18, ancien blessé du 6 Février, s'est rendu célèbre avant la guerre par ses violences antisémites, pas seulement verbales, mises en valeur par son mandat de conseiller municipal, élu du quartier des Ternes. Galien, son directeur de cabinet, est notoirement lié au SD et sera même chassé par Darquier en novembre. Joseph Antignac, qui lui succède, est un ancien officier de carrière passé à l'industrie qui

1. En dehors de l'IEQJ, les associations antisémites pullulent : Cercle aryen (Chack), Association des journalistes antijuifs (Chaumet), Comité de vigilance nationale pour la solution radicale de la question juive (Pemjean), etc.

2. Voir Annexe III.

s'est distingué par son zèle policier à la tête d'une des directions régionales du commissariat. Se présentant comme « antisémite d'abord, partisan de la politique du maréchal et de son gouvernement ensuite », il sera, de mai à août 1944, le dernier commissaire en titre.

L'IEQJ, qui n'a plus de leçon à donner, se transforme en « Institut d'études des questions juives et ethno-raciales ». On aura reconnu la patte de Montandon, qui en prend effectivement la direction. Cette sorte d'école de cadres antisémites est flanquée, côté académisme, par un Institut d'anthroposociologie au comité duquel siégeront, autour du président Vacher de Lapouge junior, deux avocats, deux professeurs de médecine, dont le secrétaire de l'Académie, un professeur de l'Institut Pasteur et un révérend père, professeur à l'Institut catholique de Toulouse. Côté « propagande populaire », une Union française de défense de la race, placée directement sous la responsabilité de Darquier, s'attache à intensifier la mise en condition psychologique de la population. Sans attendre cette dernière étape, on peut dire que tous les moyens de propagande existant ont été mis en œuvre par les antisémites radicaux des milieux parisiens : la presse d'informations générales en tête — quand on considère que la seule exposition du palais Berlitz n'a pas suscité moins de trente articles dans les colonnes du seul *Matin;* la presse spécialisée : *l'Action antijuive, la Question juive en France et dans le monde*, plus « scientifique », et *le Cahier jaune*, plus « populaire », tous trois sous les auspices de l'Institut — en fait, sous ceux de la Propaganda —, les *Informations juives* (10 000 exemplaires, 500 abonnements payants)...; les brochures, celles de l'Institut, du Commissariat ou, sur le tard, le fameux libelle *Je vous hais;* l'affichage intensif, DPA (Deutsches Propaganda Atelier); les films de propagande, dont il a déjà été question plus haut; l'émission de radio de l'UFDR enfin, qui commence et termine immanquablement par la phrase : « Nous avons tout perdu. La seule richesse qui nous reste est désormais notre race »...

L'idéologie que propagent tous ces médias ne lésine pas sur la statistique, le graphique et le schéma. Ceux-ci encombrent les pamphlets de Céline, alimentés aux sources allemandes. On les retrouve, généralement les mêmes, dans les revues spécialisées, en inserts dans les films antijuifs, à la sortie de l'exposition du palais Berlitz enfin, où photographies et maquettes doivent aider le visiteur à se confectionner un « portrait-robot » de l'ennemi, à toutes fins utiles. En fait, leur rôle apparaît comme de pure ponctuation. L'antisémitisme sûr de lui et dominateur a bien les traits d'un délire général qui ne suppose aucun terrain hors d'atteinte du « cancer juif ». Cette dernière métaphore, parmi tant d'autres qui lui ressemblent, dénonce son ancrage physiologique : le juif est d'abord une menace contre l'intégrité physique du corps social aryen. Il est griffu, bouffi, sale, puant. Quand il risque de passer pour ne pas être laid, qu'on y veille : Montandon proposera une opération défigurante pour les « belles juives [1] »... Dire, comme le fait l'antisémitisme national, qu'il n'était « ni à Bouvines, ni à Tolbiac [2] » ne suffit pas; il faut bien voir qu'il est dans sa nature cancéreuse de proliférer bientôt là où il s'est introduit : quand le commentateur du *Péril juif* parle en voix *off* de son « grouillement », l'écran montre une horde de rats.

Intellectuellement, il est de la même façon le corrupteur par excellence. Aucun secteur n'a échappé à son entreprise dissolvante, de l'Église à l'armée [3], de la littérature [4] à la philosophie [5]. « C'est l'esprit de l'Ethnie putain qui, s'imposant aux Français, *a*) faisait bêler à la paix *(sic)*, *b*) sabotait l'armement, *c*) et surtout dégoûtait la femme, depuis des décades, de la maternité [6] »... Et nous avons vu que toutes les grandes entreprises de démolition de l'Occident renvoyaient finalement à lui, source physique de tout Mal. On devine qu'au bout de ce chemin la solution de la question juive ne puisse être que « finale », puisque l'étoile jaune permet surtout à Israël de jouer au persécuté. « Nous n'en sommes plus aux discours de salon, mais au pogrom [7]. »

1. Le juif est, accessoirement, bien connu pour sa goinfrerie, sa prédestination aux troubles de la nutrition et aux maladies mentales (ex. : *Cahier jaune*, 5 avril 1943).
2. *Le Petit Parisien*, 8-9 août 1942.
3. Première réaction de *la France au travail* à l'annonce de l'expulsion des juifs de l'armée française : « Nous n'aurons plus d'affaire Dreyfus! » (3 novembre 1940).
4. Exposition Berlitz : « L'inquiétude et l'inversion sexuelle, la destruction de nos traditions sont les thèmes favoris des écrivains juifs. »
5. « Il aurait fallu que Bergson n'eût jamais le droit d'écrire et d'enseigner le français » (L. Rebatet, *Le Cri du peuple*, 7 janvier 1941).
6. G. Montandon, *La France au travail*, 2 juillet 1940.
7. *Au pilori*, 21 février 1941.

Nouveaux mythes

Tous les collaborationnistes ne parviennent pas à ce degré d'excitation. A défaut de protester, les plus gênés se taisent. On les retrouve plus à l'aise au stade des propositions constructives, mais toujours sur la défensive, préoccupés de répondre à l'avance aux critiques qui pourraient leur être adressées comme défenseurs d'une idéologie « importée » (critique de droite) et « fanatique » (critique de gauche).

Dans un discours où la part du présent est trop souvent bridée par les consignes allemandes et les incertitudes de l'actualité, l'annexion des morts illustres occupe dès lors une place considérable. L'histoire culturelle des deux nations est passée au peigne fin et le moindre signe de philogermanisme d'un Français, de philogallisme d'un Allemand est monté en épingle — pour peu qu'il ne soit pas le fait d'un personnage tabou, un Henri Heine ou un Marcel Proust. Jacques de Lesdain, dont les talents dramaturgiques semblent avoir été à la hauteur de ceux d'organisateur d'exposition, présentera en 1942, dans le cadre de sa seconde France européenne, une pièce en vingt tableaux, ou plutôt vingt discours, chargée de prouver à ceux qui en doutaient encore dans quelle profonde perspective s'inscrivait la collaboration franco-allemande. Le Christ y parlait de la paix, Charlemagne de l'Europe, Jeanne d'Arc de l'Anglais, Napoléon de tout cela et Hitler de plus encore. Comme à son accoutumée, le Soldat inconnu leur prêtait main-forte.

Parfait biculturel, Charlemagne est l'un des plus mis à contribution, par les Allemands comme par les Français, et à dater du douzecentième anniversaire de sa naissance, fêté le 2 avril 1942, sa statue équestre timbre la couverture des *Cahiers franco-allemands*. Malgré Iéna, Napoléon, centraliste, autoritaire et « européen » à sa manière, est appelé en renfort, et la conférence qui, devant le groupe Collaboration, a pour thème « la politique continentale de Napoléon, anticipation de la politique européenne du Reich », a pour orateur Werner Daitz, le propre délégué en France de Rosenberg. Le retour des cendres de l'Aiglon, en décembre 1940, est, on le devine, l'occasion de parallèles choisis.

Quand la propagande se fait pressante, les rapprochements les plus audacieux voient le jour, et l'on apprend alors tout ce qu'il faut savoir sur « De Vauban à Todt, les forteresses de l'Atlantique [1] » ou même, par pacifisme interposé, « De Jaurès à Hitler [2] ». Ce dernier raccourci suscitera cependant quelques réserves — à droite [3]. A vrai dire, de telles contradictions ne sont pas rares quand on s'approche de l'actualité. Péguy, national et socialiste mais qui « n'était malheureusement pas raciste [4] », est exalté par *la Gerbe*, insulté par Céline; quant à Gambetta, Brasillach y voit un « juif... gaulliste avant la lettre [5] », alors que Déat en fait un ancêtre de la collaboration [6]. Alfred Fabre-Luce ayant, dans une volumineuse *Anthologie de la nouvelle Europe*, énuméré tous ceux qu'on pouvait selon lui placer aux « origines spirituelles de la nouvelle Europe », de Pascal à Rosenberg, de Bergson à Hitler, le critique Claude Jamet lui reprochera moins d'avoir affirmé que Michelet ou Proudhon « traitaient déjà des thèmes nationaux-socialistes » que d'avoir cité trois fois Maurras et oublié Jaurès. Lui-même proposera en retour une anthologie « de gauche » de la collaboration, allant de Rousseau à Giono, en passant par Mme de Staël et Victor Margueritte.

Encore ne suffit-il pas, pour donner un sens à cette collaboration, de répéter avec le vieux socialiste Compère-Morel qu'on se doit de la pratiquer « sans réticence, sincèrement, ouvertement, cordialement, résolument », dans une atmosphère de parfaite équité. Il faut aussi, du côté français, la prouver par des actes. Le cotravail et la cobelligérance en sont les deux pivots. Comme le dira *l'Atelier* : « Il faut mériter notre salut [7]. » Et pendant que l'ouvrier rachète par son travail — un travail *manuel*, dont on salue sur tous les tons la profonde noblesse —, le soldat prisonnier, qui est posé, lui, comme majoritairement paysan, le soldat volontaire de la LVF ou de la Waffen SS donne son sang non seulement, comme il faut bien l'expliquer aux calculateurs, pour que « notre pays soit présent sur le champ de bataille, avant que la victoire soit définitivement acquise [8] », non seulement, comme il faut bien l'expliquer aux intellectuels, parce que

1. C. Rivet, *L'Œuvre*, 20 mai 1944.
2. G. Crouzet, *Les Nouveaux Temps*, 25 juillet 1942.
3. *Je suis partout*, 8 août 1942.
4. R. Brasillach, *ibid.*, 24 janvier 1942.
5. *Ibid.*, 15 mai 1942.
6. *L'Œuvre*, octobre 1943.
7. 28 novembre 1942.
8. M. Déat, *L'Œuvre*, 31 mai 1942.

« l'Allemagne préserve l'Occident, sa lumière, sa culture, ses traditions [1] », mais parce que c'est à une véritable croisade que le Führer appelle les Européens [2].

Hantés par les souvenirs de la *Reconquista*, les franquistes français avaient déjà su mettre en avant, en 1936, cet argument auquel pouvaient être sensibles les héritiers de la droite chrétienne. Il se trouvera en 1941 au sein de l'Église catholique des voix, non autorisées mais jamais blâmées, qui, allant plus loin qu'un épiscopat d'autant moins porté à la collaboration qu'il est plus explicitement engagé aux côtés du maréchal, entendront conférer à la cobelligérance la justification spirituelle qui lui manquait. Certaines, telle celle de l'abbé Lambert, ancien maire PPF d'Oran, ou du chanoine Polimann, ancien député « républicain indépendant » de Bar-le-Duc, ne font que prolonger un discours d'avant-guerre. D'autres éprouvent le besoin de s'engager plus avant et croient retrouver, pour fustiger les « tièdes », les accents d'un Péguy ou d'un saint Bernard. Paul Lesourd, professeur à l'Institut catholique de Paris, ami de son recteur, le cardinal Baudrillart, a créé en ce sens *Voix françaises* en 1941, à Bordeaux, toujours en zone occupée. Mais le plus éloquent, celui dont à tout le moins les objurgations sont le plus complaisamment retransmises par les médias, est le cardinal lui-même — quatre-vingt-deux ans et l'obsession du communisme. A l'ouverture du front de l'Est, ses yeux se dessillent. « Le temps de la colère est enfin venu. Le monde chrétien et civilisé se dresse... J'affirme que le tombeau du Christ sera délivré. » L'image de la croisade obsède le vieil homme, qui voit dans la collaboration militaire « une sorte de fraternité renouvelée du Moyen Age chrétien » et dans la LVF « une chevalerie nouvelle [3] ». Quand il mourra, en 1942, c'est après avoir « béni » les armes des légionnaires et avoir confié à la propagande parisienne un *Testament politique* qu'elle s'empressera de rediffuser, préfacé par Bonnard.

Nouvelle Europe

Croisade religieuse ou laïque, le combat de la collaboration s'assigne, à tout prendre, un enjeu plus incertain que la reconquête

1. Cf. F. de Brinon, déclaration à la presse américaine, 27 mars 1941.
2. Les timbres-poste État français de la LVF, en avril 1942, figurent un croisé.
3. *L'Émancipation nationale*, 14 décembre 1941.

des Lieux saints. Sans doute en discerne-t-on assez bien les grandes images : l'Europe, l'ordre nouveau, le national-socialisme. Sans doute font-elles l'objet de débats nourris. Mais la complexité des origines culturelles des collaborationnistes et l'ambiguïté de l'attitude allemande à leur égard ne facilitent pas *a priori* en ce domaine les convergences grossières des exécrations communes.

La question européenne est plus délicate qu'il n'y paraît. Européen par excellence et, pourrait-on dire, par profession, Drieu est le premier à le reconnaître, même si c'est pour affirmer sa fierté « d'avoir toujours été de ceux qui n'ont jamais voulu renoncer à aucun des éléments de la difficulté [1] », la difficulté tenant évidemment dans la conciliation des exigences nationales telles que *Mein Kampf* en donnait comme la version hystérique avec le discours européen de l'Allemagne conquérante. Quelle sera donc cette « IIIe Europe » dont parle Vallery-Radot [2]? Celle de « la table du Graal » qu'il appelle de ses vœux, cette vaste fédération d'égaux à laquelle Lesdain veut croire, ou faire croire, quand il déclare qu'un jour pas si lointain « on parlera de l'Allemagne et du Danemark comme on parle de la Flandre ou de la Bourgogne [3] »? Ou, au contraire, faut-il penser avec Drieu que « fédération veut dire hégémonie », même si cette hiérarchie inévitable des nations suppose réciproquement « gradation des obligations et des charges [4] »? Les plus lucides ne peuvent se le cacher : l'Europe de demain sera hégémonique, et l'hégémonie, allemande.

Qu'il y ait de bonnes et de mauvaises nationalités, c'est ce que certains intellectuels de la collaboration essaieront même de justifier par la science, tel Georges Matoré qui, traitant des langues d'Europe orientale, en viendra à distinguer les « authentiques », la lituanienne par exemple, des artificielles, parmi lesquelles il faut sans doute ranger la polonaise ou la tchèque [5]. Dans l'esprit d'hommes pour lesquels le succès est le fondement du droit, les piètres résultats militaires qui ont suivi les maladroites revendications de 1938 ne grandissent pas l'Italie. Après l'effondrement de 1943, les commentaires iront bon train, prompts à énumérer toutes les raisons péremptoires pour les-

1. *Idées*, mars 1942.
2. *La Gerbe*, 1er juillet 1943.
3. *L'Illustration*, 7 février 1942.
4. *Idées*, décembre 1942.
5. *Comœdia*, 24 juin 1944.

quelles Mussolini a échoué — un régime insuffisamment plébiscitaire, un « socialisme » imparfait —, y compris les raisons raciales, Sicard découvrant à cette occasion l'excessif « métissage » des « peuplades » italiennes depuis la Renaissance [1].

L'Allemagne en revanche, dont on peint, on le devine, toutes les perfections innées ou réinsufflées par l'hitlérisme — unité dans le dynamisme, ordre social et ordre intellectuel —, reçoit sans qu'on rechigne la couronne suprême. Tout y oblige : sa situation géographique, le nombre de ses habitants et sa démographie expansive, sa supériorité industrielle et technologique, la solidité d'une culture moins brillante que la nôtre mais combien plus essentielle, la clairvoyance de ses chefs et le sacrifice quotidien de ses enfants. Sur le plan racial, elle sera le « noyau de condensation » de l'Europe racique à venir, pense Châteaubriant. On lui concède sans hésiter son espace vital à l'est — « Imaginez ce que serait demain, pour la grandeur européenne, la reprise de la collaboration séculaire des élites allemandes et de la masse russe [2] » —, et l'on ne doute pas que la présence en Allemagne de plusieurs millions de travailleurs étrangers ne soit sans plus tarder l'occasion d'un « prodigieux brassage d'idées ». Ne peut-on craindre cependant que cette Allemagne dévoreuse de terres et d'hommes n'abuse de son pouvoir? Évidemment non, car, « dans une Europe où l'Allemagne tiendrait le rôle que l'Angleterre entendait s'arroger, ses intérêts et les nôtres se rejoindraient tôt ou tard [3] ». Et puis, brisons là : « On pourra dire ce que l'on voudra sur le régime allemand : sans lui et son armée, il n'y a plus d'Europe [4]. »

Est-ce à dire qu'on ne se pose pas de questions sur l'avenir de la France dans un tel ensemble? Ce serait aller vite en besogne, et oublier le visible soulagement de la collaboration quand, par exemple, un Gœbbels prend la peine d'affirmer que la situation actuelle est toute « d'exception » et « liée à l'état de guerre [5] ». Après la paix, la France redeviendra-t-elle « une grande nation maritime et coloniale », comme le rêve Rebatet [6], ou notre avenir est-il sur terre, France rurale surmontant la crise agricole par l'ouverture des fabu-

1. *Au pilori*, 9 septembre 1943.
2. P. Drieu La Rochelle, *NRF*, janvier 1942.
3. L. Rebatet, *Les Décombres*, *op. cit.*, p. 614.
4. M. Déat, *L'Œuvre*, 25 février 1943.
5. Cf. R. Brasillach, *Je suis partout*, 19 mars 1943.
6. *Les Décombres*, *op. cit.*, p. 615.

leux débouchés du Centre-Europe, comme l'argumente l'économiste Braibant, qui organise sur ce thème une « Caravane agricole de la France européenne [1] »? La réponse ne dépend pas de Paris, mais l'image d'une France partenaire rurale de l'Allemagne industrielle est trop fréquente pour qu'on ne puisse pas penser que les collaborationnistes français se sont, sur ce point, clairement ralliés aux intentions allemandes.

Nouvelle société

Dans de telles conditions, que devient le national-socialisme? Sans doute se trouve-t-il encore quelques voix pour critiquer Jaurès [2] ou déclarer qu'« être exploité n'est pas un mérite ». Il n'en reste pas moins, et tous les observateurs s'accordent à le reconnaître, que « de ce côté-ci de la ligne de démarcation le mot « socialisme » est dans toutes les bouches [3] ». Dans son fameux discours du 22 juin 1942, dont la phrase sur la « victoire de l'Allemagne » souhaitée a éclipsé tout le reste, Laval lui-même avance explicitement que demain « le socialisme s'instaurera partout en Europe ». Les anciens conservateurs de bonne volonté découvrent les communards, « premières victimes du régime », et le rôle des communistes « de Doriot » dans la préparation du 6 Février, du même mouvement où ceux qui se réclament directement du nazisme trouvent dans la tradition française les références qui leur conviennent, confondues significativement avec celles de l'antisémitisme : Toussenel et surtout Drumont, « précurseur génial d'un national-socialisme français [4] », ce « socialisme aryen » que Rebatet [5], Coston, Oltramare appellent de leurs vœux.

Sorti des discussions et des hésitations du syndicalisme autorisé, il n'est que trop clair que ce « socialisme libéré de la démocratie » manque de vigueur. La suppression du prolétariat par la suppression des institutions de lutte des classes, la suppression du libéralisme par l'institution de l'économie dirigée sont ses deux pétitions de principe. Au-delà, sous un vocable socialisant n'émergent plus que des discours

1. *Notre destinée : la France rurale et l'Europe*, Paris, Sorlot, 1941.
2. A. Bonnard, *La Gerbe*, 22 août 1940.
3. *Le Rouge et le Bleu*, 1er novembre 1941.
4. R. Brasillach, *Je suis partout*, 21 mai 1943.
5. *Les Décombres*, *op. cit.*, p. 565.

essentiellement technocratiques, confiants dans la simple alliance de la technologie la plus avancée et de la planification plus ou moins impérative, dans le cadre mondial d'une vaste redistribution des sources d'énergie et de matières premières [1] : « Elle sera socialiste, cette Europe, parce que les progrès de la technique moderne ont créé des sources de richesse dont la production disciplinée permet au plus humble travailleur de participer largement au bien-être national [2]. »

Ce dirigisme est évidemment inséparable des institutions d'un État fort. « Le rôle de l'État n'est jamais de faire, mais de commander [3]. » Les familiers du droit constitutionnel peuvent bien discuter de la forme républicaine dudit État, de la nécessité d'y prendre en considération les collectivités locales en une sorte de sénat (Déat), de l'institution, plus généralement acceptée, d'un conseil central des corporations, etc. Méfiance. Quelques épithètes sans fard conviennent mieux aux plus activistes, et la brutalité, dans le fond comme dans la forme, d'un programme politique leur apparaît comme la meilleure garantie de sa sincérité. Sur ce plan, le PPF l'emporte visiblement sur les autres par la conviction farouche avec laquelle il assène : « Nous voulons faire de la France un pays totalitaire. Dans nos conditions spécifiques, cela signifie : national, socialiste, impérialiste, européen, autoritaire [4]. »

Deux certitudes s'affirment seules derrière cette avalanche d'adjectifs : la nécessité du parti unique et le rassemblement dudit parti derrière un chef, doté sans doute des plus larges pouvoirs mais les tenant d'une double supériorité déjà mise en valeur avant-guerre par Brasillach dans son portrait de Degrelle : rayonnement physique — cette « animalité » des grands conquérants — et force poétique — cette capacité à « proposer des images à la foule [5] » qui fait de Hitler, pour Suarez, « un apôtre [6] ». Au-delà de ce noyau central, l'accent est mis par tous sur la nécessité de fonder solidement l'avenir, au cœur d'une nation qu'on suppose mal préparée au totalitarisme, par l'institution d'une « jeunesse unique », étatisée et laïcisée, et le recours

1. Cf. les propositions de Jacques Sarrazin au nom de la section économique et sociale du groupe Collaboration, revue *Collaboration*, 1943.
2. *La Révolution nationale*, mai 1942.
3. *France-Europe*, 9 janvier 1943.
4. *Le Cri du peuple*, 6 novembre 1942.
5. *Notre avant-guerre*, *op. cit.*, p. 246.
6. *Aujourd'hui*, 22 avril 1941.

hiérarchique, en guise de relais du pouvoir suprême, à des élites doubles à l'image du chef : viriles et « scientifiques [1] ».

Cette dualité de la force et de l'image, posée au long des discours les plus élaborés, ne doit pas cependant illusionner : c'est bien un univers tout physique, où triomphe une vitalité brute, qui hante les rêves de la collaboration. La vitalité fondamentale d'une race épurée, réconciliée avec une histoire qui n'a plus honte de s'avouer aryenne : « L'heure est venue de dire qu'Apollon et Pallas Athéné sont les images de l'homme et de la femme nordiques, affirmation bien impossible au temps de la conspiration juive [2] », dotée enfin des institutions raciques qui l'empêcheront de retomber dans l'affreux métissage : Institut de généalogie sociale, passeport ancestral, sans parler de l'euthanasie à l'allemande, à laquelle applaudit, parmi d'autres, Crouzet [3] et que cherche à populariser Montandon dans son *Manuel.* La vitalité, au-delà d'une violence institutionnalisée, est érigée en droit suprême : « L'unique droit des peuples est celui de la force, comme l'unique devoir des peuples est celui d'être fort... juristes impénitents, nous confondons la politique et le droit... nous discourons avec le tonnerre [4]! »

La religion traditionnelle ne disparaît-elle pas dans un tel univers? En fait, même chez les critiques les plus violents du christianisme enjuivé, père de la démocratie, le néo-paganisme ne triomphe jamais complètement. Pour les plus lyriques, il suffirait que le rituel catholique mît en valeur tout ce qui rapproche la messe d'une cérémonie fasciste [5], que la prédication mît un peu plus l'accent sur les valeurs d'exaltation : « La joie, disait le père Janvier dans une de ses conférences, est le moteur de la vie. Hitler a-t-il dit autre chose : Kraft durch Freude [6]? » Pour les têtes froides, il serait regrettable de ne pas puiser dans ce vaste réservoir d'images et d'énergie, de « renoncer d'avance à l'entente entre la force aryenne et l'esprit catholique [7] ». Non, plutôt « canaliser cette force, la faire servir civiquement [8] »,

1. *France-Europe*, septembre 1943.
2. M. Augier, *La Gerbe*, 7 novembre 1940.
3. *Les Nouveaux Temps*, 1er février 1941, sous le titre : « Un juste racisme. »
4. Discours d'Alphonse de Châteaubriant à la salle Pleyel, 14 novembre 1942.
5. R. Sexé, *La Gerbe*, 21 novembre 1940.
6. C. Chabry, *ibid.*, 8 août 1940.
7. R. Brasillach, *La Révolution nationale*, 16 octobre 1943.
8. L. Rebatet, *Les Décombres*, *op. cit.*, p. 563.

car, au bout du compte, « s'il est depuis longtemps deux chefs de guerre [...] avec qui Dieu doit se trouver s'il a quelque souci de notre monde, ce sont bien Franco et Hitler [1] ».

Cette ambiguïté finale, cette relative timidité à pousser jusqu'à leurs ultimes conséquences les postulats antichrétiens du nazisme, on la retrouve, transposée en termes esthétiques, dans les débats occasionnés par la notion d'« art officiel » ou les outrances moralisatrices d'un Laubreaux, censeur de Cocteau et de Jean Marais mais admirateur d'Arno Breker. Signe des dernières résistances des traditions culturelles à l'introduction de valeurs encore provisoirement trop étrangères? Malgré elle, on peut penser que si elle offre des aspects monstrueux, l'idéologie commune de la collaboration n'est pas un monstre idéologique. Sous ses oripeaux parfois criards, elle revêt un sens bien précis, celui d'une totale abdication par sa minorité social-pacifiste, contre le plat de lentilles d'un vocabulaire révolutionnaire, socialiste et européen, de tout l'héritage démocratique français, dans une exaltation exacerbée des valeurs de la droite : autorité, militarisation, antiparlementarisme, et cette sorte de pan-ethnisme de la différenciation sociale qui fusionne les classes et distingue deux ou trois ethnies inassimilables : le juif, le maçon, le bolchevik... L'acclimatation du nazisme ne pouvait s'opérer que par cette rencontre qui gardait les apparences d'une certaine continuité, tout en paraissant satisfaire aux nécessité de « l'Histoire ». Ainsi l'abandon à l'état de fait était hissé à la hauteur d'un principe. La pire des condamnations, pour ceux qui firent ce calcul, sera bien que cette même histoire le déjouera en un final sanglant, de même que, plus tard, l'histoire des historiens en confirmera la profonde duperie.

1. L. Rebatet, *Les Décombres, op. cit.*, p. 559.

9

Je suis partout

Minorités nationales et collaboration

> Après tout, la France, qu'est-ce que c'est? C'est le pays des Francs. Qu'est-ce que c'était que les Francs? Des Allemands. Au fond, le mot France est synonyme du mot Allemagne. RAYMOND QUENEAU *

Le IIIe Reich a, dès l'origine, porté une attention toute particulière aux tendances politiques centrifuges qui pouvaient contribuer à affaiblir le nationalisme français. L'épanouissement d'une revendication séparatiste en termes germaniques, qu'elle soit flamande, alsacienne ou lorraine, satisfaisait directement aux ambitions pangermaniques. Celui de mouvements moins apparentés, en Bretagne, au Pays Basque, en Corse, en Afrique du Nord, répondait à des objectifs stratégiques plus immédiats. Ainsi un mémorandum confidentiel allemand du 1er octobre 1940 [1] présentera, parmi les principaux arguments en faveur du soutien au séparatisme breton, la situation géographique de la péninsule et la présence de plus de 80 p. 100 de Bretons dans la marine nationale...

On peut même affirmer que l'appareil subversif nazi a joué son rôle dans le développement, à la veille de la guerre, de l'information mutuelle et de la solidarité politique entre tant de mouvements aux objectifs analogues et à l'ennemi commun. En 1927, déjà, Robert Ernst, animateur de l'Organisation des Alsaciens-Lorrains du Reich, avait réussi à susciter autour des séparatistes alsaciens un Comité des minorités nationales de France où la Flandre côtoyait la Corse — « cette province, dira un journal séparatiste flamand, qui a choisi une

* *Un rude hiver*, Paris, Gallimard, 1939, p. 164-165.

1. Archives Paris-Storey, 1000. Cité par Eberhard Jäckel, *la France dans l'Europe de Hitler*, Paris, Fayard, 1968 (trad. fr.), p. 77.

tête de nègre pour son blason[1] » —, la Bretagne, la Catalogne. Dix ans plus tard, le discret Fred Moyse, agent de l'Abwehr, supervise de Paris la revue *Peuples et Frontières*, éditée à Rennes et dévolue au combat pour les « peuples opprimés d'Europe occidentale », avec une particulière dilection pour ceux dont l'oppresseur s'appelle la France ou le Royaume-Uni. On le retrouvera dans ce double rôle à Bruxelles pendant la « drôle de guerre », où il assure tout à la fois l'accueil des militants séparatistes en fuite et la liaison entre l'Abwehr et l'IRA...

Toutes prises en considération avec le même sérieux, les activités des nationalitaires ne seront pas soutenues avec la même énergie. En fait, si l'aide financière ne leur est pas refusée avant-guerre, le destin qu'on leur assigne au sein de l'Europe nouvelle varie sensiblement d'une région à l'autre, d'une époque à l'autre aussi, selon l'état des relations entre la puissance occupante, Vichy, Paris, voire ses alliés, en particulier les deux plus directement concernés par l'évolution de l'Empire français, l'Italie et l'Espagne. L'Alsace-Lorraine faisant sans plus tarder retour au giron du Reich grand-allemand, les autres questions périphériques peuvent attendre la paix. Ne pas susciter trop d'opposition séparatiste à un gouvernement qui représentait — on l'a vu — la meilleure solution d'attente pour une coalition encore en état de guerre, tout en maintenant sur ses marches le harcèlement, généralement verbal mais propre à inquiéter, de voix aiguës toutes disposées de leur côté à considérer l'occupant comme un allié providentiel, telle semble bien avoir été la politique fondamentale de l'Allemagne à l'égard des minorités corse, nord-africaine, bretonne et même flamande; ainsi du moins est-elle résolument amorcée au lendemain de l'entrevue de Montoire, dont on n'oubliera pas qu'elle signifiait entre autres, du côté du maréchal, le maintien « de l'unité française, une unité vieille de dix siècles ».

Les Corses du Duce

L'Allemagne s'étant assuré par ses victoires la direction effective de la coalition, l'Italie ne pourra de surcroît à aucun moment aller aussi loin qu'elle à l'égard de sa propre Alsace-Lorraine. Ni les Sa-

1. *Le Lion des Flandres*, septembre 1941.

voyards ni les Niçois ne manifesteront une quelconque volonté de se voir un jour rattachés à l'*imperium* mussolinien. Quant à l'irrédentisme corse dont celui-ci entend arguer, son échec définitif est patent avant même la défaite française.

On a vu qu'au moment des grandes déclarations antifrançaises de décembre 1938, même l'extrême droite italophile avait abandonné le régime fasciste. Il est cependant un mouvement corse pour s'en réjouir, celui qui, autour de Petru (Pierre) Rocca, animait l'hebdomadaire *A Muvra* (le Mouflon) et le groupusculaire Partitu Corsu Autonomista — secrétaire général : Eugène Grimaldi. Jouant à l'origine sur l'ambiguïté d'une protestation essentiellement culturelle — il édite aussi la revue mensuelle de l'association des poètes de langue corse, *A Baretta Misgia* —, Rocca avait depuis longtemps tout misé sur la solution italienne, et le contraste est frappant entre la médiocrité de l'écho recueilli dans l'île et la variété des moyens mis en œuvre en Italie même par le régime fasciste, sous le couvert de quelques insulaires installés à demeure auprès de lui. Là aussi, il s'est moins agi de téléguider un mouvement politique, comme sera le Comité central directeur des groupes d'action irrédentistes corses, de Giovacchini, que de multiplier les médiateurs culturels communs : le groupe interuniversitaire Corsica (A. L. Paoli), deux revues à prétexte scientifique, *Archivio storico di Corsica*, à Livourne (G. Chiappini) et *Corsica antiqua e moderna* (F. Guerri et F. Tencajoli), quelques publications plus explicites, l'*Idea corsa* à Rome (A. F. Filippini), *Tyrreneo* (M. Ersilio), *Mediterranea*, enfin une édition spéciale d'*Il Telegrafo*, le quotidien livournais de la famille Ciano, confiée au même Francesco Guerri.

Malgré quelques manifestations symboliques — l'érection d'un monument autonomiste à Ponte-Nuovo, site du Muret corse ou, en 1937, à Morosaglia, pays natal de Pascal Paoli —, la mobilisation autour des thèmes antifrançais, antirépublicains, antimaçonniques et racistes (« Corsica francese, Corsica judea ») d'*A Muvra* ne s'opéra jamais, l'objectif final étant trop bien connu. En 1931 déjà, l'*Almanaccu d'A Muvra* ne représentait-il pas l'île en femme enchaînée tournant avec imploration ses regards vers Rome? L'année 1939 vit au contraire se multiplier, reprises largement par l'appareil de propagande français, les manifestations publiques de confirmation du soutien à la cause métropolitaine.

Ainsi s'explique l'absence, à partir de 1940, d'un véritable mouvement populaire irrédentiste qui eût pu justifier l'engagement d'un processus d'annexion à la mère patrie, et ce malgré la présence en Corse de 16 000 à 17 000 Italiens, naturalisés ou non, rejoints à partir de l'automne 1942 par 80 000 soldats, et que flanqueront sur le tard 10 000 « alliés » allemands. Une étude récente estime à... 17 le nombre des irrédentistes affichés (Rocca, Croce, Makis, l'abbé Carlotti...), rassemblés autour de *la Jeune Corse* d'Ajaccio. Les collaborateurs existent en Corse, ils paraissent même nombreux (453 au strict minimum, en décembre 1942), et leur structure sociale et géographique correspond assez bien à celle du département; mais nous les connaissons déjà : ils sont inscrits, parfois par clans entiers, au sein du PPF de Doriot, ou plutôt de Sabiani. Lecteurs de *la Dépêche corse* de M. de Susini, ils sont beaucoup plus proallemands qu'italophiles. Le thème de la Corse martyre des Français, tel que le reprend en 1941 l'ouvrage italien de Bertino Poli, traduit en corse par Giamari, *A Corsica di domani*, les touche moins que celui d'une France totalitaire, intégrée à une Europe à prédominance germanique. De tous côtés, le fossé est profond.

Les Flamands du Führer

Du moins les irrédentistes corses pouvaient-ils, jusqu'en 1943, tourner leurs regards vers un grand État souverain. Il n'en fut pas de même de leurs symétriques de l'Extrême Nord, leurs compagnons dans l'isolement et dans l'échec, les militants du Vlaamsch Verbond von Frankrijk (Ligue flamande de France), qui ne purent jamais se situer que par rapport au rêve flou d'un « État thiois », un Dietschland, marche de la germanité aux contours mal définis.

Le mouvement, créé par l'abbé Jean-Marie Gantois, est né en 1924 en réaction contre le Cartel des gauches. L'ambiance idéologique dans laquelle il grandit est celle de la droite classique, régionaliste et cléricale, hostile à l'école-sans-Dieu et aux instituteurs du déracinement. La nouveauté vient du caractère séparatiste que va afficher au long des années, de plus en plus clairement, le VVF, entré en contact en 1933 avec le Vlaamsch National Verbond de Belgique qui, de son côté, tisse des liens étroits avec l'Allemagne nazie. « Francs,

Flamands, Frisons sont des prénoms. Germains est le nom de famille... »

En rattachant le Nord-Pas-de-Calais au commandement militaire de Bruxelles, en paraissant vouloir tourner son économie et ses médias vers la Belgique, l'occupant de 1940 semblera aller au-devant des revendications du VVB. L'abbé Gantois en est convaincu. Mis en demeure de choisir par le cardinal Liénart, il opte pour l'action politique et se trouve relevé de toutes fonctions sacerdotales. En décembre 1940, il adresse à Hitler, au nom des « Flamands de la France du Nord », un serment d'allégeance sans équivoque qui affirme en conclusion : « Nous sommes des bas-Allemands, et nous voulons faire retour au Reich. » Jusque-là, les Allemands, peut-être conscients de l'isolement de la Ligue, n'avaient guère mis d'empressement à lui donner pignon sur rue. Il faudra attendre 1941 pour que reparaisse, en janvier, le mensuel du VVB, *le Lion des Flandres — De Torrewachter* (le Beffroi), chantre de « la lumière venue du nord », et que Gantois, sous le pseudonyme d'Henri Van Byleved, fasse paraître à Anvers l'ouvrage auquel il travaillait depuis longtemps et qui conclut au détachement de la métropole de tout un Nord entendu dans une acception large puisqu'il s'étendra jusqu'à la Somme. Bien des terres francophones, dira-t-on; non pas : de « vieille souche franke ».

Le statut de la zone Nord-Pas-de-Calais limite dans les premières années les possibilités d'intervention de Vichy. C'est pourtant, significativement, pendant cette période que la Ligue reste pratiquement en sommeil. Au contraire, alors que les perspectives de détachement s'éloignent, c'est à ce moment que l'Allemagne donne son autorisation à la propagande séparatiste : la politique himmlérienne des marches germaniques est à l'ordre du jour, plus tard l'hypothèse d'un débarquement allié se précise. En octobre 1941, André Cauvin crée avec sa *Vie du Nord* un hebdomadaire illustré dont le régionalisme discret, s'il se situe dans la mouvance du VVB, se garde bien de trop le souligner. Son tirage atteindra 45 000 exemplaires et sa gestion sera sensiblement bénéficiaire. La Ligue, quant à elle, s'ébroue à l'été 1942 en créant la Zuid-Vlaamsch Jeugd (Jeunesse flamande du sud) et son journal, *Jeunes de Flandre*, suivi en février 1943 par l'ouverture à Lille d'un Institut flamand.

Cet appareil de propagande rénové essaie de mobiliser la population autochtone autour de quelques thèses violemment antifrançaises.

Celle de l' « indifférence » de Vichy pour le Nord sert d'amorce à des insultes de tonalité raciste : la France est méridionale, enjuivée, plus attentive au « nègre » et au « bicot » qu'au Libre Flamand. Face à la stérilité du baroque et du classicisme, des « grécolâtres » et des « latinolâtres », parmi lesquels Maurras, on exalte la vitalité des peuples barbares, du Saint-Empire, de l'art gothique, on s'annexe l'abbé Lemire et jusqu'à Roger Salengro, on célèbre le « futur rôle économique des Flandres dans l'Europe nouvelle », promesse d'un deuxième âge d'or flamand. En attendant ces jours bénis, la Flandre française doit se considérer comme une sorte d'avant-poste face à la mer anglaise et aux influences romanes. Pour le reste, remettons-nous-en au vainqueur germanique : « Qu'adviendra-t-il de nous?... Nous n'en savons rien et, aussi bien, ce n'est pas nous qui aurons à décider de notre sort... Notre rôle est d'affirmer la personnalité de notre pays [1]. »

Les mauvais souvenirs de l'occupation allemande de 1914-1918, le patriotisme coutumier des régions frontalières limitent considérablement l'écho de ce discours, présenté de surcroît sur un ton d'une âpreté peu séduisante. *Le Lion*, qui n'avait avant-guerre que 180 abonnés, n'en a guère plus de 300 en France en février 1944, presque autant en Belgique et aux Pays-Bas. Son tirage, avec des pointes à 4 000, se stabilisera autour de 2 000 exemplaires. Un congrès folklorisant, en 1942, accueille 1 200 participants, notables locaux pour la plupart; celui de 1943, dix fois moins. L'Institut annonce 8 000 inscriptions : les conférences n'y dépassent jamais 50 auditeurs. Les militants fidèles ne paraissent pas avoir dépassé ce dernier chiffre. A l'exception de quelques curés de campagne, le recrutement est très urbain et même, en fait, limité à la conurbation lilloise. Les professions libérales et les intellectuels formés par les facultés catholiques l'emportent sur les commerçants et les artisans. Souvent fils de bonne famille, les « jeunes » du mouvement organisent d'anodines veillées folkloriques, mais, quand ils vont se recueillir sur la tombe de Joris Van Severen, exécuté par les Français en 1940, ils peuvent tout à loisir saluer à l'hitlérienne et scander des slogans antifrançais.

De telles démonstrations restent cependant trop rares pour satisfaire les nationaux-socialistes les plus intransigeants, qui reprochent

1. *Le Lion des Flandres*, juillet 1941.

au VVB d'être resté tributaire de ses origines catholiques et conservatrices. Au mois de décembre 1943, le groupe des activistes, mené par un médecin, pose ses conditions aux autorités de tutelle : une nouvelle organisation (la Ligue des droits du Nord), un nouveau journal, un comité de vigilance antiterroriste. Sur intervention de Bruxelles et pression de la SS, les autorisations demandées seront accordées, mais trop tard pour entrer réellement en application. La scission aura seulement facilité le passage dans la SS (camps d'Anvers et de Marquette en Ostrevent) et la NSKK (« Corps motorisé national-socialiste ») des éléments les plus engagés; elle aura surtout achevé la déconfiture de Gantois, qui ne règne plus dans les derniers mois de l'occupation que sur une revue agonisante et un parti fantôme, plus isolé que jamais.

Les Algériens de nulle part

Groupusculaires, ces séparatismes corse et flamand sont à tout le moins ancrés, si peu que ce soit, dans un sol qui se veut natal. Le choix politique collaborationniste prend une dimension caricaturale dans le cas des militants algériens proallemands, dont la revendication à l'indépendance ne commencera à trouver un écho dans le monde politique parisien qu'à partir du moment où le Maghreb aura complètement échappé, au mois de novembre 1942, au contrôle de Vichy.

Jusque-là, les Kabyles et les Arabes nord-africains n'avaient guère servi que de forces d'appoint à divers groupements d'extrême droite peu enclins à envisager l'indépendance algérienne mais soucieux d'illustrer par leur propre exemple leur idéologie impériale, tout en précisant que leur antisémitisme, conformément aux choix nazis, ne s'étendait pas à la population arabe. Ainsi on avait vu les francistes reprendre à leur compte la politique de recrutement de troupes de chocs en milieu musulman métropolitain — il y a à cette époque environ 100 000 musulmans dans la région parisienne — inaugurée par la Solidarité française; ainsi on avait vu prendre la parole dans les congrès PPF plusieurs responsables de sections musulmanes d'Algérie. On retrouvera après la guerre quelques-uns de ces militants PPF dans les organisations de la révolution algérienne.

Certains nationalistes algériens étaient, de leur côté, allés d'eux-mêmes au-devant de l'Allemagne. A la veille de la guerre, un Comité d'action révolutionnaire nord-africaine (CARNA), où l'on trouve parmi d'autres les noms de Boukadoum et de Cherif Sahli, prit contact avec le Reich. A Berlin, leurs interlocuteurs cherchèrent visiblement beaucoup plus à recruter des agents de renseignement qu'à financer une insurrection. Seuls Abderrahmane Yassine et Cherif Bellamine auraient accédé à leurs propositions. Sous l'administration Weygand, on apprendra ainsi l'exécution d'un responsable des scouts musulmans d'Algérie, accusé d'avoir transmis à l'Allemagne des documents confidentiels de la délégation française à la Commission d'armistice. Le financement italien, par l'intermédiaire du consul général à Alger, ne fait au contraire aucun doute, même si la pugnacité révolutionnaire du CARNA ne paraît pas s'en être trouvée pour autant sensiblement grandie.

Plus efficace sans doute que ce travail occulte, la propagande écrite et illustrée de *Signal*, radiophonique de Radio-Berlin ou de Radio-Stuttgart (Younès el-Bahri) et, à partir du 20 juillet 1940, à Paris même, de Radio-Mondial, cherchait à répandre à travers tout le territoire nord-africain, en langue arabe, les cris de la libération maghrébine et d'une future guerre sainte antifrançaise : « Africains! Votre liberté est proche. Le chancelier Hitler en a donné sa parole... »

Ces initiatives restent cependant, pour l'essentiel, au stade de la mise en condition psychologique. C'est en métropole que s'affichera, à partir de 1943, le collaborationnisme maghrébin le plus délibéré, minoritaire sans doute mais monté en épingle par un occupant intéressé à cette politique proarabe sans danger qui l'a, par exemple, amené à faire rendre en mars 1941 l'hôpital franco-musulman de Bobigny à la Mosquée de Paris, prétexte à une cérémonie, complaisamment retransmise, d'amitié germano-islamique. Henri Lafont, le tortionnaire de la rue Lauriston, en contact depuis longtemps avec divers milieux nord-africains de Paris, et dont on affirmera *a posteriori* qu'il caressa le rêve d'une sorte de sultanat blanc, à son profit, sur une Algérie indépendante, obtint au lendemain du débarquement allié de 1942 l'autorisation de lancer en leur direction, avec une publication *ad hoc*, une opération politique aux résultats plus tangibles. Georges Prade, l'ami de Lafont et de Luchaire, familier des bureaux d'achat allemands, fournit grâce aux *Nouveaux Temps* et à *Paris-soir* le papier nécessaire à la sortie, en janvier 1943, de l'hebdomadaire *Er Rachid* (le Messager) qui aurait pu, selon des sources invérifiables, tirer jusqu'à 30 000 exemplaires. La direction en est confiée à un Algérien de sympathies nazies, Mohammed el-Maadi. Originaire du Constantinois, militaire d'active dans l'armée française pendant plus de seize années, il avait été arrêté en 1937 pour atteinte à la sûreté de l'État, impliqué dans l'affaire de la « Cagoule ». Après la défaite militaire de son colonisateur, il passe définitivement du côté allemand. Ses revendications, qui ne portent d'abord que sur l'égalité des droits entre colons et autochtones, vont se radicaliser en raison inverse des succès de l'Axe en Afrique pour culminer, les derniers mois de l'occupation, dans l'exigence d'un « État indépendant et souverain ».

Autour d'*Er Rachid*, divers groupements sont mis en vedette, destinés à faciliter le ralliement des hésitants : Comité musulman de l'Afrique du Nord (président el-Maadi, secrétaire général un certain Ben Smaïl), qui revendique, sans qu'on puisse le prouver, « près de 10 000 » adhérents; Cercle d'études nord-africaines, plus particulièrement destiné aux sympathisants européens; Comité des Nord-Africains... Ce dernier, présenté à la presse française le 1er juillet 1943, a pour animateur l'ancien fondateur de l'Union des étudiants musulmans d'Algérie, le... chrétien profrançais Amar Naroun, entouré de quelques intellectuels algériens, médecins (Dr Ben Thami, du PPF et, plus tard, du FLN) ou avocats (Me Lahwek, Me Maradji).

A cette date, le front allemand d'Afrique n'existe plus : le travail d'*Er Rachid* est tout entier de reconquête, et l'hebdomadaire ne se départira jamais d'un ton d'une extrême violence, dans l'exécration des adversaires sur lesquels est appelée « la colère de Dieu » — parfois sous forme de pogrom —, comme dans l'exaltation lyrique des soldats allemands : « Au pied des minarets détruits, l'islam en détresse priait pour les petits Feldgrau qui, avec un panache fou, arrosaient de leur sang vertueux la vieille terre libyque [1]. » Aussi bien, comme l'écrira el-Maadi lui-même, « ce n'est pas être vendu que de reconnaître que les armées d'Hitler, victorieuses, ont libéré l'Albanie, la Croatie, la Serbie, le Monténégro, la Grèce, les pays Baltes... et j'en oublie [2] ».

L'engagement armé qui était au bout d'un tel itinéraire restera

1. *Er Rachid*, 5 juin 1943.
2. *Ibid.*, 25 octobre 1943.

toujours limité — quelques parachutages sur l'Algérie, comme ce fut le cas pour deux futurs hauts responsables du FLN — ou d'un dérisoire dont le sordide n'échappera pas aux intéressés, quand Lafont aura obtenu, sur le tard, la création d'une « brigade nord-africaine » de SS supplétifs. Ces prises de position téléguidées, ces initiatives marginales venaient, quoi qu'il en fût, trop tard pour que l'opinion publique musulmane y soit vraiment réceptive : en Algérie même, la période 1943-1944 est justement celle de la renaissance — avec le ralliement de Ferhat 'Abbās — d'un grand mouvement national sans lien aucun, cette fois, avec Berlin, et qui allait ébranler beaucoup plus profondément la domination française. Occultée comme un épisode honteux, la collaboration nord-africaine ne jouerait même pas le rôle dévolu d'ordinaire aux mouvements révolutionnaires avortés : celui d'un souvenir mythifié.

Extrême Est, extrême Ouest : deux séparatismes

En face de ces épisodes tardifs et isolés, l'histoire de la collaboration séparatiste bretonne ou alsacienne apparaît comme autrement complexe. Dans l'un et l'autre cas, on prendra cependant garde de distinguer de ces radicaux de l'indépendance (Bretagne) ou de l'Anschluss (Alsace) les modérés d'un régionalisme généralement teinté d'idéologie maurrassienne (majorité de l'Union populaire républicaine (UPR), catholique, en Alsace; Union régionaliste bretonne...) et les « centristes » du fédéralisme (Ligue fédéraliste de Bretagne) ou de l'autonomie (Forschrittspartei, protestant et laïc, de Camille Dahlet; catholiques de l'*Elsässer Kurier*, de Joseph Rossé) : seuls les premiers afficheront d'un bout à l'autre un collaborationnisme résolu, même si nous retrouvons quelques-uns des derniers pris à leur propre piège et à celui d'une propagande allemande sans exclusive quand il s'agit d'affaiblir l'adversaire.

En Alsace, les liens personnels et passionnels sont encore trop nombreux en 1919 entre les deux rives du Rhin pour que, dès cette époque, le gouvernement de Weimar n'ait pas disposé d'alliés fidèles à l'ouest, ne serait-ce que par l'intermédiaire en Allemagne d'une association « patriotique » comme la Ligue nationale pour la germanité à l'étranger (VDA) ou de mouvements plus régionalisés, comme l'Organisation des Alsaciens-Lorrains du Reich, d'Adolf Gœtz et Robert Ernst. Ce dernier, fils de pasteur alsacien, volontaire dans l'armée allemande en 1914, s'était fixé à Berlin après la défaite. Dès 1920, son *Elsaessische Heimatsstimmen* (Voix du pays d'Alsace) est notoirement subventionné par le gouvernement allemand, au même titre, on l'apprendra plus tard, que le *Die Heimat* de l'abbé Haegy, à Colmar, continué par le député UPR Marcel Stürmel. En 1926, un autre fils de pasteur germanophone, Friedrich Spieser (1902), fonde en Alsace même avec le Bund Erwin von Steinbach, du nom de l'architecte de la cathédrale de Strasbourg, un mouvement de jeunes qui, sous couvert d'excursions, de chants populaires, de soirées folkloriques, maintient ses adhérents dans un bain de germanité nostalgique, d'ailleurs sensiblement plus allemande qu'alsacienne, et dont la coloration politique sera bientôt sans équivoque : en 1940, les nouveaux maîtres de l'Alsace salueront le Bund comme la pépinière de la jeunesse hitlérienne et du parti nazi.

La question de l'autonomie alsacienne était venue un instant au-devant de la scène quand, en 1928, à l'occasion du grand procès de Colmar, la France au patriotisme sourcilleux de Poincaré avait cherché, sans y parvenir vraiment, à clouer au pilori les militants de l'Heimatbund (Ligue de la patrie). C'est à partir de 1933 que la bipolarisation autonomistes/nationaux va se durcir dans une Alsace ébranlée par la crise économique. Le financement pour la bonne cause institué par la république de Weimar ne connaîtra aucune solution de continuité. Idéologiquement, la transition est insensible, et tel autonomiste « démocrate », comme Dahlet, continuera assez longtemps à participer à un journal notoirement lié au nazisme comme l'*Elsäss-Lothringische Zeitung (ELZ)*.

La variété de l'éventail politique alsacien à la veille de la guerre favorise ces ambiguïtés. Même en laissant de côté l'autonomisme radical des députés UPR Stürmel et Rossé, le faible mouvement agrarien des Chemises vertes de Joseph Bilger, inspirateur de Dorgères, ou le petit parti républicain démocrate du maire de Strasbourg Charles Frey — dont un écrivain alsacien écrira en 1938 que si on l'a dénoncé comme fasciste, « à son honneur, ce n'était pas toujours sans raison [1] » —, on peut dire que trois organisations ont sans équivoque déjà opté à cette date pour l'Anschluss hitlérien, les premiers contacts avec

1. Cf. H. de Reinach-Hintzbach, *Je suis partout*, 3 juin-8 juillet 1938.

le NSDAP remontant, pour certains de leurs membres, aux dernières années vingt. Le Landespartei « indépendant » (1931) de Paul Schall, René Hauss et du Dr. Karl Roos, fils d'instituteur, conseiller municipal de Strasbourg, bénéficie avec l'*ELZ* de Camille Meyer d'une tribune quotidienne assez lue. Essentiellement bas-rhinois, il recrute dans la petite bourgeoisie strasbourgeoise et, pour des raisons linguistiques, dans quelques cantons luthériens réfractaires au français. L'Elsäss-Lothringer Partei (1936), de l'avocat Hermann Bickler, et surtout sa Jungsmannschaft (bimensuel *Frei Volk*, à partir de 1937) cherchent à se donner une image de marque « jeune » et dynamique, très musclée. Son premier congrès, le 22 mai 1938, à Strasbourg, réunit huit cents délégués. Sous les ordres de Bickler, une ébauche de société secrète, la Wolfsangel, donne même aux plus impatients l'illusion d'un activisme authentique.

Le parti communiste autonomiste alsacien (Elsässische Arbeiter und Bauern Partei) des députés strasbourgeois Jean-Pierre Mourer (1897), d'origine lorraine, et Charles Hüber (1883), est le fruit d'une évolution politique plus originale. Ses deux animateurs ont d'incontestables origines prolétariennes — Mourer cheminot, Hüber serrurier. Tous deux ont été élus sous l'étiquette du PCF (SFIC) dans les années vingt. La classe ouvrière strasbourgeoise, largement germanophone, est sensible aux arguments de l'autonomie. Maurice Thorez à plusieurs reprises, et encore en avril 1933, a soutenu ses revendications et même réclamé « l'indépendance absolue et inconditionnée du peuple d'Alsace-Lorraine... le retrait immédiat de tous les corps de troupes d'occupation et de tous les fonctionnaires français d'Alsace-Lorraine [1] ». A cette date, cependant, Mourer et Hüber — ce dernier a commencé sa vie parlementaire par un discours en langue allemande — ont déjà rompu avec le PCF, après que le second eut fait aux élections municipales cause commune avec des autonomistes de droite contre les candidats nationaux, socialistes aussi bien que conservateurs, ce qui lui a permis d'être élu maire de Strasbourg. Chaque jour plus autonomistes que communistes, l'un et l'autre sont prêts à la veille de la guerre à basculer dans le nazisme le plus affiché.

A la périphérie de ces groupements à vocation immédiatement politique, le Bund de Spieser, son château mythique — et restauré —

1. Discours à la Chambre des députés, 3 avril 1933.

de Hüneburg, enfin, à partir de 1937, ses *Strassburger Monatshefte* (Cahiers mensuels de Strasbourg) fournissent au séparatisme l'aliment culturel dont il a besoin. Des films allemands de fiction, d'un esprit de propagande plus ou moins voilé et qui ne sortiront jamais sur les écrans parisiens, sont abondamment diffusés dans les campagnes alsaciennes. Radio-Stuttgart est très écouté. Le voyage plus ou moins clandestin à Nuremberg ou Bueckenburg prend pour le militant séparatiste des airs de pèlerinage. Tout est en place pour la relève.

En Bretagne, c'est également dès 1919 au cri de « *Breiz atao !* » (Bretagne toujours!) — titre huit ans plus tard de la première grande revue séparatiste bretonne — et vers 1925 autour de la croix gammée, vieil emblème celtique, que se rallient les nationalistes de l'Union de la jeunesse bretonne (UYV), disciples de Camille Le Mercier d'Erm (1888), fondateur en 1911 du premier parti national breton. A travers diverses mutations institutionnelles, schismes et fusions (1927 : parti autonomiste breton; 1930 : Jeune Bretagne; 1931 : parti national breton; 1931 : parti nationaliste intégral de Bretagne...), ce jeune séparatisme rassemble déjà dans une même intransigeance divers militants dont les noms s'illustreront dans la collaboration : Francès (François) Debauvais, Raymond Delaporte, Yann Goulet, Célestin Laîné, Olier Mordrel...

Si l'implantation populaire est limitée — la revue *Breiz atao*, à son beau, vers 1928, n'a guère plus de 600 abonnés —, si l'effet politique reste faible — 41 candidats aux élections législatives de 1936 signent pour le « Front breton » —, le bruit est fort, surtout quand il est celui des attentats perpétrés en 1932 par l'aile terroriste du PNB, l'organisation Gwenn ha Du (Blanc et Noir), inspirés par Mordrel, réalisés par Laîné, selon une répartition des tâches que nous retrouverons, exagérée, sous l'occupation.

Dès cette date, la rumeur publique attribue à l'« Allemagne éternelle » une part de responsabilité dans le financement des deux mouvements. Dans les cinq dernières années de l'avant-guerre, le doute n'est plus possible. En 1935, Le Mercier d'Erm publie un ouvrage au sujet étrange, *Bretagne et Germanie*, consacré à « leurs relations historiques, politiques, économiques et militaires », d'où ressort pertinemment leur solidarité foncière « malgré l'interposition d'une puissance hostile, intéressée à les séparer plus encore ». On y exalte « l'alliance allemande... en faveur de l'indépendance bretonne menacée » au xve siècle, on y salue l'arrivée « en libérateurs » des lansquenets allemands d'Anne de Bretagne, en juillet 1487, on y rend hommage à la « bonne grâce » des Prussiens de 1815 et au « bon accueil » des populations bretonnes. En fait, ce texte est paru préalablement en livraison dans une nouvelle revue, dirigée par Mordrel, *Stur* (le Gouvernail) (1934), qui s'est assigné pour but la « recherche d'une manière *totalitaire* [souligné] de résoudre la question bretonne ». L'objectif est de donner au nationalisme celtique des fondements théoriques enfin solides, puisés aux sources ethno-racistes, à travers une meilleure information sur l'ensemble des nationalismes nordiques : parmi les abonnés de cette époque figure un certain Quisling...

La création du parti autonomiste de 1927 aurait été inspirée par l'exemple alsacien; dix ans plus tard, c'est directement l'Allemagne qui sert de référence aux jeunes rédacteurs de *Stur* — ils n'ont pas trente ans de moyenne d'âge. Cette revue relativement luxueuse, au nombre d'abonnés restreint (de 17 en 1934 à 350 en 1939), aurait été distribuée à plusieurs milliers d'exemplaires « gratuits », ce que Mordrel niera énergiquement.

L'existence de contacts vénaux entre les mouvements séparatistes bretons dans leur ensemble et l'Allemagne n'est cependant pas niable. Pendant que de savants celtologues (L. Weisberger, Willys Krogmann et surtout Gerhard von Thevenar, qualifié par Mordrel de « commis voyageur de la révolution ethnique ») se rencontrent à Berlin à partir de janvier 1937 dans le cadre de la Société allemande d'études celtiques, des relations se nouent dans l'ombre, sur des thèmes moins innocents. Les services de Ribbentrop, de Gœbbels, de Rosenberg, voire tout simplement l'Abwehr, sont autant d'interlocuteurs très attentifs. Les séparatistes, de leur côté, saisissent parfois l'occasion d'une manifestation publique de paysans bretons, dorgériste par exemple, pour déployer leurs banderoles — et réclamer outre-Rhin des subsides en proportion avec les foules qu'ils prétendent déplacer...

Pendant l'été 1939, deux caisses de matériel de propagande imprimé à Leipzig sont saisies sur une plage de Jersey. Des affiches y réaffirment l'hérédité de la haine anglaise et proclament la neutralité de la Bretagne dans le conflit à venir entre l'Allemagne et la France. Elles auraient succédé à l'affiche du PNB, à l'automne 1938, « Pas une goutte de sang breton pour les Tchèques! », pour laquelle, entre d'autres textes, Debauvais et Mordrel, directeur et rédacteur en chef de *Breiz atao* devenu l'organe du parti, ont eu maille à partir avec la justice. Selon toute vraisemblance, des armes sont débarquées sur la côte, à l'est de Plestin, par un thonier : c'est l' « Abadenn Casement », en souvenir du militant irlandais collaborateur des Allemands... en 1916.

Le gouvernement français, par une réaction tardive et brutale, donnera aux mouvements les plus notoirement séparatistes la palme du martyre dont ils auront besoin pour la suite. Un décret-loi du 24 mai 1938, qui s'attaque à « quiconque aura entrepris, par quelque moyen que ce soit, de porter atteinte à l'intégrité du territoire », lui permet de dissoudre en 1939 le PNB, les organisations de Spieser et de Bickler, l'Elsaessischer Volksbildungsverein de Roos. A Rennes, sept nationalistes bretons puis Mordrel et Debauvais sont jugés et condamnés — l'avocat des seconds n'hésitant pas à dire : « Je refuse de me battre pour une France gouvernée par des Juifs. » En représailles, Gwenn ha Du renoue avec la politique de l'attentat. Quand la guerre éclate, Mordrel — qui a prophétisé dans le dernier numéro de *Breiz atao* la défaite militaire française et que « la France devra alors, ou se résoudre à faire des concessions et à collaborer avec l'Axe, ou subir à son tour le coup de grâce [1] » — a déjà quitté le territoire français. Avec Debauvais, il passera de la Belgique et des Pays-Bas — d'où le premier rédige le 25 octobre 1939 un manifeste proclamant les Bretons « déliés de tout engagement à l'égard de la France » — à l'Italie et à l'Allemagne — d'où le second diffuse un bulletin de presse, *Ouest-Information*, et une lettre de guerre, *Lizer Brezel*, allant dans le même sens. Ils envisageront même en avril un débarquement clandestin sur les côtes du Léon. Le 7 mai 1940, un tribunal militaire français les condamne à mort par contumace. En Alsace, Karl Roos, lui, a bien été arrêté, peut-être sur la dénonciation d'un membre de son parti, en compagnie de dix-sept personnalités du séparatisme, parmi lesquelles des autonomistes catholiques comme Stürmel et Rossé côtoient les plus radicaux. Roos sera condamné à mort pour espionnage le 29 octobre 1939 à Nancy

1. *Breiz atao*, 27 août 1939.

et fusillé le 7 février 1940. A cette date, environ trois cents militants suspectés de sympathies progermaniques sont internés au camp d'Arches, dans les Vosges.

Les Alsaciens-Lorrains de l'Anschluss...

Au soir de la débâcle française tant souhaitée, le destin des deux principaux séparatismes bifurque. Un même échec les attend, le même isolement relatif au sein de la communauté dont ils prétendent exprimer le vœu profond. Mais les voies vers cette commune solution finale seront sensiblement différentes.

Il est difficile de raisonner en termes nus de « collaboration » à propos de l'Alsace-Lorraine occupée [1]. La métropole ne le comprendra pas toujours, qui intentera de malencontreux procès à des Alsaciens engagés à leur corps défendant dans l'armée allemande, et il s'en faut de beaucoup que les 45 000 internés de la Libération aient toujours été des collaborationnistes actifs. Il n'en reste pas moins cependant que, dès les premiers jours, c'est par rapport à l'intégration forcée au Reich grand-allemand et à la machine totalitaire nazie que les habitants des trois départements auront désormais à prendre parti, et que le parti de la plupart dut bien être, sans adhésion profonde, de consentement formel.

Se fondant sur les déclarations apaisantes de Hitler à l'époque des premières grandes interviews, Vichy a pu conserver quelque temps certaines illusions sur la volonté du Reich de s'attribuer à nouveau l'ancienne terre d'Empire, et la convention d'armistice paraît l'exclure totalement. Sur le terrain, l'Allemagne est beaucoup plus claire. Dès le 26 juin, la préfecture de Metz, bientôt suivie de celles d'Alsace, passe sous le contrôle d'un chargé de mission envoyé par Berlin. Dès le 7 août, l'administration civile allemande se substitue aux autorités militaires d'occupation en Alsace. La Lorraine sera rattachée le 30 novembre à un nouveau gau « Westmark », confié à Joseph Bürckel mais dont la capitale, Sarrebruck, lui est extérieure; l'Alsace est confiée, quant à elle, au gauleiter de Bade, Robert Wagner, né en Alsace de parents allemands, adhérent de la première

1. Par « Alsace-Lorraine », on n'entendra dans ce chapitre que les trois départements retournés à la France en 1918.

heure du parti nazi. Une nouvelle frontière douanière et policière sanctionne cette redistribution. Le 20 septembre Bürckel s'est fait solennellement remettre les clés de Metz par le maire allemand de 1918 : l'interrègne français est clos.

Alors que Berlin réclame le retour dans leur « patrie allemande » des Alsaciens-Lorrains réfugiés en zone sud — 150 000 d'entre eux s'y refuseront —, un certain nombre de notables francophiles, civils et religieux, sont refoulés vers l'ouest sans ménagement. La législation des nouveaux territoires s'aligne progressivement sur celle du Reich, qu'il s'agisse des codes du commerce ou des lois raciales. La germanisation linguistique — par le *Hochdeutsch*, nullement bien entendu le dialecte alsacien —, l'éradication de la culture française sont entreprises avec une énergie féroce, jusqu'à l'absurde. Les statues de Jeanne d'Arc, les cartes postales en langue française, le béret basque (« bonnet à assombrir le cerveau ») figurent parmi les objets tabous.

A l'intégration idéologique, qui nous retiendra ici, sont dévolus deux groupements à vocation totalitaire, de statut sensiblement différent mais dont l'objectif commun reste bien l'association de la majorité de la population à l'appareil national-socialiste. En Lorraine, Bürckel entend brûler les étapes et pousse jusqu'à son point limite la logique autoritaire : tous les Mosellans sont requis d'avoir à signer sous peine d'expulsion une profession de foi solennelle « envers le Führer et le peuple ». Sur 530 000 habitants concernés, 500 000 environ signèrent.

De la « communauté » ainsi créée, 234 groupes locaux furent installés et l'ensemble placé sous l'autorité nominale d'un vieux casseur de pierres, Eugène Foulé. Dans ces proportions, la mesure était sans réelle portée politique et eut plutôt pour résultat de souder la grande majorité de la population dans une même hostilité au régime. Il faudra attendre août 1942 pour que se constitue en Lorraine la première section du parti nazi, deuxième étape, réservée à une petite « élite », de l'intégration à la Bürckel.

En Alsace, l'opération est plus complexe, plus subtile et sans doute plus efficace. Le commissaire allemand à Strasbourg n'est autre que Robert Ernst. Procédant par ordre, il ne met tout d'abord en place — mais ceci dès le mois de juin — qu'un « Service de secours alsacien » (Elsaessische Hilfsdienst), chargé en théorie d'obtenir la libération des prisonniers de guerre au même titre que celle des « martyrs de Nanzig » et des germanophiles du camp d'Arches. En fait, elle couvre déjà de nombreuses opérations de mise en coupe réglée de l'économie alsacienne. Il faudra attendre le 22 mars 1941 pour que soit constitué le Cercle du sacrifice — entendons de ceux qui font sacrifice de leur personne au IIIe Reich —, l'Opferring. Conçu comme le large vivier dans lequel les autorités pourront peu à peu pêcher les responsables des temps nouveaux, *Politischeleiter*, nécessaires au bon fonctionnement de la machine de surveillance et de propagande nazie, l'Opferring reproduit fidèlement l'organigramme du parti nazi (chef de bloc, de cellule, de groupe...) et pourra être effectivement pour les meilleurs de ces nouveaux Allemands l'antichambre du parti, l'étape déterminante vers l'assimilation aux droits du citoyen allemand à part entière. Le premier Orstgruppe (groupe local) du parti avait vu le jour à Strasbourg dès le mois de juillet 1940. C'est en octobre que l'organisation en est étendue à l'ensemble du gau, le 24 mai 1941 que prêtent serment les premières sections d'assaut alsaciennes.

Entre-temps, il est devenu très difficile d'échapper à l'engagement forcé, chaque catégorie sociale étant appelée progressivement à rallier l'organisation paranazie correspondante : les paysans dans la Bauernschaft, les ouvriers, au 1er juillet 1942, dans l'Arbeitfront, les jeunes hommes de dix à dix-huit ans dans la Hitlerjugend, dont des écoles s'ouvrent à Dachstein, en Alsace, et Lichtenberg, en Moselle, les jeunes filles dans la Bund der deutscher Maedel (BDM), qui prend entre autres le contrôle des jardins d'enfants, les femmes dans le National-Sozialistische Frauenwerk (NSF), les anciens combattants dans le N-S Kriegerbund Oberrhein, etc. Dans la ligne du Service de secours, la Ligue N-S pour le bien-être du peuple (NSV) tisse sur l'ensemble de la population le redoutable réseau de sa bienfaisance organisée, en particulier par l'intermédiaire du Secours d'hiver (VHW).

On comprendra que, dans ces conditions, Wagner ait pu se targuer à Colmar, dans son dernier discours-bilan, en date du 26 juin 1944, de chiffres avantageux : 13 367 adhérents au NSF, 51 237 au NSV, 239 400 à l'Arbeitfront... au total environ 650 000 « Alsaciens », soit plus de 63 p. 100 de la population. La proportion est évidemment peu significative. Elle ne l'est guère plus pour ce qui est de l'Opferring (145 647 membres) ni même des « responsables politiques » (74 000, en y incluant ceux du parti proprement dit). Sans doute la conviction pour une petite minorité d'entre eux, en général déjà militants séparatistes ou autonomistes avant-guerre, l'opportunisme, l'octroi d'un laissez-passer ou d'un passe-droit, l'attrait de divers avantages matériels pour un plus grand nombre ont-ils joué un rôle non négligeable, mais la pression a été souvent déterminante, en particulier auprès des fonctionnaires et des employés municipaux, menacés d'une radiation immédiate s'ils n'adhèraient pas aux organisations officielles.

Restent tous ceux qui ont sollicité leur adhésion au parti nazi. Wagner les estime à 30 000 (12 000 à la date du 30 juin 1942), dont 5 000 n'ont pas transité par l'Opferring. La SA alsacienne aurait accueilli 15 611 membres, la SS 2 638. Sans doute ces chiffres officiels englobent de nombreux Allemands fraîchement installés en terre alsacienne; rien ne permet cependant de dire que ces derniers aient été la majorité. Aux inculpés de Nancy, aux germanophiles d'avant-guerre, dont plusieurs n'ont plus eu depuis 1918 d'alsacien que le lieu de naissance, s'ajoutent dès les premiers jours le reliquat des mouvements fascistes « français », tels à Colmar les derniers francistes. Dans un milieu plus intellectuel et plus bourgeois, la filiation protestante, et particulièrement luthérienne, a parfois joué. Dans le prolétariat ouvrier germanophone des grandes villes, la propagande sociale du nazisme a pu porter quelques fruits. Comme partout, le goût du pouvoir, l'intérêt économique et la revanche contre un passé médiocre ont fait le reste. L'autorité allemande elle-même éprouvera à la fin de 1942 le besoin d'épurer les sections alsaciennes du parti de plusieurs centaines d'« opportunistes » divers qui, apparemment, en ternissaient la bonne renommée.

Pour augmenter la proportion des convaincus, le nouveau pouvoir ne lésine pas sur les signes et les rites de la germanité : ouvrages irrédentistes — au premier rang desquels celui du ministre d'État Otto Meissner, né en Alsace de parents allemands, *Elsass und Lothringen, Deutsches Land* (1941) —, prêts à démontrer par l'histoire la nocivité de la présence française dont l'esprit de lucre a conduit au « pillage » des deux provinces, et même tendu au génocide : « Si la guerre avait duré un peu plus longtemps, toute l'Alsace aurait été évacuée, et le pays détruit », dira un journaliste[1]; Adolf Hitler a sauvé la terre d'Empire *in extremis*, concluront d'autres, au premier rang desquels

1. *Strassburger Neueste Nachrichten (Strassburger NN)*, 5 novembre 1942.

les principales figures du procès de Nancy, appelées à multiplier tracts, brochures, affiches et conférences; grandes cérémonies copieusement filmées par la UFA où les Alsaciens-Lorrains de retour au bercail sont fêtés au chant du *Deutschland über Alles* et du *Horst Wessel Lied;* pèlerinages au château de Hüneburg, sur la tombe de Karl Roos; fête du feu (Baldur) au solstice d'été sur les hauteurs des Vosges...

... face aux réalités de l'hégémonie allemande

Cette abondance de manifestations publiques recouvre un doute peu niable sur la profondeur et l'indéfectibilité de cette participation à la communauté germanique. Les plus lucides partisans de l'Allemagne ne peuvent pas ne pas voir que le rattachement ne se fait nullement à l'avantage des Alsaciens, même s'ils sont bons aryens et d'une docilité à toute épreuve.

Les autonomistes réunis autour de Rossé ont dès l'abord dû abandonner tout rêve d'État tampon. Ni le dialecte alsacien ni la structure administrative de 1871 n'ont été restaurés. Leur leader s'est en revanche prêté complaisamment au jeu hitlérien pendant la période d'occupation initiale, celle des transitions à ménager. Dès le 28 juillet 1940, à Colmar, sa première conférence est pour saluer, selon les termes des présentateurs, « les protagonistes de nos droits populaires... rentrés dans leur pays sous la protection de l'armée allemande [1] ». Il a cédé aux éditions Phœnix du parti nazi les deux quotidiens de l'Alsatia, le grand éditeur catholique haut-rhinois. Les autorités allemandes, au premier rang desquelles la nouvelle université de Strasbourg, ne manqueront pas de l'en récompenser de décorations variées. Mais elles prendront aussi bien soin de ne confier à l'ancien député de Colmar quelque fonction politique que ce soit. Pensant le retenir par l'intérêt pécuniaire, elles lui confieront le travail secondaire mais lucratif de liquidation des compagnies d'assurances françaises en Alsace. A ceux qui auraient continué à se bercer d'illusions, Ernst se chargera, à Strasbourg, le 30 janvier 1941, de mettre les points sur les i : l'existence d'une revendication autonomiste « n'était justi-

1. Cité par M.-J. Bopp, *l'Alsace sous l'occupation allemande*, Le Puy, Mappus, 1947, p. 79.

fiée qu'aussi longtemps qu'il n'y avait pas de véritable Reich allemand. Aujourd'hui, avec Adolf Hitler, ce Reich est devenu réalité ». Restée dans son ensemble de sympathie vichyssoise, l'ancienne UPR, et particulièrement en son sein le clergé catholique — « les juifs noirs » de Bürckel — frappé de plein fouet par une persécution antireligieuse qui laisse loin derrière elle le Kulturkampf bismarckien, entretiendra dans les derniers mois de l'occupation un état de fronde larvée qui contribuera à isoler encore un peu plus ceux qui avaient notoirement choisi le camp de l'intégration nationale-socialiste.

A ceux-ci, l'Allemand ne laisse de surcroît que des miettes. Les Alsaciens collaborateurs n'exerceront pas de fonction plus élevée que celle de Kreisleiter (chef d'arrondissement). Encore, sur une douzaine, six seulement sont-ils autochtones, parmi lesquels cinq sont des « martyrs de Nanzig ». Le communiste Jean-Pierre Mourer, devenu Hans Peter Murer, est Kreisleiter de Mulhouse et Sturmbannführer SS. Hermann Bickler a été nommé à Strasbourg. Paul Schall lui succédera quand il partira s'installer à Paris y poursuivre une étonnante carrière de gestapiste associé à l'équipe Bonny-Lafont. « Renatus » Hauss a reçu Haguenau; « Edmund » Nussbaum, Molsheim; « Rudolf » Lang puis « Renatus » Schlegel, Saverne. Un autre communiste alsacien, l'ancien cheminot Murschel, succédera à Guebwiller à l'Allemand Alexander Kraemer.

A l'échelon municipal, si ce sont bien entendu des Alsaciens qui reçoivent et parfois continuent d'exercer les responsabilités édilitaires dans les petites communes, tous les « maires provisoires » (puis définitifs pour une durée de... quinze ans) des grandes villes sont en fait des Allemands, à commencer par celui de Strasbourg, l'inévitable Dr. Ernst. Même Stürmel, ci-devant député du Haut-Rhin, n'a pas reçu de charge plus élevée que celle de deuxième adjoint ayant le ressort des finances à la mairie de Mulhouse.

La proportion est aussi faible dans les diverses organisations satellites du parti, où toute promotion signe beaucoup plus pour l'intéressé une compromission supplémentaire que l'accession à une égalité de pouvoir effective avec ses frères en germanité; ainsi, en milieu rural, pour les *Bauern* (agriculteurs d'honneur) d'arrondissement de l'Union des paysans, souvent recrutés parmi les partisans de Bilger.

Au chapitre de la propagande, si Paul Schall est devenu rédacteur en chef des *Neueste Nachrichten* de Strasbourg et si Charles Hüber a été promu le 2 juillet 1941 orateur officiel du parti, l'éditeur — en même temps que Sturbannführer SS — Friedrich Spieser, qui a reçu 500 000 marks (environ 10 millions de francs de l'époque) pour lancer les Éditions de Hüneburg, est, on l'a vu, l'un des Alsaciens les plus germanisés qui soient. Au-delà de quelques vedettes, la réalité est beaucoup plus sordide encore : le nombre des quotidiens est tombé à quatre puis, après disparition du *Mülhauser Tageblatt* en 1942, à trois pour l'ensemble de l'Alsace, et, au sein de chacune des équipes rédactionnelles, les Alsaciens sont en très nette minorité [1].

Dans l'enseignement primaire et secondaire, les postes de direction ont été confiés à des Allemands. Seuls trois Alsaciens ont été choisis comme proviseurs, avec un pouvoir battu en brèche par la Hitlerjugend et un corps enseignant copieusement « rééduqué », près du lac de Constance pour les instituteurs, à Karlsruhe pour les professeurs. La nouvelle université allemande de Strasbourg n'a confié qu'à un seul Alsacien les fonctions décanales, Ernst Anrich, de la faculté de philosophie, fils de pasteur et lui-même protestant rallié à l'Église officielle du régime en tant que Gottblauerbig. De même, neuf des douze associations d'anciens étudiants ressuscitées par le Reich, et dont on sait l'importance sociale en terre germanique, ont été placées sous la direction d'Allemands de bonne souche.

L'exemple le plus évident de cette discrimination reste celui de l'octroi de la citoyenneté allemande de plein exercice, réservée en fait à une petite minorité de la population. Les *Neueste Nachrichten* ont trouvé une formule définitive pour justifier cette situation, considérée comme toute provisoire : trop d'Alsaciens-Lorrains ont encore à faire « leur Anschluss intérieur [2] ». En vertu de ce principe, n'auront accès à la citoyenneté allemande que les martyrs-de-Nanzig, les membres du parti, les ralliés de première ligne. Dès les premiers temps, un général d'origine alsacienne, Heinrich Scheuch, avait servi de modèle à la propagande allemande. Avec l'évolution de la situation militaire, seront « reconnus comme allemands » les Alsaciens-Lorrains qui en viendront à servir plus ou moins directement la force armée allemande : Service du travail pour les jeunes des deux sexes

1. En Lorraine « française », *l'Écho de Nancy* est de la même façon entièrement placé entre les mains de journalistes allemands (provisoirement?) francophones, ayant sous leurs ordres d'anciens collaborateurs des quotidiens locaux.
2. *Strassburger NN*, 6 juin 1942.

de dix-sept à vingt-cinq ans, le 8 mai 1941; NSKK (11 360 engagés d'après le rapport Wagner); NSFK (1 778); Wehrmacht; Waffen SS... Même dans ces conditions, les intéressés devront faire l'objet d'un tri *a posteriori*. Viendra un jour — le 25 août 1942 — où l'intégration dans la Wehrmacht et dans la Waffen SS sera devenue une obligation pour tous les Alsaciens mâles des classes 1940 à 1944, puis, par extensions successives, fin 1944 pour les vingt et une classes s'étendant de 1927 à 1947. 160 000 Alsaciens-Lorrains seront ainsi enrôlés de force. 47 000 ne reviendront pas.

Le sacrifice des « malgré nous » achèvera de faire de cette courte période, où les collaborateurs alsaciens avaient cru triompher, le sujet tabou de l'histoire de cette région. L'étude, aujourd'hui encore, n'en est pas facile. L'exemplarité, surtout, en reste très limitée.

L'heure bretonne?

On ne peut en dire autant de la collaboration bretonne, dont on a vu plus haut l'engagement lui aussi sans équivoque au cœur même du conflit international. Moins caricaturalement minoritaires que leurs *alter ego* corses, flamands ou nord-africains, les tenants du séparatisme celtique n'ont pas non plus, symétriquement, réussi à entraîner, de gré ou de force, dans leur équipée la majorité des composantes sociales de leur pays. Dès le mois de juillet 1940, leur échec est patent. Mais c'est précisément la variété des réponses apportées, au long des quatre années qui suivirent, à cette interpellation brutale qui permet de mieux approcher les structures et les contradictions de tous les séparatismes proallemands.

En même temps qu'il aura été le moment des grandes désillusions, l'an 1940 des nationalistes bretons aura vu leur notable perte de crédibilité auprès d'un occupant trompé par ses informateurs zélés sur l'ampleur réelle du sentiment séparatiste. Trop nourri d'une francité toute parisienne pour être accessible aux arguments des minorités, se souvenant, comme beaucoup d'autres Allemands, du soutien malheureux des Français à l'autonomisme rhénan, l'« expert » Abetz s'était dès l'abord montré très réservé à l'égard de tout soutien délibéré à une opération qui ne pouvait que lui aliéner le pouvoir central français, quelle qu'en fût l'idéologie. Cet avis, partagé par Ribbentrop, s'était heurté aux représentations de Gœring, que son hostilité à l'égard de la France conduisit à soutenir le projet d'un « État breton » au cours d'un entretien, le 19 juin, avec Hitler. Tant que ce dernier n'aurait pas fait clairement choix d'une politique de provisoire *statu quo*, les extrémistes bretons pourraient s'illusionner sur la réalité de leur audience du côté allemand. Du côté de leurs compatriotes, en revanche, l'illusion avait été de courte durée.

Quand Debauvais puis Mordrel rentrent dans les fourgons des occupants, la situation leur paraît mûre pour une sécession unilatérale, violente et absolue. Leur fantomatique « gouvernement breton » de Berlin (Bretonische Regierung) leur avait en quelque sorte permis de se faire la main. Quelques-uns de leurs partisans avaient même envisagé la proclamation de l'indépendance en place de Rennes, le 18 juin, pendant le court interrègne séparant le départ des armées françaises et l'arrivée des allemandes. Premier signe inquiétant : ils se trouvèrent trop peu nombreux pour l'entreprendre. Ce n'est cependant pour eux que partie remise; pendant plus de trois mois, les séparatistes donneront à leurs commensaux le spectacle d'activistes sûrs d'eux réunis dans une même fatalité quelques heures avant le jour J. Le 3 juillet s'installe à Pontivy, cœur géographique de la péninsule, le Conseil national breton, dont le comité exécutif est présidé par Debauvais; le 14 — après le lieu symbolique, la date — est distribué, gratuitement, le premier numéro de l'hebdomadaire du Conseil, *l'Heure bretonne*, dont le titre est déjà à lui seul un acte de foi. Le 20 octobre, Mordrel est placé à la tête du PNB reconstitué.

A trente-neuf ans, c'est son apogée. Ce fils de général, qui se donne des airs de Junker, cet architecte quimpérois qui se veut le Rosenberg de la révolution bretonne, cet intellectuel d'acier contraste avec le président du CNB, fils de jardinier, militant plus opiniâtre que brillant, desservi par un physique malingre et déjà touché par la maladie qui aura raison de lui avant la fin de la guerre. L'un et l'autre, à leur façon lutteurs obstinés, paraissent très complémentaires. Ils mènent de concert, de la tribune de leur hebdomadaire, une campagne violente et assurée contre le « débile gouvernement de Vichy » et même la politique de Montoire, non certes dans son principe mais bien au contraire parce que Hitler s'y est, à leur avis, trompé d'interlocuteur : le peuple français, intoxiqué, abâtardi, « n'a pas le cœur à une collaboration » : si Hitler doit tendre sa main, qu'il le fasse donc aux « éléments neufs et honnêtes » tels que l'ethnie bretonne...

Doté des hommes et des institutions essentielles, le nationalisme breton est-il donc, après un faux départ, sur le point de l'emporter?

En fait, chacune de ces étapes est déjà minée, chaque victoire nationaliste faussée. Tout s'est noué au mois de juin, lors de la grande série de visites Debauvais-Mordrel, inaugurée avant même l'armistice, aux prisonniers bretons des camps allemands de Luckenwalde, Neu Brandeburg, Hoyerswerda... L'objet est de proposer statut préférentiel et libération anticipée à ceux qui accepteront de faire acte de ralliement à la nouvelle communauté bretonne en gestation. L'échec sera cuisant. Il est des camps où pas un seul des intéressés, plusieurs milliers, n'accepte le marché. Si l'on excepte ceux que leur passé de militants fera libérer d'office, on ne compte qu'à peine deux centaines de prisonniers pour avoir franchi le pas; certains autonomistes, scandalisés, s'y refuseront.

Arguant de cette première déconvenue et de l'évolution de la situation politique nationale, Ribbentrop réussit le 11 juillet à obtenir de l'Abwehr qu'elle limite son soutien aux séparatistes. Le poste de gouverneur (militaire allemand) de Bretagne, étendu aux cinq départements traditionnels, sitôt créé (gouverneur Weyer), est supprimé. Quelque temps encore et une enquête menée par un certain von Delvig, sous couvert de recherches folkloriques, confirmera à Berlin la faible popularité du mouvement. A Pontivy, Debauvais a dû renoncer à la proclamation d'indépendance qu'il envisageait, et qu'annoncera même l'agence de presse DNB, mal informée des derniers rebondissements. Il devra se contenter d'affirmer que le CNB « agira à l'heure choisie par lui pour doter la Bretagne d'un État national [1] ». Cette formule, qui peut rappeler à certains les sempiternelles heures H du colonel de La Rocque, signe l'échec du séparatisme. « L'Assemblée bretonne » promise pour le mois d'août ne verra jamais le jour. Vichy et l'épiscopat condamneront solennellement le Conseil. Les crieurs de *l'Heure bretonne* sont agressés dans les rues; le 24 juillet, des habitants de Pontivy, excédés, saccageront le château de Rohan où l'activiste Laîné cherchait à installer son quartier général.

Le 2 décembre, Mordrel est démissionné par un grand conseil PNB réuni exceptionnellement, et significativement, à Paris. Le chef déchu est même conduit sous bonne escorte outre-Rhin. Avec lui

1. *L'Heure bretonne*, premier numéro.

se retire une petite troupe d'ultras, parmi lesquels Yves Favreul-Ronarc'h, chef départemental de la Loire-Inférieure. Évoquant un an plus tard les espoirs de l'été 1940, Delaporte, successeur de Mordrel, ne parlera plus que du « feu de paille de juillet ». Renvoyant à plus tard l'Heure bretonne, le PNB entre dans une période de stabilisation grisâtre.

Un parti pour l'État breton

Il est difficile de quantifier l'audience réelle de ce parti, qui cite peu de chiffres et ne semble donc pas avoir eu à s'en vanter particulièrement. Son hebdomadaire qui, après avoir usé quatre rédacteurs en chef en moins d'un an (Morvan Lebesque, Jean Merrien, Yves Delaporte, Joseph Jaffré), a, lui aussi, trouvé une certaine stabilité, aurait tiré, au dire de Mordrel, à 23 000 exemplaires en juillet 1940 et à près de 50 000 le mois suivant, ce qui semble excessif. D'autres témoignages avancent avec moins d'invraisemblance un tirage de 25 000 pour la période ultérieure. *Notre lutte*, brochure de présentation du parti, aurait de son côté dépassé, à la date de juin 1943, les 30 000 exemplaires vendus. Les chiffres, récemment connus, des adhérents du Morbihan paraissent assez élevés, comparés à ceux qu'atteignent, dans les départements les plus favorables, des organisations de la taille du PPF ou du RNP : 600, peut-être, à l'été 1942, sur 750 adhésions connues dans l'ensemble des mouvements collaborationnistes; 555 en 1943, sur 767. Il est même possible que la réalité ait été au-dessus de ce total, établi à la Libération.

La répartition géographique, en termes relatifs, est plus facile à connaître [1]. Alors que le PNB de 1940 semble surtout dépendre du rayonnement d'un petit nombre de personnalités — autour de Saint-Malo, Merdrignac, Tréguier, Lorient —, le parti delaportien du début de 1943 a sensiblement progressé dans sa régionalisation. Certains contrastes apparaissent encore cependant : c'est un mouvement plus occidental que gallo — la Loire-Inférieure est particulièrement peu touchée — et légèrement plus central que côtier, malgré une forte présence dans le Morbihan maritime et le Trégor. Zones rurales (Châteaulin, Le Huelgoat, Josselin, Montfort...) et zones urbaines

1. *Triskell*, décembre 1943, p. 4 et 5.

(Lorient, Vannes, Rennes, Saint-Malo...) semblent, en revanche, s'équilibrer. Le recrutement social ne semble ni particulièrement jeune ni particulièrement prolétarien. D'après un observateur critique, le parti aurait recruté « pour la plupart des paysans aisés et des petits-bourgeois : notaires, médecins de campagne ou employés et artisans [1] ». Ces indications qualitatives sont confirmées par les proportions connues du Morbihan : en tête, 28 p. 100 de retraités et rentiers, suivis des agriculteurs exploitants (22 p. 100) et des artisans (13 p. 100); au contraire, très peu d'ouvriers, aucun fonctionnaire, aucun cadre. C'est une Bretagne traditionnelle, plutôt en déclin, qui fournit les gros contingents du PNB, une Bretagne rurale et notable, liée à la petite production privée. Il ne semble pas que, dans son ensemble, elle ait été d'un militantisme très affirmé.

Le parti n'est cependant qu'un des avatars d'une sensibilité plus diffuse, impatiente du joug d'une organisation trop rigide ou trop vaste et qu'un éphémère Front breton échouera à structurer en janvier 1943. Le PNB doit en effet tenir compte de l'essor, à partir de 1941, d'un régionalisme de fidélité vichyssoise que symbolise assez bien le directeur du nouveau quotidien rennais, *la Bretagne* (mars 1941), Yann Fouéré, soutenu par les provincialistes traditionnels du marquis de l'Estourbillon. La concurrence est d'autant plus forte que plusieurs initiatives de Vichy paraissent, dans un premier temps, faire évoluer la situation avec plus d'efficacité que les foucades verbales du PNB : les associations culturelles sont encouragées, les périodiques bretonnants se multiplient, des émissions en breton apparaissent sur les ondes, un Institut celtique est créé le 25 octobre 1941, sous un préfet régional sympathisant un Conseil consultatif de la Bretagne entre en fonction. *La Bretagne* revendique à son apogée plus de 100 000 « lecteurs » et s'assure même, avec Joseph Martray, le contrôle de *la Dépêche* de Brest. A l'image des équivoques vichyssoises, l'équipe de Fouéré, heureuse de voir céder « les entraves traditionnelles », « libre » en un mot [2], sait donner des gages à l'occupant, qui en contrôle étroitement la production, au besoin par l'intermédiaire de celtologues allemands réputés. Comme la régionalisation

1. J.-Y. Keraudren, *A contre-courant*, Paris, Éd. du Scorpion, p. 66.
2. Y. Fouéré, *La Bretagne écartelée*, Paris, Nouvelles Éditions latines, 1961, p. 74.

entreprise par Vichy s'avère bientôt des plus timides, l'équivoque s'accroîtra encore des récriminations grandissantes de ces modérés, bientôt écartelés entre un attentisme morose et un ralliement insensible aux thèses d'un PNB qui, sous la direction un peu molle de Delaporte (1907), a accepté quelques aménagements tactiques, même s'il se prétend toujours, avec orgueil, « seul parti sur le territoire de l'État français [à] être une ébauche déjà très poussée de parti d'État ».

Debauvais une fois relégué dans ses fonctions de plus en plus honorifiques de président du CNB, le chef du mouvement est en effet ce jeune avocat de Châteaulin, choisi pour son image relativement modérée. Un temps lié à l'extrémisme de Gwenn ha Du, et même ancien secrétaire général de PNB, Delaporte a abandonné tout militantisme politique depuis plus de cinq ans. Président depuis 1938 du Bleun Brug, vieille association culturelle catholique de l'abbé Jean-Marie Perrot, il entretient d'excellentes relations avec le clergé. « Bourgeois renté du Finistère » (Keraudren), il n'est pas pour autant le féal de Vichy que les ultras veulent d'abord voir en lui. Certes, contrairement à l'époque Mordrel, à celle des « hyènes puantes » de Vichy [1], la séparation immédiate n'est plus mise en avant. Delaporte ne refuse pas *a priori* le dialogue avec l'État français; après le débarquement en Afrique du Nord, un accord est même déclaré « possible dans le cadre d'une France qui aurait renoncé au jacobinisme politique [2] ». Mais son option collaborationniste, elle, ne fait l'objet d'aucune restriction. On peut même dire qu'elle s'affirme avec une clarté plus grande qu'à l'époque des grandes envolées mordréliennes, et sans nul doute au plus grand contentement de l'occupant.

Écho des chroniques les plus antivichyssoises de la presse parisienne, *l'Heure bretonne* marque comme elle d'une pierre noire le 13 décembre, d'une pierre blanche la croisade antibolchevique : « Si un gouvernement breton avait existé à Rennes, il eût été dès le premier jour aux côtés des défenseurs de l'Idéal nouveau [3]. » Elle fait d'une Europe sous hégémonie allemande la condition de l'épanouissement futur, au-delà de la péninsule, de la fédération celtique avec le rassemblement germanique, le rassemblement asiatique, la résurrection des Indes [4]...

1. *L'Heure bretonne*, 23 novembre 1940.
2. *Ibid.*, 14 novembre 1942. — 3. *Ibid.*, 5 juillet 1941.
4. Jos Jaffré, *ibid.*, 26 septembre 1942.

Nulle part cette bretonnisation des thèmes parisiens n'est peut-être plus sensible que dans la fortune toute nouvelle d'un véritable racisme celte, qui va bien au-delà de l'inévitable xénophobie du mouvement séparatiste, si visiblement destinée à lutter contre le complexe d'infériorité dont est censé souffrir le peuple exalté [1]. Avec le temps, le PNB se lance dans la chasse au fonctionnaire méridional et bientôt, plus largement, au « moco » (étranger à la Bretagne), organisant même en septembre 1942 un « grand concours du moco » dont le vainqueur doit fournir la plus longue liste de fonctionnaires ou notables étrangers à la péninsule. Comme dans les Flandres, la culture gréco-latine est clouée de multiples façons au pilori, de la Renaissance à *la Marseillaise*. Au bout du mouvement apparaîtront un jour les premières propositions de lois raciales, prohibant tout mariage entre Breton et non-nordique, puisque aussi bien « nous ne pouvons adopter l'idée de l'unité raciale des Bretons, des Toulousains, des Berbères et des Congolais [2] ». Dans les derniers temps, ces quelques convictions racistes élémentaires constitueront le principal ciment culturel des jusqu'au-boutistes, par-delà une division de plus en plus formelle entre fidèles d'un catholicisme des plus traditionnels — au programme PNB de juillet 1940 figure le rétablissement de l'Église dans son statut d'avant la séparation — et néo-païens frottés de folklore druidique.

Sortis de ces thèmes communs mais du moins colorés de nuances locales, l'idéologie du PNB ne fait guère que refléter les incertitudes parisiennes, par-delà les slogans en vogue : autorité de l'État, économie dirigée, « socialisme national [3] ». Le militant moyen reste assez éloigné de ce vocabulaire manipulé avec maladresse ou sans grande conviction, entre les naïvetés technocratiques du Plan agricole de décembre 1940 (« les savants ont résolu complètement le problème agricole ») et l'exaltation de la libre entreprise, le refus de toute nationalisation exprimés par la Charte des travailleurs bretons, un an plus tard. Le travail de formation politique des sections spécialisées du parti, en particulier pour l'économie, à partir de mai 1942, celui

1. Exemple : « La Bretagne est le jardin et le grenier de l'Occident... Ce sont les ouvriers bretons qui ont construit les navires les plus rapides du monde. » *L'Heure bretonne*, 27 octobre 1940.
2. *Ibid.*, 21 et 28 juin 1941.
3. *Ibid.*, 14 septembre 1942.

de la KEVAR (Jean-Marie Kerwarc'hez), favorable à l'idée d'un Plan national breton, restera sans grand écho.

Comme pour le RNP ou le PPF, les facteurs d'homogénéisation sont ailleurs : vocabulaire totalitaire, particulièrement cultivé par la littérature interne au parti (mensuel *Triskell*, *Cahier du militant*), rites fédérateurs aux airs martiaux (chants de marche allemands, *Horst-Wessel Lied* au premier rang), et jusqu'à l'ébauche, sans conviction, d'un culte du chef autour du fragile Delaporte, par trop peu charismatique. A l'instar du dorgérisme breton d'avant-guerre, c'est au sein des organisations de jeunesse du parti que se concrétisent les signes les plus visibles de la fascisation : chemises grises du crieur de *l'Heure bretonne*, chemises noires et bottes de cuir des strolladou puis Bagadou Stourm (groupements de combat) confiés au fougueux Yann Goulet, également signalé à ses contemporains par ses talents de sculpteur « celtique » et d'agitateur radical, arrêté jadis par la police française en plein concours de Rome. A leur apogée, au début de 1943, ces SS bretons n'ont jamais dû dépasser les trois cents à quatre cents adhérents. Mais leur uniforme, leur drapeau — blanc à croix noire centrée d'un triskell —, leurs rites initiatiques en forêt de Quenecan, leurs manœuvres de Rochefort-en-Terre, leurs camps de plein air à Bon-Repos mettent en valeur ce petit groupe de « chevaliers » (Goulet) qui vont jusqu'à affronter la police vichyssoise, à Landivisiau, en août 1943, ou à piller une perception « française » pour renflouer les caisses du parti...

Opérations cependant moins de provocation réfléchie que d'excitation belliqueuse, et qui n'iront jamais de la part de Goulet, encore volontaire des corps francs en 1939, jusqu'à l'engagement militaire aux côtés des Allemands. Laîné, au contraire, bien qu'officier de réserve de l'armée française, n'a pas tant de scrupules. Cet ingénieur centralien du Léon a vécu les années trente dans une sorte de semi-clandestinité, entre le grand jeu scout et une version bretonne de la Cagoule, entre manœuvres « secrètes » des monts d'Arrée et obscur Sillon de Combat. 1940 donne à ce Deloncle breton l'opportunité de réaliser sans trop d'entraves son rêve de *condottiere* antifrançais et néo-païen : le Service spécial, chaque jour plus autonome par rapport au PNB, jusqu'à la rupture de 1943, qui lui permettra, on le verra, de combattre enfin à visage découvert l'ennemi héréditaire de la Bretagne, fût-il, ce qui sera le cas le plus fréquent, un maquisard breton.

La quête du graal national-socialiste

Ces tiraillements institutionnels, ces initiatives disparates contrastent avec la dureté tout intellectuelle du petit bloc théorique constitué dans le même temps par les tenants du national-socialisme panceltique. Nous ne voulons pas parler ici des quelques tentatives sans lendemain qui transcrirent sans plus attendre les leçons nazies en termes de groupuscule. Favreul-Ronarc'h, avec sa Section bretonne du parti national-socialiste, ou Brezona (Nantes, 1941), est tout de suite très isolé. Théo Jeusset (1912), Rennais élevé dans un milieu populaire « chouan », est à l'échelle de la Bretagne l'un de ces nombreux petits chefs qui voudraient bien exciper d'une destinée à la Adolf Hitler, qu'il affirme avoir découvert bien avant 1933. Peintre décorateur, trop souvent chômeur, régionaliste autodidacte, il avait lancé en 1931 un parti nationaliste intégral de Bretagne, présenté comme la version prolétarienne du PNB. Son Groupe ouvrier social-national breton de 1941 mixte des slogans Front populaire et d'acerbes critiques contre la bourgeoisie bretonne à une propagande ultra-collaborationniste sommée d'un drapeau décalque où seule l'hermine noire remplace la svastika, tout cela sans grand succès. Son animateur n'aura bientôt plus d'autre issue que de rentrer dans le giron de l'armée allemande... comme peintre en lettres.

Face à ces esquisses inabouties strictement partisanes, la nouvelle manière de Debauvais (bulletin *Stourm*) et surtout de Mordrel (revue *Stur*, deuxième série, 1942-1943) entend se situer sur le plan d'une doctrine à armature « scientifique », seule échappée à l'inaction pratique à laquelle l'Allemand lui-même a contraint les deux hommes. Les dernières prudences du premier *Stur* sont balayées d'un sigle, où le S rouge du titre figure les runes de la SS. La revue publie Machiavel et Spengler, fait l'éloge du Balte von Thevenar ou de Jünger, « pur Germain vierge d'influence latine et catholique [1] », et reprend, dans le style aigu de Mordrel, la critique féroce d'une France qui « n'a plus la nostalgie de sa grandeur, mais celle de ses indigestions [2] ». « Le gaullisme et la youtrerie » règnent jusqu'à Vichy et le fascisme italien lui-même, « phénomène typiquement latin », n'a rien à appren-

1. *Stur*, nº 3-4, p. 27.
2. O. Mordrel, *Stur*, nº 1-2, mai-juin 1942, p. 10.

dre au « barbare païen celto-germain » : le national-socialisme, lui, est d'authentique essence nordique. On reprochera même à Rebatet d'être par trop « détaché physiquement de l'*espèce* [1] », trop français en un mot. On lui préférera le dernier Céline, plus lyrique, plus naturel, incontestablement celte.

Adepte du sang, Mordrel ne fait plus la critique du « mythe de l'hexagone » pour lui substituer une Bretagne-nation mais la théorie d'un ethno-racisme horizontal, hiérarchisé, où la notion d'espace vital elle-même se volatilise dans des espaces plus vastes encore, où l'Europe germanique dialogue avec une Australasie inéluctablement nippone. Statut de la Bretagne, projet de Constitution : utopies. Or « l'utopie s'achève dans les flammes, le mythe ne meurt pas [2] ». C'est donc à l'édification d'une mythologie que travaille *Stur* : « l'idée de la liberté de la Bretagne [doit] avoir la pureté et la violence du mythe », ce Feu barbare [3] qui est la seule vraie richesse de la Celtie...

Ce « socialisme populaire et hiérarchisé » qui doit mobiliser l'ordre sturien en gestation suscite apparemment moins d'intérêt qu'avant la guerre. Tirant en 1942 à 1 500 exemplaires, la revue n'atteindra qu'à l'automne les 250 abonnés déclarés de 1938 (10 p. 100 d'entre eux seraient membres de la LVF) et, moins d'un an plus tard, elle cessera de paraître. Son administrateur, Yann Bricler, industriel quimpérois, vient d'être abattu, le 4 septembre, par la Résistance. Dans trois mois, le 12 décembre, ce sera le tour de l'abbé Perrot, autonomiste incontestable mais de stricte orthodoxie vichyssoise. Le temps, en Bretagne comme ailleurs, n'est plus aux débats doctrinaux; la collaboration bretonne franchit elle aussi le cercle des réprouvés.

Le mouvement final est très comparable à celui des organisations nationales. Alors que le régionalisme maréchalien s'éteint irrésistiblement avec le pouvoir de celui dont il se réclame, le PNB de Delaporte, vidé peu à peu de ses militants les plus actifs par la démission ou l'exclusion, est virtuellement en sommeil à l'orée de l'année 1944. Laîné mobilise dès lors l'attention et tente, à l'échelle des enjeux du séparatisme breton, de se faire confirmer comme Darnand par

1. *Stur*, nº 5, automne 1942, p. 70.
2. A. Le Banner, *Stur*, nº 6, été 1943, p. 27.
3. O. Mordrel, *Stur*, nº 1, p. 9. « Ce Feu barbare est l'authentique richesse de la Bretagne. C'est lui qui donne à certains yeux bretons, comme à certains yeux allemands, un regard qui va au-delà des choses définissables. »

une légitimité civile sa prépondérance armée. Il s'assure en janvier 1944 le delphinat de Debauvais, agonisant à Colmar et dont le testament politique appelle à « revenir à 40 » : « Nous combattons aux côtés de l'Allemagne parce qu'elle défend des valeurs de civilisation qui sont les nôtres contre la liquéfaction individualiste et le matérialisme communiste ou anglo-saxon [1]. » En mars, un nouveau PNB est mis sur pied, avec Laîné et Marcel Guieysse, fils de ministre, ancien sous-préfet lui-même, assorti d'un nouveau *Breiz atao*, malgré les autorités allemandes, qui préféreraient une réconciliation. Cette atmosphère de théâtre d'ombres, où le sang seul est vrai, ne serait pas complète si l'on ne terminait pas en signalant que, sur le territoire allemand même, les divisions personnelles continueront de jouer, Laîné contestant encore en avril 1945 l'autorité, pourtant toute formelle, confiée *in extremis* par Doriot à Mordrel, comme « chef des révolutionnaires bretons », en s'attachant à reconstituer un quatrième PNB, cette fois clandestin... à Paris, par le parachutage d'une équipe de jeunes saboteurs qui sera promptement réduite à néant.

La faillite de tous les séparatismes collaborateurs, à l'image de ces dernières agitations douteuses, n'est donc nullement celle de calculateurs ayant joué la mauvaise carte, entre deux alliances possibles. Elle a tenu à leur incapacité à s'affirmer en tant qu'interlocuteur politique représentatif aux yeux d'un occupant d'abord soucieux de rapports de forces, dans la perspective d'une lutte sur un front anglo-saxon où la Flandre, la Bretagne, la Corse et l'Afrique du Nord pouvaient être appelées à jouer un rôle appréciable. Mais cette considération n'excluait pas l'idéologie, fût-elle précisément une idéologie de la force. En posant initialement le problème en termes de nationalités, de telle sorte que les ajouts économiques et culturels n'en remissent jamais le cadre en cause, les séparatismes collaborateurs portaient à leurs dépens un diagnostic inexact sur la nature du conflit. Dans la mesure où cette faillite est en quelque sorte redoublée par le discrédit jeté pour de longues années sur tous les mouvements nationalitaires de l'ensemble français, cette apocalypse en théâtre d'ombres est un peu comme la préfiguration, soulignée en traits épais, de ce qui fut le destin final de toute la collaboration.

1. Publié dans *Breiz atao* de mars 1944.

10

Voir la figure

Les intellectuels de l'Europe nouvelle

Mais j'ai un porte-plume.
LUCIEN REBATET*

Faute d'exercer pleinement le pouvoir d'État, la collaboration use, on l'a vu, et surabondamment, de celui du verbe. Par ce temps où se raréfient les médias, il n'est pas un groupuscule qui n'ait son organe de presse ou ne veuille obtenir son quart d'heure radiophonique, pas un publiciste de quelque réputation qui, pour peu qu'il ait donné les gages suffisants, ne reçoive de l'occupant les moyens techniques et financiers de se faire entendre. A côté des professionnels de toute presse qui ont déjà retenu notre attention et dont le réseau constitue en dernière instance l'armature essentielle de la mise en condition idéologique, il existe une catégorie d'hommes de la parole, quantitativement plus restreinte mais mieux connue du public, dont la manipulation, généralement plus délicate, peut s'avérer beaucoup plus efficace. Le cadre intellectuel dans lequel ils veulent situer leur intervention est en effet directement celui de cette culture occidentale dont l'Allemagne affirme à qui veut l'entendre qu'elle est l'enjeu final du grand conflit.

Nous parlons ici de cette intelligentsia qui, bon ou mal an, donne le ton à l'opinion dite cultivée, ce monde des lettres au sens large, qui ne se limite pas au couple éditeur-écrivain mais englobe aussi, structurellement, la revue à statut culturel ou les chroniques qui en sont l'image réduite dans les organes de presse consommés par cette même opinion, les plumitifs établis aussi bien que les rhéteurs de la

* Dépêche Inter-France, 25 juin 1941.

périphérie. Moins donc la création littéraire en elle-même que le discours que selon les cas on lui superpose ou juxtapose, ou qu'on lui fait tenir.

Ce que parler veut dire

Au fur et à mesure que la vie culturelle française retrouve sa vitesse de croisière et que les moyens d'information restaurent pour l'essentiel leurs champs d'expansion coutumiers, la rubrique ou la chronique culturelle ont repris droit de cité dans la presse, écrite ou radiodiffusée. Nombreux sont ceux qui, sincèrement ou non, ont accepté de prêter leur concours à de telles institutions, en considérant qu'ils n'étaient pas, en conscience, solidairement liés à ce qui pouvait s'écrire en éditorial de première page. D'autres, au contraire, n'ont jamais cru à une quelconque dichotomie entre un engagement, généralement violent, et l'exercice d'un magistère désormais dépourvu de toute innocence. La puissance de l'événement, les contraintes du groupe ménageront en fait de subtils passages de l'un à l'autre. Avec le temps, bien peu seront ceux qui, persistant à dire périodiquement leur mot sur les activités artistiques ou intellectuelles, n'auront pas donné, à quelque degré que ce soit, des gages explicites au nouvel esprit « européen ».

Parmi ceux dont le passé militant ne prête à aucune équivoque, un Brasillach, par exemple, continue à mener de front leader politique et critique littéraire, et l'on a déjà vu qu'Alain Laubreaux, au-delà de sa chronique théâtrale, avait su être, pendant la guerre, le véritable animateur de *Je suis partout*. Quand, sous l'occupation, il entreprend de publier un livre, ce n'est pas un recueil de critiques dramatiques, mais des carnets de guerre, violemment polémiques. A vrai dire, ce sont bientôt ses critiques dramatiques qui se mettront à ressembler à des carnets de guerre. Un Jean-Pierre Maxence (1906), chroniqueur littéraire d'*Aujourd'hui*, collaborateur de *la Gerbe* et de la *NRF* de Drieu, ne se distingue guère des hommes de *Je suis partout*, si ce n'est par le mépris tout personnel dans lequel le tiennent ces derniers. Frère du romancier Robert Francis, Maxence mènera toujours de pair carrière littéraire et militantisme politique. Bien avant que certains ubiquistes ne s'engagent dans le PPF d'avant-guerre, on le trouvait déjà délégué à la propagande de la Solidarité française de

Jean Renaud et de François Coty. Son principal titre à la renommée dans la société collaborationniste est d'ailleurs lui aussi antérieur à l'occupation, puisqu'il s'agit, avec *Histoire de dix ans* (1938), d'une sorte de première version de *Notre avant-guerre*, portant sur un milieu d'extrême droite sensiblement distinct de celui de Brasillach.

La même prédominance des préoccupations politiques se retrouve chez les chroniqueurs des journaux de parti ou d'organisation, obscurs ou accaparés par des responsabilités beaucoup plus absorbantes (Albertini à l'*Atelier*, Poulain au *Cri du peuple*...), mais si la réputation d'homme de lettres d'un Gonzague Truc ou d'un Camille Mauclair leur donne certains droits à prendre quelque distance avec l'événement, leurs convictions d'extrême droite sont assez violentes pour qu'il n'en soit rien. Le premier, critique littéraire écouté des milieux maurrassiens, est un des piliers de *la Gerbe*. Le second, auteur d'innombrables ouvrages du style *Ardente Sicile* ou *Apre et Splendide Espagne*, s'est illustré dans les années vingt par sa dénonciation des mercantis de la peinture, devenue insensiblement dans les années trente celle des *Métèques contre l'art français*. Sa vieille obsession selon laquelle la culture française est l'objet, depuis le cubisme, d'une évidente tentative de bolchevisation se retrouve sous l'occupation dans de multiples articles et dans sa brochure *la Crise de l'art moderne*, qui paraît en 1944 aux Éditions du Centre d'études antibolcheviques.

Les jeunes générations, enclines à assimiler la violence du ton à l'impertinence qui convient aux aristarques, s'attachent de leur côté plutôt à confirmer une octave au-dessus les enthousiasmes ou les refus de leurs aînés qu'à leur opposer d'autres valeurs. Des journalistes pleins d'avenir, parfois sous d'autres noms, y font leurs premières armes, un Michel Audiard *(l'Appel)*, un François-Charles Bauer (1919), futur François Chalais *(Je suis partout*, *Combats)*, un André Castelot[1] *(la Gerbe)*, un Robert J. Courtine (*le Réveil du peuple*, *la France au travail*, *Au pilori*, *le Bulletin d'information antimaçonnique)*, un Albert Simonin, etc.

Dans les domaines où, d'ordinaire, la dimension idéologique est moins évidente, les « experts » se laissent tout autant que les autres aller à tel ou tel article complaisant sur « l'architecture nationale-

1. Qui demande, par exemple, le 8 juin 1944, qu'on interdise *Huis clos* de Sartre, « non pour médiocrité mais pour laideur néfaste », et qu'on institue un vrai Conseil de l'Ordre des auteurs dramatiques.

socialiste » ou « l'œuvre allemande de renaissance du folklore », parfois suscité par un voyage soigneusement organisé outre-Rhin. Les fonctions de chroniqueur musical de Sordet ou de Rebatet ne les empêchèrent nullement de s'engager avec la virulence que l'on sait. Plus modestement, une pianiste comme Lucienne Delforge, collaboratrice de plusieurs périodiques comme *la France socialiste* ou *Notre combat*, n'hésite pas, tout en prônant un retour à une musique enfin « authentiquement française », à consacrer ses confidences à « la Russie sans musicien » ou aux étoiles nouvelles de la musique allemande régénérée. « Comme femme, comme mère, comme artiste », elle sera à l'instar de tous les autres mobilisée pour la campagne de presse déchaînée contre les bombardements alliés. Quelques vieux wagnériens français, parfois survivants des luttes musicales du XIXe siècle, se laisseront séduire par de trop faciles rapprochements. Édouard Dujardin (1861), fondateur de la célèbre *Revue wagnérienne* de 1885, peut s'enorgueillir d'avoir été présent à Bayreuth dès 1882. Il y retourne encore en 1943 et, parmi les éloges qu'il adresse dans les *Cahiers franco-allemands* [1] au festival, glisse un appel à une « confédération européenne » à la Houston Chamberlain, dont le wagnérisme serait comme le noyau condensateur [2].

L'un des exemples les plus sensibles de ces insensibles glissements peut être sans doute donné par l'évolution du critique littéraire et dramatique Claude Jamet (1910). Jeune normalien, agrégé de philosophie marqué pour la vie par l'enseignement pacifiste d'Alain, il participe jusqu'à la guerre, et au plus haut point, de l'univers culturel de la gauche française, de la SFIO au Comité de vigilance des intellectuels antifascistes. Il est à Paris, prisonnier libéré, en 1941. Chateau, autre « archicube », autre ancien pacifiste du Front populaire, lance *la France socialiste*. Jamet franchit le pas : jusqu'en juillet 1943, il y tiendra le rez-de-chaussée littéraire. Bientôt remarquée dans la grisaille générale, la rubrique prendra de l'ampleur. Son titulaire acquiert une espèce de célébrité par l'intelligence aiguë avec laquelle il évoque « mon ami Queneau » ou « notre Fargue de Paris », la causticité qui

1. Septembre-décembre 1943.
2. Évolution significative, il publie dans la même veine, en 1943, ses *Rencontres avec H. S. Chamberlain* (Grasset) et *De l'ancêtre mythique au chef moderne, essai sur la formation et le développement des sociétés et l'exercice du commandement* (Mercure de France), quintessence de sa pensée tétralogique.

lui permet d'épingler un Pierre Benoit ou les « pseudo-romans, à l'huile de foie de morue bénite [1] », poussés comme champignons sur la débâcle française. En 1943, une sélection de ces *Images de la littérature* paraît en librairie, chez Sorlot. Louis Guilloux y côtoie Simenon, Charles Plisnier, Romain Rolland. Peu de grands noms de la littérature de l'immédiat après-guerre manquent à l'appel — ceux que la censure exclut. Mais c'est le même Jamet qui, devant les textes hitlériens cités par Alfred Fabre-Luce dans son *Anthologie de la Nouvelle Europe*, se dit « guéri d'un préjugé, ... opéré d'une cataracte [2] ». C'est le même qui accepte de tenir plusieurs mois la chronique théâtrale de l'hebdomadaire le plus évidemment lié à la Propaganda Staffel, *Notre combat*, le même qui, en devenant en mars 1944 rédacteur en chef de *Germinal*, assume désormais la responsabilité d'une ligne politique sans doute hautement « socialiste » mais tout aussi fidèlement « européenne ». C'est à lui que Céline adresse un jour d'avril une lettre éructante sur la Résistance. C'est enfin lui qui, le 2 juin, monte en première page comme on monte au créneau pour, à propos de l'examen des divers sites de débarquement allié, lancer un appel solennel et désespéré au ressaisissement national, au-dessus d'une caricature violemment antisémite et antirésistante. La semaine suivante, l'hebdomadaire dont il est l'animateur peut lancer : « La " libération " — comme une peste — vient de se déclarer. » Inconsciemment peut-être, Claude Jamet avait joué le rôle que l'occupant attendait de lui.

Culture/Kultur?

Cette situation équivoque à laquelle en son temps Henri Jeanson avait su échapper *in extremis*, des périodiques entiers, à spécialisation culturelle, seront amenés à l'assumer beaucoup plus clairement encore. *Comœdia* avait été, aux alentours de la Première Guerre mondiale, une sorte d'institution : un quotidien entièrement consacré aux « spectacles, lettres et arts », illustré de signatures à la mode. Frappé par la crise générale des quotidiens, concurrencé par les hebdomadaires analogues, il n'était plus en 1936 que l'ombre de lui-même

1. *Images de la littérature*, Paris, Sorlot, 1943, p. 273.
2. *Ibid.* p. 172.

quand il se saborda. En 1941, René Delange entreprend de le faire reparaître, en tant qu'hebdomadaire. Assorti de la mention « fondé en 1906 », il occupe dans la répartition générale des médias la place laissée vide par *les Nouvelles littéraires.* Audiberti, Roger Régent y parlent cinéma, Tony Aubin, Émile Vuillermoz musique, Gaston Diehl, Pierre du Colombier « beaux-arts »... Aucun éditorial ne fait allusion à l'actualité politique, et le débarquement du 6 juin n'y trouve pas plus d'écho que celui du 8 novembre. On chahute bien de temps à autre un auteur anglais, on y rend sans doute compte avec complaisance de l'enjuivement passé du cinéma, etc. : l'engagement explicite reste cependant rare, et se raréfierait encore avec le temps. Le jeu collaborationniste de *Comœdia* est ailleurs, plus subtil et bien à l'image du rôle qu'on entend faire jouer aux créateurs et aux professionnels du verbe, de toute stature, de toute esthétique.

Le premier travail de la publication est de reprendre en la systématisant cette politique de la signature qui conduit à publier de la célébrité visée un article anodin sur un auteur ou une question intemporels qui lui tiennent à cœur ou, faute de cette participation originale, les bonnes feuilles de son prochain livre ou de sa dernière pièce, les extraits d'une préface, voire un simple entretien sans grande portée. Marcel Aymé, Jean Giono, La Varende, Mac Orlan et bien d'autres ont ainsi accepté de voir leur nom figurer au sommaire d'organes aussi engagés que *la Gerbe* ou *Je suis partout.* A *Comœdia*, ce moyen permet de fortifier l'image d'une vie culturelle restaurée sans solution de continuité, à l'instar d'un journal interrompu depuis cinq ans et qui reparaît en juin 1941 comme s'il s'était arrêté d'hier. Vu sous cet angle, ce premier numéro est d'ailleurs très significatif. En première page, texte vedette d'Henry de Montherlant, flanqué de réflexions plus modestes de praticiens incontestés, chroniqueurs par raccroc, Jean-Louis Barrault et Arthur Honegger. Au rez-de-chaussée, un encadré signale en caractères gras qu'« un grand Français, Saint-Exupéry, rentre à Paris »; homme politique ou créateur, le procédé est toujours le même : « rentrée » et prise de parole. En page deux, Jean-Paul Sartre fait l'éloge d'Hermann Melville, Paul Valéry accorde un entretien, Léon-Paul Fargue signe un billet... Au long des années, les plus grands noms de la création française accepteront de figurer parmi les collaborateurs occasionnels, parfois même réguliers (Honegger) du journal : Jean Giraudoux et Jean Cocteau, Jacques Copeau et Charles Dullin, Colette et Jean Paulhan..., aux côtés des responsables très officiels de la vie culturelle parisienne : Jean-Louis Vaudoyer, Raoul Ploquin...

Le revers de cette brillante médaille est le tribut payé à l'« Europe », à laquelle est consacrée une page entière sur les six accoutumées, généralement plus, si l'on y ajoute la rubrique critique étrangère, « Bibliothèque européenne », et de fréquentes traductions de nouvelles allemandes. Le numéro un est là aussi un bel échantillon de cette conception bien délimitée de ladite Europe, avec les trois articles : « A Bayreuth sur la colline sacrée », « Les poètes allemands d'aujourd'hui », « Une semaine Mozart à Paris ». Quand l'Allemagne n'occupe pas toute la page, l'Europe dont il est question ignore apparemment la civilisation anglo-saxonne. Aucune information n'en provient. Au contraire, le public français n'ignore bientôt plus rien de la production croate, slovaque, hongroise ou finnoise, sans parler bien entendu de l'Italie ou de l'Allemagne. « Un bastion de l'Occident, la Lituanie », fait l'objet d'articles érudits à l'instar d'écrivains auxquels en temps ordinaire *Comœdia* n'ouvrirait sans doute pas ses colonnes, peut-être injustement d'ailleurs, un Detlev von Liliencron ou un Coloman Mikzath. Prenons au hasard la page européenne du 8 mai 1943. Un grand article de Kurt Lothar Tank sur Gerhart Hauptmann, illustré par une séance de pose du dramaturge devant Arno Breker, y surplombe un rez-de-chaussée de la Bibliothèque européenne réservé à un compte rendu élogieux de René Lasne sur le dernier livre, pas encore traduit, du Dr. Epting, *Frankreich in Widerspruch*, assorti de quelques piques à destination de Vichy...

Comœdia ne joue pas un rôle secondaire dans l'édification d'une culture collaborationniste : français jusqu'au parisianisme, européen jusqu'au pangermanisme, l'hebdomadaire-des-spectacles-des-arts-et-des-lettres assure à qui veut l'entendre la continuité profonde qui unit déjà la Comédie-Française et le théâtre Schiller, Hauptmann et Claudel. Ce sont de ces rapprochements qui n'ont pas à attendre la signature d'un accord de cobelligérance.

Les revues littéraires mensuelles n'ont pas de ces scrupules. *La Chronique de Paris*, qui naît sur le tard, au mois de novembre 1943, à l'inspiration d'Henry Jamet, animateur des nouvelles Éditions Balzac, rassemble ainsi, à l'heure difficile où l'on compte les fidèles, la plupart des hommes de plume français dont les sympathies pro-allemandes n'avaient pas besoin de détours pour s'exprimer. Brasillach y tient la rubrique des spectacles, Rebatet celle des arts, Blond celle des lettres, André Cœuroy la musique, Fraigneau la « vie parisienne », Drieu, Aymé, Fernandez, André Thérive, Jacques Chardonne, Jean Anouilh, André Salmon, y publient leurs derniers textes avant la rupture de la Libération. L'ensemble peut paraître solide; en fait, dès le début plane sur *la Chronique* l'ombre d'un échec, qui est un peu à l'image de toute la collaboration intellectuelle, celui de la *Nouvelle Revue française*, au long des trois années où Drieu La Rochelle en avait eu la responsabilité.

Drieu La Rochelle, ou l'entre-deux-guerres

Le suicide de Drieu, un jour de mars 1945, a transformé en destin une vie parfois déconcertante, en aboutissement d'une longue évolution ce qui pouvait n'être que l'avatar supplémentaire d'un écrivain renommé mais à jamais hanté par l'échec, l'impuissance, l'inachèvement. *Récit secret*, qu'il écrivit dans cette dernière retraite avant la mort, a permis aux commentateurs de reconstruire rétrospectivement — et peut-être avec un peu trop de cohérence posthume — l'image de ce fils tout à la fois de bonne bourgeoisie et de foyer désuni, soucieux dès l'abord d'affirmer sa virilité et son unité profonde dans l'exacte mesure où il continue à en douter, son tempérament de chef au sein d'un groupe, à condition que ce groupe soit déjà celui d'un autre. D'où ce ton oscillant entre la nonchalance et une sorte de rage froide, qui a séduit tant de lecteurs qui y retrouvaient leurs incertitudes et celles de leur temps. D'où ce tempérament qui fut longtemps inclassable, beaucoup moins par souci exacerbé d'indépendance que par une instabilité profonde qui le conduit à donner une adhésion généralement ennuyée au mouvement qui lui paraît, à un moment donné, porter en lui les germes d'une énergie nouvelle. Ainsi il goûtera de l'Action française, avant la Grande Guerre, du dadaïsme finissant et du surréalisme naissant, en ses lendemains, du monde et du demi-monde, du radicalisme jeune-turc de Bergery et du communisme incertain des compagnons de route, sans jamais se fixer.

Son drame serait-il donc d'avoir donné au « fascisme immense et rouge » une adhésion cette fois brûlante et, à la toise de ses engagements antécédents, prolongée? On peut en douter. Dès 1917, la guerre a posé définitivement les termes de sa contradiction selon les âges inconsciente ou orgueilleusement proclamée : Charleroi l'attire, Verdun le révulse. Il vouera une indéfectible admiration, nourrie de Barrès et de Nietzsche, à la force conquérante, aux êtres d'élite, au génie de l'autorité, et en même temps l'hécatombe vient le convaincre qu'il est un contemporain de la grande décadence occidentale. Ayant des comptes à régler avec sa bourgeoisie, il n'a que mépris pour la droite classique — mais il n'osera jamais totalement rompre le cordon ombilical, et une bonne part de son œuvre romanesque a beaucoup vieilli de cette dernière complaisance. Pour lui, l'injustice restera toujours avant tout « un désordre social », comme il le dira encore en 1941 dans un journal collaborationniste bruxellois. De même, convaincu de la nécessité d'une modification profonde des rapports sociaux, il croira longtemps que le capitalisme peut de lui-même « faire le communisme » (1917). La montée des fascismes à travers l'Europe ne convertit donc pas un homme jusque-là étranger à leurs valeurs essentielles. De *Mesure de la France* (1922) à *l'Europe contre les patries* (1931), en passant par *le Jeune européen* (1927) et *Genève ou Moscou* (1928), il a tenu depuis toujours à dire son mot à l'Europe, appelant de ses vœux une foi nouvelle, jeune, exigeante, voire oppressive; quand cette Europe-là lui paraît prendre enfin la parole, il se met à l'écoute, fasciné.

Jusqu'à la défaite cependant, c'est plus un fascisme à la française, qu'il appelle de ses vœux, qu'une Europe nationale-socialiste de modèle hitlérien. En 1931, il sourit encore du racisme allemand : « D'abord, vous n'êtes pas germains, assez de ces blagues [1]. » Deux ans plus tard, le nationalisme de Hitler, « fils de douanier », n'est pas pris plus au sérieux. 1934 est pour Drieu comme pour beaucoup d'autres l'année de la grande remise en question. Celle, dès janvier, du premier voyage dans l'Allemagne nouvelle, avec son *alter ego* Bertrand de Jouvenel, de la rencontre d'Abetz et des premières admirations. Celle du 6 Février, sursaut d'énergie avorté qui est tout à son double visage. Celle où il lance avec Jouvenel l'éphémère hebdomadaire intitulé, significativement, *la Lutte des jeunes*. Celle de la publication de *Socialisme fasciste*, prise de position encore floue mais acte de foi pour l'avenir. L'inspiration « réactionnaire » des fascismes

1. *L'Europe contre les patries*, Paris, Gallimard, 1931, p. 12.

étrangers ne triomphe pas encore de son incertitude. En 1935, alors que le Front populaire flue à travers la France, il rend successivement visite à Nuremberg et à Moscou. Quelques mois plus tard, il pense avoir trouvé *Avec Doriot*, titre du livre qui signera en 1937 son allégeance nouvelle, la solution française. La soumission mimétique le pousse même à gauchir son écriture nonchalante vers un style peuple qui n'est pas sans surprendre ses fidèles lecteurs : « Nous, au PPF, nous sommes à fond contre Moscou, et s'il y avait un parti de Berlin et de Rome, nous serions aussi à fond contre lui [1]. » L'intellectuel a découvert la force brute qui lui manque et manque à travers lui au corps de la France, « Doriot, le bon athlète... qui étreint ce corps débilité et qui insuffle la santé dont il est plein [2] », « notre champion contre la mort [3] ». L'extrême droite qui, jusque-là, considérait Drieu avec méfiance ou perplexité, l'accueille parmi les siens.

La déception, on le sait, suit de près. Le PPF devient par trop le parti de Berlin et de Rome. Drieu, hostile à l'Anschluss et réticent à l'égard de l'ultra-munichisme de Doriot, rompra avec lui à la fin de l'année 1938. Pendant la « drôle de guerre », il ajoutera sans hésiter sa voix au concert national qui assimile le nazisme à une variété nouvelle de barbarie, à « l'esprit de ruée, sans but [4] ». Deux années plus tard, Drieu siège au sommet de l'intelligentsia pronazie. *Ne plus attendre* et *Notes pour comprendre le siècle* (1941), bientôt *Chronique politique* (1943) et *le Français d'Europe* (1944) l'y installent sans conteste. Une version intégrale —... entendons par là non censurée par les autorités militaires françaises, comme la première, en 1939 — de son roman le plus connu, *Gilles*, sur le tard *l'Homme à cheval* (1944) et la parution de deux pièces de théâtre ne réussissent pas à balancer une production désormais prioritairement de combat.

Itinéraire d'un suicidé

Il est frappant de constater à quel point l'expérience collaborationniste des quatre premières années quarante reproduit, à son échelle, les grands termes de celle des quatre dernières années trente.

1. *Avec Doriot*, Paris, Gallimard, 1937, p. 107.
2. *L'Émancipation nationale*, 20 août 1937.
3. *Ibid.*, 27 août 1937.
4. *Le Figaro*, 21 décembre 1939.

Le même enthousiasme initial, assorti des mêmes déclarations empreintes de mâle énergie et qui sont comme autant d'exhortations à « ne plus attendre », pour reprendre le titre de son article de *la Gerbe* en date du 10 octobre 1940, exhortations qui s'adressent à la France et qui parlent excellemment de Drieu : « Les Français, dont pendant des années ce fut le sport inimitable d'attendre..., les Français en fait n'attendent plus. Ils sont engagés dans la collaboration avec les Allemands. » « Peu importent, dira-t-il aussitôt, de nouveau traversé de doutes obscurs, les heurts, les malentendus, les échecs, les grincements de dents, les désespoirs... — nous collaborons et cela est une garantie de vie [1]. » Il n'y manque pas l'hebdomadaire éphémère, *le Fait*, pour lequel se reconstitue entre octobre 1940 et février 1941 l'équipe de *la Lutte des jeunes*, flanquée cette fois-ci de Georges Roux, de Jacques Saint-Germain et d'Achille Dauphin-Meunier. Ce sera la même rhétorique originale mise au service de la virilité conquérante : « L'Allemagne, c'est un franc envahisseur... quatre millions de Juifs m'ont donné bien avant eux les affres de l'occupation [2]. » On y retrouve aussi le voyage révélateur, ici celui qui le conduit à Weimar en 1941 et qui l'amène à faire son *mea culpa :* le socialiste-fasciste de 1934 avait sous-estimé la part du nationalisme. Aujourd'hui, l'équilibre est rétabli. Drieu est désormais un national-socialiste convaincu, et l'Allemagne de 1941 est à l'image de son propre apogée, « tranquille, ferme, admirablement maîtresse d'elle-même [3] ». Sous la lumière crue de l'occupation, les grandes ambiguïtés de Drieu ressortent dès lors avec une vigueur toute particulière.

Le socialisme étant à l'ordre du jour, il s'agit pour chacun de clarifier son attitude à son égard. Chez Drieu, aucune déploration sociale à l'égard d'une injustice, mais bien une haine toute personnelle pour une bourgeoisie dévirilisée. Une condamnation de principe du capitalisme, mais assortie d'une admiration non dissimulée pour ses formes originelles, sauvages, le temps de ces « constructeurs féroces et épouvantablement bienfaisants [4] ». Gilles a beau, au lendemain du 6 Février, lancer rageusement : « Je marcherai avec n'importe quel type qui

1. *La Gerbe*, 10 octobre 1940.
2. *NRF*, août 1941.
3. *Ibid.*, 1er juin 1942.
4. *Le Fait*, 9 novembre 1940.

foutra ce régime par terre », il n'est à aucun moment question pour lui de rallier les « types » du Front populaire. Mêmes limites quand il est question de l'Europe, passée au second plan pendant la période Doriot, quand elle avait hanté ce « Français d'Europe » au temps du briandisme triomphant. Cet admirateur de la force espère en la « garantie morale » que devrait lui donner l'Allemagne de respecter l'intégrité nationale, mais il ne l'exige pas, et l'auteur de *Genève ou Moscou* accepte de figurer parmi les combattants d'honneur du front de l'Est. Face au dernier avatar de cet au-delà, dans lequel la décadence et l'écartèlement français retrouveront leur unité, il ira jusqu'à regretter solennellement que cette « guerre révolutionnaire européenne » n'ait pas été entreprise plus tôt, à l'initiative de cette France, qui est Drieu lui-même. Socialisme, européanisme, médiocres fantômes par rapport à la même affirmation centrale : « J'aime trop la force, j'ai trop admiré son déploiement dans mon pays à ses belles époques, et trop désespérément souhaité sa renaissance pour ne pas la saluer là où elle est [1]. » Le PPF était le « parti du corps vivant », le nazisme est une « révolution du corps », un « socialisme viril », seul héritier digne de ce « Christ des cathédrales, le grand Dieu blanc et viril » (fin de *Gilles*), la nouvelle foi d'un nouveau Moyen Age. L'homme hitlérien, ajoutera à l'acmè de cette surenchère le très cultivé Drieu, est « un type d'homme qui rejette la culture et qui rêve de donner au monde une discipline physique aux effets radicaux... un homme qui ne croit que dans les actes [2] ». Par un paradoxe classique dans l'idéologie de la collaboration, l'intellectuel passe dès lors aux « actes » en cherchant à prouver par des arguments d'ilote la nécessité d'un ordre mâle. « Nous avons beau nous débattre, nous ne pouvons pas échapper à la nécessité du national-socialisme, du totalitarisme [3] ». Puisqu'il nous faut « épater les Allemands [4] » par notre discipline, choisissons donc sans barguigner la domination allemande : « Son hégémonie sur l'Europe vaudra peut-être bien celle de l'Angleterre [5]. » Un mois plus tard, le « peut-être » a même disparu : « Point

1. *NRF*, janvier 1942.
2. *Notes pour comprendre le siècle*, Paris, Gallimard, 1941, p. 159-160.
3. *Idées*, décembre 1942.
4. *Ne plus attendre*, Paris, Grasset, 1941, p. 26.
5. *Le Fait*, 19 octobre 1940.

de fédération sans hégémonie. L'égalité n'existe pas. Une hégémonie déclarée vaut mieux qu'une hégémonie dissimulée [1]. »

Dans leurs implications intérieures, de tels *a priori* conduisent Drieu à faire tout naturellement chorus avec les plus durs des mouvements de zone nord, en faveur d'une France « au travail », sévère et disciplinée [2], d'un personnel politique rajeuni et épuré, de la « règle de fer du parti unique [3] » et d'un mouvement de jeunesse unifié. Qu'il s'agisse de l'offensive antisoviétique ou des péripéties de la carrière lavalienne, sa contribution est harmonique à celle d'un Châteaubriant ou d'un Déat. Les attendus du discours sont parfois plus subtils, la biographie qui le sous-tend est plus riche : la convergence est complète. L'image de Drieu est d'ailleurs loin de soulever les réserves que provoque celle d'un Céline ou d'un Rebatet, voire d'un Brasillach. Lui le divisé, qui a toujours aspiré à être le ferme guide de la génération nouvelle, a réussi à devenir la bonne conscience intellectuelle de la collaboration tout entière qui, de quelque côté que ce soit, croit se retrouver dans ses perspectives à tout point de vue cavalières. Les hommes d'*Au pilori* eux-mêmes, peu suspects de complaisance à cet égard, reconnaîtront avec conviction : « Drieu est un intellectuel, bien sûr, mais un vrai [4]. »

L'analogie entre les années trente et quarante se résout jusque dans la répétition du processus final. La désillusion sur le quotidien de l'hégémonie et son progressif effritement en termes « européens » aura pour corollaire le retrait, un renfermement propice aux bilans et aux remémorations, aux *Exorde* et aux *Récit secret*, mais aussi l'élargissement du fossé qui pouvait séparer l'intellectuel écartelé d'un environnement peu fait en apparence pour confirmer sa prétention, souvent reprise entre 1940 et 1943, à être « d'abord un écrivain prophétique [5] ». Après quelques vagues tentatives de remise en perspective, ou plutôt en ordre, d'une pensée politique éclatée, les dernières notations sismographiques qui nous aient été conservées de Drieu nous le montrent rallié quelque temps au communisme, dans la vision qu'il en a, conquérante et stalinienne. Un article de 1944 refusé

1. *La Gerbe*, 14 novembre 1940.
2. *Le Fait*, 23 octobre 1940.
3. *NRF*, janvier 1943.
4. *Au Pilori*, 29 avril 1943.
5. Préface, de mars 1940, aux *Écrits de jeunesse*, Paris, Gallimard, 1941.

par la censure allemande avançait déjà : « Nous pouvons mourir tranquilles. Nous avons fait une besogne que d'autres que nous ne pouvaient faire en Europe. Plus tard, les communistes percevront que nous leur avons ouvert la voie [1]. » A la lecture, la même année, de *Charlotte Corday*, on pouvait assister avec quelque surprise à la fusion ultime de la girondine et de Saint-Just, se reconnaissant l'un et l'autre comme de la même aristocratie des êtres d'énergie. Sur le court terme des illusions de Drieu, face à la conjoncture politique, l'image de l'échec sera de la même façon occultée par celle d'une victoire supérieure, en une instance où les contraires finissent par se confondre, et doublement, où la Résistance, plus sûrement que le PPF ou le RNP, « est en passe de devenir le fascisme français [2] », où l'Allemagne « joue sa dernière carte : se retirer dans les Alpes et la Norvège, pour y tenir jusqu'au moment de la Troisième Guerre mondiale [3] ». L'obscurité descend sur le monde dont il était le familier mais la vitalité contrariée de Drieu ne s'avoue pas vaincue. « Je vis, lance-t-il dans un dernier cri d'orgueil et de faiblesse, je suis libre et en repos parmi mes livres. On se bat partout. Mais partout triomphent les forces dont j'ai su depuis longtemps apercevoir la puissance. » Le 15 mars 1945, la Norvège de Drieu s'appellera Véronal.

Modèle des contradictions intellectuelles du nouveau Paris? Celui qui déclarait solennellement à la fin de la « drôle de guerre » qu'il ne participerait plus désormais à une revue s'ouvrant encore à « l'ex-directeur d'un grand journal politique d'obédience étrangère » — il s'agit d'Aragon et de *Ce soir* — va accepter quelques mois plus tard de présider à la reparution de ce qui demeure, en 1940, en France comme au-delà des frontières, la publication littéraire de référence. L'autorité occupante eût au besoin créé une *NRF* sans l'aveu des éditeurs et écrivains maison. Grâce à Drieu, les apparences de la continuité sont sauves; ses options politiques, raffermies, sont à l'ordre du our, ses choix littéraires le rattachent à la grande tradition de la collection blanche. Quelques textes signés Alain, Gide, Valéry, pour le premier numéro, plus tard Fargue ou Marcel Arland — certains protesteront contre l'usage de textes déposés antérieurement à la défaite —,

1. *Notes sur l'Allemagne*, in *Défense de l'Occident*, numéro spécial « Drieu La Rochelle » (sous la responsabilité de Jean-Paul Bonnafous), février-mars 1958.
2. « Journal » (1945), in *Défense de l'Occident*, *op. cit.*, p. 156.
3. *Ibid.*, p. 153.

l'assistance discrète de Jean Paulhan, ajoutent à la ressemblance.

Toutefois, il ne devient bientôt que trop visible que l'autonomie de manœuvre de la revue est purement formelle. Paulhan est arrêté au mois de mai 1941 par les Allemands. Drieu obtiendra sa libération mais ne pourra plus compter sur sa caution. Les patriarches s'éloignent à petits pas, les chroniques épisodiques du nouveau directeur gérant, qui reconnaîtra deux ans plus tard avoir voulu faire non une revue « neutre » mais un « lieu de vigilance », durcissent leur engagement, sur un ton assez éloigné de la tolérance éclectique de règle jusque-là rue Sébastien-Bottin. Dans un isolement chaque jour plus sensible, Drieu cherchera à nourrir sa publication de textes d'écrivains sympathisants. Jacques Chardonne, avec « L'été à La Maurie », avait donné dès le premier numéro, à la surprise générale, ses lettres de noblesse au collaborationnisme provincial. Dans sa « Lettre à un Américain » de la même livraison, Alfred Fabre-Luce avait vu, dans les « heures graves, douloureuses parfois » de 1940, des heures aussi « pleines d'espoir » en une Europe nouvelle, creuset d'une « autre race ». Bonnard, Bernard Faÿ, Marcel Jouhandeau, Montherlant apporteront par la suite, de loin en loin, leur contribution au combat de la nouvelle équipe, articulée autour de Drieu et d'Armand Petitjean — jeune antifasciste rallié avec lyrisme à un collaborationnisme idéalisé —, flanquée des études et articulets critiques signés Combelle, Fernandez, Fernand Lemoine. Au-delà de ce cénacle assez restreint, la nécessité autant que la conviction fait ouvrir les colonnes à de jeunes auteurs sans réticence à l'égard du nouveau style et dont plusieurs ont illustré depuis lors la vie poétique de l'après-guerre.

Les abonnements comme les allocations de papier vont cependant en déclinant, au même rythme que les certitudes de Drieu, qui éprouvera en janvier 1943 la nécessité de publier de son aventure un « Bilan » désabusé. S'étant refusé à la « neutralité », la *NRF* commence à trouver en face d'elle d'autres revues littéraires tout aussi engagées qu'elle, mais en sens contraire. Dans la clandestinité, *les Lettres françaises* et le CNE reconstituent à leur façon les structures d'une intelligentsia dont Drieu n'aura jamais eu que bien imparfaitement le magistère et qui lui échappe désormais totalement. En juin 1943, il saborde « sa » revue.

L'édition continue

Au même titre que les revues à la mode, le monde de l'édition, parisien à 90 p. 100, est le symbole par excellence de l'écrasante centralisation culturelle française et se croit menacé d'une mort rapide s'il ne réintègre pas bientôt ce qui est appelé à rester la capitale intellectuelle du pays. Alors que la majorité des grands journaux survivants, attachés à suivre le siège du pouvoir politique, préfèrent, on l'a vu, demeurer en zone sud, les grands éditeurs parisiens n'ont pour la plupart de cesse qu'ils n'aient réintégré la Ville, encourageant la « rentrée parisienne » de leurs auteurs. Connu avant-guerre pour la vigueur avec laquelle il était descendu dans l'arène pour défendre les intérêts de l'industrie éditoriale, en particulier face aux projets du Front populaire portant réforme du statut des travailleurs intellectuels, Bernard Grasset se situera dès les premiers jours de juillet à la pointe du combat pour « l'armistice de l'esprit » : « unification du régime de la chose écrite », par-delà toute ligne de démarcation, réinstallation des éditeurs à Paris, sans attendre celle du gouvernement, tout cela en prélude à la mise au point, en accord avec les autorités allemandes, d'un statut de l'édition acceptable par des « Français authentiques ». L'éditeur de Brinon et de Bonnard, de *la Gerbe des forces* de Châteaubriant et des *Principes d'action* de Hitler multiplie pendant l'été les contacts avec les Parisiens de toujours (Châteaubriant) et les Allemands retour de campagne (Sieburg), argue de la continuité de ses convictions pour demander, en contrepartie de son retour à Paris, « 1) pas de représailles pour des ouvrages publiés avant l'armistice; 2) pas d'ordres de publier [1] ». Toutes les assurances ayant été données, la réinstallation parisienne suit de près, assortie d'articles collaborationnistes et de la création d'une nouvelle collection à bon marché, intitulée *A la recherche de la France* et qu'inaugure le recueil desdits articles, suivi d'ouvrages dans le même sens signés Doriot, Bonnard, Drieu, Chardonne.

Une telle adaptation, qui excipe de l'institution d'un nouvel ordre français — « Dans le grand malheur de la patrie, nous devons savoir gré à l'occupant de nous avoir permis un ordre français [2] » —,

1. *L'Affaire Grasset, documents*, Paris, Comité d'action de la Résistance, 1949. p. 15. — 2. *Ibid.*, p. 21.

n'est pas rare à l'aube de la collaboration, mais elle contribue grandement à conforter l'image que veut donner l'occupant de la continuité des valeurs françaises.

Les conditions générales de la vie du livre en France occupée ne laissent pourtant que peu d'espoir sur son indépendance. La pénurie de papier est peut-être encore plus sensible que dans le cas de la presse. Les 38 000 tonnes utilisées par l'édition en 1938 sont devenues 1 524 pour les six premiers mois de 1944. De ce total, il faut d'ailleurs soustraire une moyenne de 1 000 tonnes par an réservées aux services allemands et aux éditions collaborationnistes les plus affichées, 87 p. 100 du reste étant affectés à l'édition scolaire. Les exportations ayant chuté en 1943 de 71 p. 100 par rapport à 1938, ce n'est pas l'augmentation sensible du nombre des titres qui peut compenser le manque à gagner des éditeurs, d'autant plus que les prix restent bloqués jusqu'en 1943. Être dans les petits papiers de l'occupant devient une question de vie ou de mort, et l'on verra des éditeurs de renom recourir au Commissariat aux questions juives pour obtenir des attributions de papier sous prétexte qu'ils font une large place dans leur catalogue à la propagande antisémite [1]. Trois éditeurs s'ouvrent même au capital allemand : Fernand Sorlot, qui s'associe pour 800 000 francs au Dr. List, de Leipzig, en vue de l'édition en commun de trois nouvelles collections; Robert Denoël, qui obtient d'un certain Audermann un prêt de 2 millions de francs et lui vend 360 des 725 parts de la société; Cluny, qui passe pour moitié sous contrôle allemand. Dans ce dernier cas, il s'agit d'une des sept entreprises israélites aryanisées — ainsi Fernand Nathan devient-il « F.-N. », Calmann-Lévy « C.-L. » puis « Balzac » — : même quand la présence allemande ne se fait pas sentir directement, les nouveaux dirigeants sont des hommes sûrs, souvent liés au clan Luchaire.

Cette emprise plus ou moins discrète se double d'un contrôle idéologique sans fard. Les « représailles » rejetées par Grasset auront bien lieu, même après l'autocensure des éditeurs. La fameuse « liste Otto » d'octobre 1940 est d'ailleurs présentée comme une initiative corporative des éditeurs eux-mêmes. Ses rééditions élargies du 8 juillet 1942 et du 10 mai 1943, par les soins du Syndicat des éditeurs, le sont explicitement sur ordre de la Propaganda. A son apogée, elle

1. Archives CDJC, Paris, CCXXXVIII, 148.

comprend près d'un millier de titres d'ouvrages d'avant-guerre interdits à la diffusion, auxquels s'ajouteront pêle-mêle les traductions d'ouvrages anglais, classiques exceptés, et polonais, les livres d'auteurs juifs, ouvrages scientifiques exceptés — plus de sept cents noms sont donnés en annexe comme voyant leur œuvre interdite dans sa totalité —, et même les biographies d'israélites, seraient-elles l'œuvre de purs aryens. Le cardinal Baudrillart y côtoie Thomas Mann, *Mes idées politiques*, de Maurras, *Mein Kampf* en morceaux choisis. Les éditeurs aux sympathies collaborationnistes bien connues sont touchés comme les autres : Baudinière (dix-sept titres), Denoël (une trentaine), Grasset (trente-cinq), Sorlot (une quarantaine). A partir du 1er avril 1942, enfin, tout manuscrit doit être soumis à l'avis préalable d'une Commission de contrôle du papier d'édition, théoriquement instituée pour limiter les tirages. Ces dernières mesures, s'ajoutant au visa de censure de la Propaganda et à la mainmise allemande sur les Messageries Hachette, définissent assez bien le cadre dans lequel s'instaure la libre concurrence des textes imprimés et s'édifient pour quelques années les nouveaux rapports de force au sein de l'édition.

Les entreprises les plus techniques pouvaient se permettre de poursuivre sans grande concession un programme cependant réduit. Rien pourtant ne les oblige à une telle prudence, et l'on trouvera bien un éditeur scolaire de renom pour publier la traduction française du *Manuel d'eugénique* de von Verschuer, un éditeur connu par ses ouvrages anthropologiques pour s'ouvrir à plusieurs textes d'économistes nazis traitant du futur ordre économique mondial et de la nouvelle répartition de l'espace vital. Le nombre des traductions des purs produits de la « science historique allemande » monte en flèche chez les éditeurs, surtout s'ils traitent des grands ancêtres blonds (Lommel), des invasions barbares (Arntz, Hampe), de l'ascension prussienne (Elze) et des grands conquérants (Buhler, Gadamer). Sensibles d'abord à la conjoncture commerciale, mais contribuant ainsi plus ou moins consciemment à l'alimentation du répertoire de la collaboration intellectuelle, les éditeurs universitaires ouvrent leurs collections à la *Deutsche Kultur und Literatur* et aux auteurs classiques, généralement romantiques, de Herder à Novalis, de Kleist à Wagner, avec une particulière dilection pour les thèmes franco-allemands. Les plus avisés étendent leurs investigations aux contemporains; le plus célèbre d'entre eux accélère la traduction des derniers ouvrages de l'« occupant » Ernst Jünger. Sommet de ce mouvement, l'*Anthologie de la poésie allemande*, menée symboliquement de 1940 à 1943 par un Français, René Lasne, et un Autrichien, Georg Rabuse, chante à tous vents les bienfaits de la « collaboration poétique ».

Parmi les éditeurs plus soucieux de l'actualité politique, deux camps se dessinent assez bien. Celui des vieilles maisons conservatrices ayant pignon sur rue, d'un pétainisme prudent, au sein desquelles un vieil éditeur catholique social fait tache, par son accueil aux pamphlets violents du prolifique Léon de Poncins, associé à la traduction de quelques ouvrages allemands de la même veine. Celui des éditeurs plus dynamiques ayant choisi franchement leur camp, qu'il s'agisse de maisons déjà classées avant-guerre, d'entreprises prestigieuses soucieuses d'un large éclectisme, ou de raisons sociales nouvelles, contraintes de se rabattre sur les épigones. La concurrence est sévère et, quand le nom de l'auteur ou la violence du titre ne suffisent plus à assurer la vente, une courte préface est souvent demandée à une personnalité de la collaboration, qui apostille son cachet de bon Européen : Bonnard, Céline, Déat... Un éditeur mentionnera même, parmi ses arguments de vente : « interdit en zone libre ».

Denoël (1902) est l'éditeur anticonformiste d'Antonin Artaud et de Céline, de Mussolini et d'Aragon, d'Eugène Dabit et d'Adolf Hitler. Sous l'occupation, il continuera à ouvrir son catalogue à Laubreaux aussi bien qu'à Elsa Triolet. C'est l'homme des grands lyriques de la collaboration, Céline mais aussi l'Augier des *Partisans* et le Rebatet des *Décombres*. Robert Denoël, qui est allé, dans *le Cahier jaune* [1], jusqu'à célébrer la grandeur de la « haine » de Céline, tombera à la Libération, assassiné dans des conditions demeurées obscures.

Nous avons déjà parlé de la collection *A la recherche de la France*, chez Grasset. C'est elle qui accueille le premier essai de Drieu sous l'occupation, le principal texte de Doriot, les contributions les plus notables de Bonnard et de Chardonne à la rhétorique nouvelle. Proche de l'équipe de *Je suis partout* — il édite Blond et Lesca —, le même éditeur s'ouvre aux économistes allemands, au maréchal Badoglio, à Sieburg, à Chamberlain, mais son catalogue reste nuancé. L'analyse de celui d'un grand éditeur littéraire comme le

1. Novembre 1941.

Mercure de France révèle au contraire, en quelques lignes, les traits les plus caractéristiques des modes nouvelles, aggravés par la censure, dont la Commission de contrôle rejette en juillet 1942 quatorze des dix-sept titres proposés par la maison. Au titre des étrangers, Wagner y côtoie Rosenberg, Oswald Spengler le *Breviaire nietzschéen*. Du côté français, les noms sont moins glorieux mais bien typés, au premier rang desquels, avec cinq titres, les deux grands pamphlétaires, et, au témoignage de Galtier-Boissière, subsidiairement délateurs, Léon de Poncins et Louis Thomas, suivis d'une dizaine d'autres noms et d'autres titres du même esprit.

Avec Baudinière, nous entrons chez les éditeurs conquis d'avance. Ferdonnet y trouve un successeur à sa taille en la personne du prolifique Paul Allard, qui se fait une spécialité de ces ouvrages rétrospectifs qui doivent en théorie faire comprendre aux Français à quel point on leur a jusque-là menti. La médiocrité du folliculaire donne cependant le ton d'un éditeur qui a bien du mal à recruter mieux que de pâles suiveurs. Plus ambitieux, Sorlot (1904), premier éditeur français d'une version intégrale de *Mein Kampf*, ouvre son catalogue sur l'extérieur, soit par le sujet de ses ouvrages, qui traitent de *la Nouvelle Asie* nippone aussi bien que de *la Nouvelle Allemagne*, soit, on l'a vu, par le caractère franco-allemand des trois collections qu'il lance en association avec List : « Les écrivains du siècle », « Les chefs-d'œuvre », « La vie européenne », flanquées des huit études allemandes de « Regards sur l'histoire ». On peut leur adjoindre les Éditions de France, diffuseur avant-guerre de Béraud et de Chack et après la débâcle des mêmes, mais accompagnés d'un Allard et d'un Henriot, vivant symbole de l'insensible passage du conservatisme traditionnel au collaborationnisme, à l'instar du titre du livre qu'y fait paraître Georges Claude, *De l'hostilité à la collaboration*.

Restent tous ceux qui, n'ayant même pas cette base de départ, tentent leur chance sur un marché raréfié si on n'en voit que les restrictions techniques et politiques, mais élargi si l'on considère l'impressionnante multiplication des titres — sur ce plan, en 1943, la France arrive en tête du monde entier —, l'élimination de plusieurs concurrents gênants et la complaisance avec laquelle la Propaganda s'ouvre aux propositions constructives...

La collection « Problèmes actuels » du jeune éditeur Jean-Renard donne son vrai poids politique à un catalogue par ailleurs ouvert au roman régional, à la « littérature spiritualiste » et aux questions sociales vues sous l'angle d'une sorte de scoutisme généralisé. Le rythme de parution soutenu de ces pamphlets signés de plumitifs aussi notoirement stipendiés qu'un Chaumet, un Marquès-Rivière ou un Mouton, la publicité dont s'entoure l'essor de cet outsider signent un collaborationnisme résolu que s'efforcent d'imiter quelques autres seconds rôles, Pierre Lagrange (Abel Hermant, André Masson...), la Toison d'or (Jouvenel, Delaisi...), le Livre moderne (Laval, Luchaire, Jean de La Hire...) avec ses deux collections « Le livre moderne européen » et « Nouvelle Europe », enfin quelques officines liées à la maison Luchaire, telles les Éditions Colbert, confiées à Marcel Espiau, ancien journaliste de Coty et de Doriot, collaborateur occasionnel de la rue Lauriston.

Les mieux placés mettent la main sur les éditions aryanisées. L'exemple le plus net est celui de Calmann-Lévy-Éditions Balzac, confié à Louis Thomas et Henry Jamet. Autour d'elles commencera, sur le tard, à se constituer une petite principauté éditoriale collaborationniste, prolongée par *la Chronique de Paris* et sommée par un « grand prix Balzac ». Cherchant à confirmer à leur profit les rites du petit monde littéraire parisien, ces groupes ont en effet créé leurs propres prix littéraires : un prix Drumont est décerné en 1944 à un journaliste de *Je suis partout*, Joseph Rouault, Marcel Espiau lance un prix de la Nouvelle France...

Ces rites d'avant-guerre, ces noms Grand Siècle, les épithètes tricolores dont on couvre plusieurs des collections nouvelles (« Études françaises », « La fleur de France », « La France de demain », « Valeurs françaises », « Voix de la France »...) sont-ils là seulement pour couvrir une marchandise largement « européenne »? La réponse ne peut qu'être nuancée, quand on prend toute la mesure du vaste échantillonnage de francité littéraire qui, jusqu'à la fin, trouvera sa place au sein de cette architecture, aux étages nobles.

*

Quand des savants inventent la collaboration

Un historien américain [1] a fait remarquer à juste titre que, contrairement aux idées reçues, le mouvement nazi « avait conquis les uni-

1. G. Lichtheim, *Hitler and Company*, in *New York Review of Books*, 3 février 1966.

versités avant de triompher à travers toute la société ». L'Université française ne fut jamais, dans son ensemble, conquise à la collaboration la plus affichée. Mais il s'est trouvé quelques juristes pour, au gré de doctes commentaires sur « la protection légale de la race [1] », en venir, dépassant la simple explication, à porter un jugement de valeur favorable sur ces « mesures d'intérêt public », un vieux défenseur du droit des minorités comme le Pr Le Fur se rallier aux thèses nazies en matière de droit international, quelques économistes pour commenter avec faveur la théorie de l'espace vital, enfin et surtout plusieurs scientifiques, d'ordinaire moins loquaces, pour se dévouer corps et âme à la dernière invention. Pour un Lumière, un d'Arsonval, un Jean-Louis Faure, le stade d'une ou deux déclarations à la presse ne sera guère dépassé, même si à chaque reprise la propagande sait en tirer le maximum. L'engagement d'un Ernest Fourneau, d'un Charles Laville, d'un Georges Claude va plus loin, jusqu'à la « hantise », jusqu'à la « croisade », pour reprendre les termes du groupe Collaboration au sujet de ce dernier.

Tous ces savants, et quelques autres, on été conquis dès l'avant-guerre par la déférence de l'accueil allemand et la qualité des équipements scientifiques du nouveau régime. « J'ai été magnifiquement reçu lors des conférences que j'ai faites avant-guerre en Allemagne Nulle part nos initiatives industrielles et scientifiques y sont mieux appréciées [2]. » Il ne leur a pas été difficile de reporter sur la démocratie parlementaire, le Front populaire et la judéo-maçonnerie l'exiguïté de leurs crédits ou le complot du silence qui entoure les travaux qui leur tiennent le plus à cœur. Les moins portés à la spéculation théorique cherchent surtout à convaincre de la fécondité strictement scientifique de la collaboration par le rappel de précédents fameux. « Inspirons-nous du grand exemple de Liebig », conclut le Pr Fourneau [3], de l'Institut Pasteur, après avoir raconté la vie de ce savant allemand ami de la France : « Nous avons intérêt à envoyer

1. Cf. H.-T. Chevallier, *La Protection légale de la race, essai sur les lois de Nuremberg*, Paris, PUF, 1942.
2. G. Claude, *De l'hostilité à la collaboration*, Paris, Éd de France, 1941, p. 38.
3. *Collaboration*, juillet-août 1943.

nos jeunes chercheurs en Allemagne. » Quand l'intéressé se croit doué pour la philosophie de l'histoire, il n'hésite pas à faire contribuer ses propres connaissances à l'enrichissement de la rhétorique collaborationniste. Ainsi Laville, dans un article intitulé « Biologie et Collaboration », développe l'axiome : « Une politique doit être biologique ou ne pas être. » D'un rapide survol de l'histoire des organismes vivants, il déduit la « faillite de l'esprit grégaire » et renouvelle sensiblement l'interpellation classique du collaborationniste à l'indécis : « Voulons-nous demeurer un vulgaire polypier? Voulons-nous au contraire nous diriger vers un stade supérieur d'organisation? » La réponse se devine aisément : « Les associations cellulaires d'éléments à tendances complémentaires sont celles qui ont permis la formation des animaux supérieurs, jusqu'à l'homme. Refuser celle qui s'offre à nous serait, en quelque sorte, un crime contre l'humanité, tout autant que contre la biologie. » Et Laville de citer comme exemple parfait de cette « union symbiotique » la collaboration, en période d'agression, entre un être rompu à répondre avec vivacité aux coups reçus et un allié plus lent à réagir mais d'une persévérance quasi infinie, l'auteur ne précisant pas s'il faut y voir l'image exacte du couple France-Allemagne...

Plus connu du grand public, Claude resserre en lui toutes ces dispositions d'esprit : admiration pour la science et la technologie allemandes, propension à conclure au caractère inévitable de la victoire nazie comme de la Collaboration par « l'ordre obligé des choses » (Laville), forme scientiste de cette Fatalité ou de cette Providence dont arguent de leur côté les rhéteurs de formation littéraire, qu'ils aient nom Châteaubriant ou Drieu. Mais il leur ajoute un prosélytisme de septuagénaire bien fait pour susciter l'attention des services de propagande. La Grande Guerre semble avoir opéré sur lui la mutation essentielle. Dès 1919, très bleu horizon, il se dresse dans un livre en pourfendeur des « politiciens ». Neuf ans plus tard, il succombe au charme électoral mais, continuant de se défendre, se présente aux législatives comme candidat « antipoliticien ». Il est battu, et son amertume à l'égard du régime s'en trouve d'autant plus fortifiée qu'à la même époque il se bat avec vigueur mais peu de succès pour l'énergie marémotrice. En 1933 il franchit donc le dernier pas et adhère à l'AF. Chez lui, une adhésion n'est jamais symbolique. Il prend donc son bâton de pèlerin et donne plusieurs séries de conférences gratuites intitulées « Comment en sortir? », où il est surtout question d'air liquide et d'énergies nouvelles.

Vers le même temps, il découvre l'Allemagne nazie et y sera même, le 15 juillet 1939, le dernier conférencier français : il parle déjà d'une nécessaire « collaboration » intellectuelle entre les deux pays. Montoire n'est pas pour lui une surprise. C'est au contraire un signe, celui d'une nouvelle campagne. Dans un texte du 29 octobre qui, significativement, inaugure dans une large mesure la politique des « déclarations » de personnalités, appelée à devenir l'une des formules les plus efficaces du travail de l'agence Inter-France, il prend sans tarder position pour ce « monde nouveau » tel qu'il le verra désormais, mêlant indissolublement politique planétaire et découvertes personnelles : « Monde nouveau où tout le parti possible sera tiré des ressources naturelles, chutes d'eau, énergie de la mer, abaissement du plan d'eau de la mer Rouge[1]... » Ce besoin absolu de témoigner dans la cité (« Je crois utile de prendre position » — et c'est 1940; « Je crois nécessaire de développer mes vues » — et c'est 1941) l'amène à entreprendre trois séries successives de conférences. Au milieu de 1943, il affirme avoir pris la parole dans près de cent villes. Sa déclaration « Français, il faut comprendre » est reprise par quatre-vingts correspondants d'Inter-France, touchant ce jour-là sept millions de lecteurs potentiels.

Dans la plupart de ses interventions, Claude aime à donner un tour biographique à ses convictions de nouveau converti. La propagande l'entend bien ainsi, qui visiblement destine ces textes en priorité aux milieux de la droite classique, plus ou moins maurrassienne. L'optimisme du vieux germanophobe à l'égard de l'ennemi d'hier tient à l'en croire tout entier dans la révélation du printemps 1940, et du « respect des vies humaines » manifesté par le vainqueur magnanime. C'est cette image de l'Allemagne chevaleresque qui va désormais nourrir son énergie. L'une de ces conférences, où il se met si naturellement en scène, s'intitule : « A la manière de don Quichotte »; un donquichottisme qui le conduit à voir en Hitler l'homme de la loyauté : « D'impitoyables que la grandeur du but et la hauteur des obstacles [les] contraignirent à être, [Hitler et Mussolini] ont les

1. G. Claude, *op. cit.*, p. 8.

moyens de devenir généreux [1]. » Nous sommes au lendemain de Montoire; c'est encore une sorte d'hypothèse de travail. Elle se transforme en espérance quand, en 1942, il se prend à penser que, pour Hitler, « cette gloire-là que n'a pu atteindre Napoléon terrassé par Albion : celle de bienfaiteur des peuples, ce peut être la sienne [2] ». Encore faut-il que nous le « méritions », formule qui revient à plusieurs reprises sous sa plume. Quand enfin tombent les dernières censures mentales, la certitude triomphe, en 1943 : qu'importe si la majorité des Français ne le comprend pas; Hitler est bien « celui qui n'a voulu que le bien de son peuple et le salut de l'Occident, celui dont le seul génie, au prix d'un flot de sang allemand, a préservé l'Europe d'une fin épouvantable... un Napoléon qui ne veut pas finir à Sainte-Hélène, et qui le montrera [3] ». Quant au contenu de cet avenir, ce nouveau don Quichotte d'un nouveau Napoléon le voit évidemment sous les couleurs les plus roses. Non que la France doive retrouver une place analogue à celle d'avant-guerre dans l'ordre industriel; la géopolitique allemande a porté ses fruits : la spécificité française sera initialement agricole, et cette certitude « objective » s'adapte trop bien à la philosophie naturelle de Claude pour qu'il la conteste. Mais c'est pour ajouter tout de suite que, si à la France a échu dans le plan nouveau le retour aux valeurs élémentaires, ce n'est pas simplement à la terre qu'elle doit penser, mais aussi à l'eau — l'énergie marémotrice — et au soleil — l'énergie solaire. Ainsi se trouve clos le cercle qui unit dès lors indissolublement les extrapolations du savant « persécuté » aux prophéties de l'antipoliticien.

Quelques voix haut perchées

Si elle ébranle quelques scientifiques, la victoire hitlérienne frappe de plein fouet la petite société littéraire française, y occasionne de sensibles remous, y exagère des reclassements. Chez tous ceux qui ne choisissent pas dès l'abord l'émigration de l'intérieur, l'apparent triomphe de la force totalitaire sur la démocratie libérale remet en question des valeurs établies (Gide) ou, plus simplement, fait exploser

1. G. Claude, *op. cit.*, p. 7.
2. *Id.*, *La Seule Route*, Inter-France, 1942, p. 115.
3. *Collaboration*, juillet-août 1943.

une conviction violente jusque-là plus ou moins policée. Parmi ces derniers, deux catégories se peuvent aisément distinguer. Les uns ont si étroitement lié leur destin littéraire au microcosme libéral, et sous sa forme la plus parisienne, voire parisianiste, qu'à leurs yeux il n'est plus possible, l'âge aidant, de faire autre chose que la suivre dans sa mutation ultime. Les autres, au contraire, ont toujours su faire entendre cette voix avec une certaine hauteur, s'isoler de la société littéraire pour mieux la dominer. Leur personnalité est plus affirmée et ils ne sont jamais en retard d'une leçon à donner. Qu'ils aient à la bouche l'érudition, la fleur de rhétorique ou l'adage désabusé, ce sont toujours des moralistes, ou du moins ils se veulent tels et la société qui a fait leur succès l'entend bien ainsi.

Chez tous la même constatation initiale d'une virilité victorieuse. Chez les plus conformistes, auteurs fleuves sur le déclin (Jean de La Hire) ou dilettantes insatisfaits de leur obscurité (Eugène Gerber, Jean-Michel Renaitour), le même haussement de ton de rigueur. José Germain (le « Zéro Germain » du *Canard enchaîné*), polygraphe peu renommé mais ancien président de la Société des gens de lettres très répandu, ne manque pas d'exalter la naissance d'un « style de mâles », répudiant la « hideur » et les « précatastrophes » de la littérature d'entre les deux guerres. Sorti de ces considérations, face aux zazous et autres « hommes-femmes », Germain n'a pas de Jünger, de von Salomon à proposer. Faute de mieux, c'est vers la littérature des prisonniers de guerre qu'il tourne son espoir...

Un Thérive (1891) ou un Fernandez (1894), voire un Jacques Boulenger (1879) ont derrière eux une œuvre d'une autre stature. Le premier a remplacé au *Temps* Paul Souday comme critique de référence. Une tribune de même prestige lui manque. Lui qui s'était engagé en zone sud à ne rien donner à des « feuilles allemandes », placera ses délicates chroniques littéraires aussi indifféremment aux *Nouveaux Temps* qu'au *Petit Parisien* ou à la *Parizer Zeitung*. Boulenger adhère au PPF, entre à *Je suis partout*, loin du Stendhal Club et de ses études sur le dandysme, se souvient qu'il adapta jadis les romans de la Table ronde et discourt de *la Race*. Après avoir toujours fluctué entre le roman et l'essai à ambition morale, Fernandez quitte l'univers policé des critiques qui ont fait sa réputation et où Gide côtoyait Proust et Barrès pour ce même PPF, les enquêtes sur le parti unique et les reportages auprès des « Grands Commis de

France », qui ne sont autres que Doriot, Deloncle, Brinon... L'auteur de *Moralisme et Littérature*, celui qui, dans la *NRF* de janvier 1940, diagnostiquait « la stérilité intellectuelle » du germanisme, devient celui qui peut affirmer que « c'est l'Allemagne qui représente les valeurs de l'esprit [1] ».

Cette tentation du magistère, jusqu'à l'exercice de fonctions ministérielles pour l'un d'eux, cette même propension à l'essai élégant ou badin, ce même attachement au Tout-Paris cultivé, cette même adhésion fascinée aux raisons de la force se retrouvent, sous des traits exagérés, chez les deux principaux académiciens du nouveau monde, caution nécessaire du quai Conti à l'ordre intellectuel restauré. De l'évolution des deux Abel, Hermant et Bonnard, celle du premier (1862) suit la courbe la plus paradoxale, qui transforme en germanophile convaincu l'un des libéraux les plus explicitement séduits par la civilisation anglaise, le dialoguiste en 1939 du film officieux de l'alliance franco-anglaise, *Entente cordiale*. D'une jeunesse littéraire fluctuante, entre un naturalisme proche de Zola et les tenants d'un psychologisme un peu confus, Hermant s'était sorti par une série de petits livres ironiques et gracieux qui, parce qu'ils se voulaient désabusés et traitaient d'une société de *Transatlantiques* (1897), lui assurèrent une réputation d'observateur sans complaisance de la société bourgeoise. Lui-même le crut, qui baptisa certaines de ces œuvres *Scènes de la vie cosmopolite* ou *Mémoires pour servir à l'histoire d'une société*. Depuis deux ou trois décennies déjà, sa langue obsolète et le monde restreint dont elle entendait rendre compte reléguaient leur auteur parmi les littérateurs passés de mode, mais, comme Thérive, Hermant avait cependant conservé une solide assise mondaine en devenant au *Temps* le titulaire de la rubrique « Vie parisienne ». Un journal intitulé *les Nouveaux Temps* s'applique à imiter le vieux quotidien : il y collaborera. Mais aussi à *Aujourd'hui*, au *Matin*, au *Petit Parisien*, à *Radio-Paris...* « Membre du Cercle européen à cause des déjeuners », dira de lui Alexandre Astruc, il entreprend de brûler ce qu'il avait adoré au long d'*Une vie, trois guerres* (1943), par dépit amoureux pourrait-on croire. Une conférence comme celle qu'il donne la même année à la Maison de la chimie

1. *La Gerbe*, 14 janvier 1943.

sur « L'esprit de la collaboration » est un texte à l'ancienne, une suite sans grande cohérence de portraits de « collaborateurs » passés, de Mme de Staël à Ernest Renan. Les talents un peu pâlis du chroniqueur mondain de l'ancien régime cosmopolite entendaient contribuer désormais au nouvel ordre européen. La voix était d'une audience limitée, mais elle n'était pas à négliger.

Avec Abel Bonnard (1883), l'assentiment est donné avec plus de clarté encore, mais le point de départ est moins éloigné. Bel esprit homophile et grand amateur de laques chinois, ce penseur de salon qui avait jusque-là surtout arpégé de multiples façons sur le clavecin amoureux — *Affaires de cœur*, avec Paul Morand et Colette, *Savoir aimer*, supplément au *De l'amour* de Stendhal — a découvert sur le tard le verbe politique au long d'une évolution qui, toutes proportions gardées, rappelle celle de Gide prenant au temps du Front populaire la parole à une tribune devant un auditoire populaire et, premier surpris, y trouvant du plaisir. Son essai sans complaisance sur *les Modérés* (1936) signe son adhésion à une sensibilité fascisante qu'il a appris à connaître dès 1925 à la revue *le Nouveau Siècle*, et qu'il confronte dès lors avec enthousiasme à l'ordre viril de Nuremberg, par le truchement du Comité France-Allemagne et l'adhésion aux mouvements dont il est le plus socialement éloigné, les paysans de l'Alliance rurale dorgériste, les ouvriers du PPF. Il va prendre la parole dans des meetings, tenter d'adapter sa langue fleurie aux nécessités de l'invective. Celui que la collaboration appellera « notre Rivarol » poursuivra son escalade en donnant à *Je suis partout* une nouvelle série d'études où, après les modérés, il fait l'analyse spectrale des « Réactionnaires », apportant de l'eau au moulin des « révolutionnaires fascistes ». Son lyrisme collaborationniste d'octobre 1940 — « Le Français d'hier était trop souvent un homme d'envie, que le Français d'aujourd'hui soit un homme de désir... » — ajouté aux prestiges de l'Académie le feront parvenir au faîte des honneurs comme ministre de l'Éducation nationale dans le gouvernement Laval, en 1942. Après avoir été, le 12 juillet 1940, le premier écrivain français à demander solennellement, d'un amphithéâtre de la Sorbonne, que le monde des lettres françaises se remette au travail sans tarder, en excluant seulement de sa production tous les « romans morbides et donjuanesques » à la mode avant-guerre, Bonnard restera jusqu'au dernier jour le grand maître de l'Université, garantissant sa longévité par sa complaisance aux vœux d'une puissance occupante qui l'a définitivement envoûté. Jusqu'au bout, sa propre production cherchera à concilier l'apostrophe « virile » (« L'opinion n'est qu'une énorme femelle, lance-t-il aux cadres miliciens d'Uriage, je salue en vous l'élément mâle de la nation ») et la littérature exquise. Le malaise qu'en ressentiront la plupart des observateurs explique sans doute, autant que la désuétude du littérateur, le silence épais qui est depuis lors tombé sur un personnage déjà singulièrement discrédité du temps de sa splendeur.

Chardonne et Montherlant, deux aristocrates

Le même silence n'est plus aujourd'hui de mise à l'égard des quelques voix distantes mais très écoutées qui entendaient faire part de leur conversion à l'opinion : elle avait appris à s'arrêter pour les entendre. Le mot de conversion est précisément celui qu'utilise hautement Chardonne pour expliquer le bouleversement qu'il affirme avoir senti s'opérer en lui à l'été 1940. Le cadre : ce pays sentimental et mythique du Charentais dont ce grand bourgeois libéral avait coutume d'évoquer avec élégance la morale simple.

La guerre l'avait surpris au cœur des confidences *mezza voce* de la *Chronique privée* de 1939. La *Chronique privée de l'an 1940*, rendue publique selon cette même coutume sitôt écrite, abandonnera les demi-teintes. C'est que l'homme de bon ton et de sagesse bourgeoise vient de découvrir, en face de lui, l'adversaire chevaleresque qu'en quête d'une « terre de l'amitié » il espérait obscurément découvrir. Et cette découverte reçoit la dramatisation qui lui convient, presque une caricature de l'univers Chardonne : un colonel de l'armée d'occupation se présente chez un vigneron de La Maurie. Le vigneron est un ancien combattant, et de Verdun; l'entrevue va être sinistre. Il n'en est rien : l'Allemand « y » était aussi, en face. Les deux hommes se reconnaissent de la même trempe, proches de cette même sagesse fondamentale, le sel de la terre. Le pacte de collaboration à La Maurie est signé quand le vigneron décide de faire à l'égard de l'ennemi d'hier le geste le plus solennel qui soit. Lui offrir de son meilleur cognac. « Ce jour-là, un vieux monde d'idées et de certitudes s'est défait en moi d'un seul coup... J'ai compris alors ce brusque et total retournement de l'esprit que l'on nomme conversion[1]. » Cette dernière est totale quand un voisin dudit vigneron adresse à l'autorité occupante une lettre dont Chardonne cite, non sans naïveté, un extrait : Je regrette de ne pas avoir pu « vous remercier de vive voix de la façon dont l'occupation de ma maison a été faite par vos soldats ». Leur correction est « une des meilleures propagandes pour la compréhension mutuelle entre nos deux pays[2] ». Le fruit de la terre et la maison : les deux grandes valeurs de la société traditionnelle ont été respectées. Elles témoignent désormais de la vérité de la collaboration.

Suivant la pente de son romanesque personnel, Chardonne va mettre un comble à un engagement que personne n'attendait de lui[3] dans cette sorte de persiste-et-signe que veut être pour lui *Voir la figure* (1941). Cette figure, c'est le tout de la collaboration, que tant d'esprits médiocres ou abusés se refusent à même seulement envisager. Sous l'enveloppe métaphysique, les arguments sont d'ailleurs d'un solide terre-à-terre : il faut en être; la continuité nationale l'exige. « L'Allemagne apporte la solution : l'unité européenne dans le respect des unités nationales spirituelles. Bientôt une couleur, un dessin de l'Europe seront fixés pour longtemps. Se retrancher du monde extérieur est dangereux. Une telle rupture, à certain degré, est proprement une folie[4]. » Barbezieux n'a pas voulu la guerre, mais Barbezieux avait besoin de rigueur. L'Allemagne en a à revendre et « voudra quelque relâche[5] »; ainsi s'établira la réciprocité de l'échange européen, cette sorte de transaction commerciale entre deux productions, le cognac charentais et la vertu prussienne.

Dans ce dialogue nouveau, Chardonne, soucieux d'amitié, s'attache à souligner qu'il n'est pas seul et que, s'il représente assez bien les vertus de la terre provinciale, d'autres témoignent dans le même sens que lui. Ainsi en est-il pour lui d'Henry de Montherlant. « [Il] est revenu à Paris. Cela aussi fait plaisir et l'on va mieux respirer... On dit qu'il a trouvé Paris vrai. C'est l'important[6]. » A cette date en effet

1. J. Chardonne, *Chronique privée de l'an 1940*, Paris, Delamain et Boutelleau, 1941, p. 121.
2. *Ibid.*, p. 153.
3. On lui doit aussi un roman « allemand » resté confidentiel, *le Ciel de Nielfheim.*
4. J. Chardonne, *Voir la figure*, Paris, Grasset, 1941, p. 92.
5. *Ibid.*, p. 63. — 6. *Ibid.*, p. 42.

Montherlant aussi a vu la « figure ». Mais, chez lui, elle évoquerait plutôt une sorte de labarum païen. Avec *le Solstice de juin*, paru à l'automne 1941, il vient de sacrifier à la pratique des « notes à leur date », assez commune à cette époque où l'événement contemporain interpelle brutalement l'écrivain, tout en le laissant dans une grande incertitude quant à son sens (Grasset, Drieu, Bonnard...). Maniant comme à son accoutumée le paradoxe longuement expliqué, la restriction, le post-scriptum et la note en bas de page, l'auteur y donne quelques développements supplémentaires à ce qu'il avait déjà avancé publiquement au cours de deux conférences en zone sud dès novembre 1940, à savoir que « les circonstances actuelles, malgré l'apparence, semblent favorables à la liberté d'esprit de cet anormal qu'est l'artiste [1] ». La sagesse qu'il en retire est tout empreinte du même aristocratisme noir, « la mort et les misères de millions d'êtres nous étant à peu près indifférentes [2]... », qui argue précisément de la misère des temps pour affirmer tout à la fois que les êtres d'élite ne s'y affirment que mieux — et que, en dernière instance, « depuis toujours les nuits descendent sur le monde qui sont nuit pour le grand nombre et plein jour pour quelques-uns [3] ». Hanté de références antiques, il retrouve avec plaisir dans un discours de Hitler la vieille formule de la civilisation grecque conquérant son vainqueur : « Même vaincu, un peuple qui produit des œuvres immortelles devant l'histoire devient le vrai vainqueur de ses adversaires [4]. » La collaboration devient dès lors le libre choix des élites néo-païennes (« Tu *es* vaincu, Galiléen »...) pour le camp des vainqueurs du solstice. Au mois de juin 1940, c'est en effet la « païennie » qui déferlait : vu sous cette lumière, le 24, jour du solstice et de l'armistice, est celui où « la croix gammée, qui est la roue solaire, triomphe en des fêtes du soleil ». Cette revanche de Licinius sur Constantin, proclamée à l'apogée de l'ascension allemande, conduira Montherlant jusqu'à la suspecte librairie Rive gauche qui fera bon accueil au nouvel ouvrage. Un attentat contre cet établissement, en même temps qu'il réduisait en cendres les souvenirs des « enfans Montherlant » exposés en devanture, sonnera peut-être comme un rappel à l'ordre, et la marche du chevalier païen dans

1. H. de Montherlant, *Le Solstice de juin*, Paris, Grasset, 1941, p. 97.
2. *Ibid.*, p. 117. — 3. *Ibid.*, p. 314. — 4. *Ibid.*, p. 105.

l'axe de la roue solaire s'arrêtera là. Jusqu'à la fin, son nom figurera pourtant parmi ceux qu'annexera sans protestation la propagande parisienne.

Céline, une collaboration hypocondriaque

Une telle prudence, un tel apparat n'auraient pu convenir à Louis-Ferdinand Céline. Après qu'un silence gêné se fut répandu sur l'ensemble de son œuvre, ses thuriféraires, par réaction, ont prétendu que le misanthrope de Meudon n'avait jamais fait à proprement parler acte de collaboration et que sa seule création contemporaine de l'occupation était l'inactuel *Guignol's Band* (1942). Sa situation est en fait plus complexe. C'est bien sous occupation allemande et en zone nord que sont réédités *l'École des cadavres* de 1939, assorti d'une préface raciste et « européenne » sans équivoque, et *Bagatelles pour un massacre* de 1938, agrémenté cette fois de vingt photographies antisémites légendées par Céline avec un sens de l'humour très personnel; c'est bien en 1941 que sort le dernier volet du triptyque, *les Beaux Draps*, au long desquels l'auteur peut s'adresser quelques compliments pour la clairvoyance de ses fulminations antérieures. Nulle question pourtant de triomphalisme ni même d'espérance. A une époque où les collaborationnistes les plus rigoureux s'impatientent tout au plus de voir la France ne pas saisir assez vite la chance historique qui s'offre à elle, Céline broie toujours et encore du noir. « Plus con que le Français? Vraiment n'est-ce-pas c'est impossible? [1] » Rien d'étonnant, puisque 1940 est le cul-de-sac d'une histoire jalonnée de « Ben Montaigne » et de « Juif Racine ». Mais il y a pire : c'est que l'ordre nouveau n'a rien changé au fond du problème. Ainsi des juifs. « Plus de Juifs que jamais dans les rues... dans la presse... au barreau... en Sorbonne... en médecine... au théâtre, à l'Opéra, au Français; dans l'industrie, dans les banques [2]. » Quant à la Résistance : « Ça papillonne aux pissotières... Courage de voyous, de métis, courage de Juifs [3] »...

Par rapport à l'avant-guerre, le champ de l'invective, on le voit,

1. L.-F. Céline, *Les Beaux Draps*, Paris, Nouvelles Éditions françaises, 1941, p. 124.
2. *Ibid.*, p. 44. — 3. *Ibid.*, p. 27.

s'est encore élargi; *les Beaux Draps* restent cependant dans la lignée du mode d'intervention classique de l'écrivain saisi par la tentation du pamphlet. Avec Claude, nous avons vu apparaître une autre forme de prise de parti, la déclaration, généralement à une agence. Céline, lui, va devenir un familier d'un médium qui convient mieux à son tempérament — « l'article n'est pas mon fort [1] », avoue-t-il en exergue de la première de ces manifestations : la lettre. Lettre à la rédaction d'un périodique, ou plutôt nommément à l'un de ses animateurs, destinée de toute évidence à être reproduite, ce que s'empressent de faire à chaque fois les destinataires, lui réservant la première page, les caractères gras, les encadrés, le fac-similé partiel, sans jamais aucune protestation de l'intéressé. Et les destinataires ne sont pas non plus parmi les plus modérés du monde parisien : à côté de *Germinal* ou de *la Révolution nationale*, *l'Appel* de Costantini, autre frénétique, *l'Émancipation nationale* de Doriot — « Il faut travailler, militer avec Doriot [2] » —, *Je suis partout*, *Au pilori*... Les sujets sont de toute taille mais traités avec la même fébrilité et, en toile de fond, les mêmes adversaires que ceux des collaborationnistes : derrière la diatribe contre Péguy, qui « n'a jamais rien compris à rien [3] », celle qu'ils adressent aux « réactionnaires » de Vichy; derrière l'exécration du style proustien — « S'il vivait encore, de quel côté serait Proust? Je vous le laisse à penser! La chute de Stalingrad ne lui ferait certainement aucune peine [4] » —, l'universelle grangrène juive; derrière le soutien apporté à Laubreaux, censeur des *Parents terribles* de Cocteau, l'affirmation que « raison de race doit surpasser raison d'État [5] », etc.

Le racisme de Céline a déjà fait couler beaucoup d'encre. Chez nul autre peut-être ce que d'aucuns considèrent comme la dramatisation par excellence de la mauvaise conscience n'a montré plus clairement son processus, son évolution délirante. Nous resterons dans le cadre que nous nous sommes imparti en nous contentant de relever tout ce qui fait de ce délire célinien un langage finalement tout à fait harmonisé au concert général de la collaboration,

1. *La Gerbe*, 13 février 1941.
2. 21 novembre 1941. Il s'agit, exceptionnellement, d'une « déclaration ».
3. *L'Appel*, 4 décembre 1941.
4. *La Révolution nationale*, 20 décembre 1943.
5. *Je suis partout*, 22 novembre 1941.

par-delà des excès de plume qui ne sont pas sensiblement différents, aucune considération de « talent » n'entrant ici en ligne de compte, de ceux de n'importe lequel des collaborateurs du *Cahier jaune* ou du *Pilori*. L'extension des haines céliniennes en cercles concentriques à partir du juif n'épargne en fait aucun des adversaires du Reich, et il est trop rapide de dire que ces éructations, effectivement difficiles à partager dans toutes leurs outrances — « La gigantesque tartuferie de la Résistance! Alors que jamais la France n'a été si riche, si cupide, si gavée de bénéfices de guerre [1]... » —, ne sont que les fruits d'un nihilisme incohérent. Boutades provocatrices, même, le : « Moi, je veux qu'on fasse une alliance avec l'Allemagne, et tout de suite, et pas une petite... », des *Beaux Draps*, ou le : « Au fond, il n'y a que le chancelier Hitler pour parler des Juifs », de la lettre à Costantini [2]? Isolées de leur contexte, celui des Louis Thomas et des Darquier de Pellepoix, peut-être. Réinstallées dans la société de la France allemande, elles trouvent leur place, elles s'assignent un rôle, nullement marginal, nullement excentrique. Celui du chantre excessif mais excitant d'un combat chaque jour un peu plus « total et radical », pour reprendre la formule de Gœbbels. La presse la plus musclée de la collaboration, de « gauche » comme de « droite », ne s'y trompera pas, manifestant une sympathie joyeuse à l'évocation de cette littérature, qui n'est pas pour les estomacs délicats, dira Rebatet, pas plus que la puissance occupante, dont le Dr. Epting s'instaurera une fois de plus le porte-parole en disant à la veille de la Libération : « Céline nous est proche [3]. »

« Collaboration, certes certes, mais libre. Absolument libre et non salariée de la chose » : Céline ne fut effectivement pas, on peut le croire, un stipendié de la chose. Mais c'est justement bien le propre de toute cette Académie de la collaboration dont parlera Rebatet au crépuscule [4]. Le verbe, qui était leur véritable richesse, aura été mis au service de l'ordre nouveau comme chez les autres la force physique. Ce n'était pas un moindre cadeau aux yeux d'un occupant. Une anecdote veut qu'en arrivant à Paris, le premier gouverneur allemand ait eu en poche une lettre qui lui assignait deux objectifs non

1. Lettre à Claude Jamet, *Germinal*, 28 avril 1944.
2. *L'Appel*, 4 décembre 1941.
3. *La Chronique de Paris*, avril 1944.
4. *Je suis partout*, 10 mars 1944.

militaires à contrôler en priorité. L'Hôtel de Ville et la *NRF.* Nous avons vu qu'au pied de la lettre, la deuxième partie de ce programme a été remplie, sans difficultés insurmontables. Passant de la partie au tout du monde littéraire français, on peut se demander si la réussite n'a pas été plus satisfaisante encore.

11

Le don de sa personne

La collaboration armée

> Ils ont jeté leur lance aussi loin que possible... avec cette sorte de joyeux élan de va-tout au-delà de l'espoir, de goût sportif de se dérouiller les jambes qui a fait le charme viril des grandes compagnies d'aventuriers.
>
> ROBERT BRASILLACH *

Au stade du vécu, la contradiction cardinale du collaborationniste restera, tout au long, l'impossibilité devant laquelle il se trouve d'engager l'ensemble de la nation dans la grande fraternité militaire qui aurait rendu son honneur à la France vaincue. Avec le temps, il faudra trouver des substituts. Ils iront d'une sorte de Légion étrangère sous uniforme allemand en territoire slave jusqu'à diverses bandes de tortionnaires policiers en territoire bien français, en passant par tous les uniformes et toutes les obédiences possibles. Au mois d'avril 1945, à quelques jours de la fin de la guerre, le but ultime sera atteint : toute la collaboration encore active est devenue militaire. Mais elle se ramène à quelques centaines d'hommes bataillant sans espoir dans les ruines d'une capitale allemande ou d'obscurs villages trentins.

Agir?

Dès l'an 1940, les militaires de carrière, en activité ou non, ne manquent pas dans les rangs de la collaboration de zone nord. L'argument parfois avancé de la fidélité aveugle et pervertie au vainqueur de Verdun ne suffit pas à expliquer cette présence, en particulier au-delà du 13 décembre, du renvoi de Weygand et de l'abolition de l'armée d'armistice. Des sentiments d'une tout autre force sont entrés en jeu.

* Parlant de la LVF dans *Je suis partout*, 27 août 1943.

L'anglophobie est particulièrement vivace dans la Royale; elle s'est manifestée dès la débâcle de juin 1940. Sans même qu'il soit nécessaire de revenir ici sur les éructations de l'aviateur Costantini, on sait que Mers el-Kébir exacerbe les vieux démons. L'antibolchevisme, quant à lui, rattache plus simplement l'armée française aux grands thèmes antidémocratiques qu'elle véhicule d'ordinaire. L'essentiel est cependant ailleurs, au-delà de toutes ces phobies explicites : la fascination pour un vainqueur dont tout le système social exalte en fait les valeurs militaires, la force conquérante, l'ordre, la hiérarchie.

On retrouvera ces officiers chargés d'illustrer de leur présence telle cérémonie « nationale » ou tel organe directeur d'un nouveau parti, le général Lavigne-Delville, par fidélité au souvenir de la Cagoule, dans le premier MSR, le colonel Benoist dans les organes directeurs du RNP, le général Durand à la présidence du comité de Nice du groupe Collaboration et lui-même auteur d'un appel des « officiers généraux français » en date du 4 juillet 1944, particulièrement critique à l'égard de ses collègues trop souvent « traîtres à leur serment », en d'autres termes peu disposés à appuyer par des actes la collaboration franco-allemande. Quelques officiers accepteront de couvrir de leur nom et de leur expérience présumée les chroniques militaires du *Cri du peuple* (colonel Larpent), de *Je suis partout* ou des *Nouveaux Temps* (général Mangeot, ancien gouverneur de Tombouctou). Le plus célèbre de ces experts reste pourtant un civil. Hérold-Paquis : plus à l'aise dans la revanche pratique que dans le docte commentaire des victoires de leur vainqueur, la plupart des soldats de métier éprouvent le besoin d'aller plus loin et solliciteront, parfois en vain, leur entrée dans les unités militaires de la collaboration.

Ils s'y retrouveront en compagnie de volontaires d'une tout autre origine, intellectuels impatients d'agir et de (se) prouver leur virilité, idéologues aspirant à la grande unité du combat au coude à coude, contre les divisions partisanes dans lesquelles ils ne voient que trop bien tomber la nouvelle classe politique, à l'instar de l'ancienne. Un Jean Loustau (1917), ancien employé de la Banque de France et militant de l'Action française, était devenu journaliste dans le Paris de l'occupation à *Je suis partout* et à la tête de l'hebdomadaire *Jeunesse*. Après avoir tenu quelque temps la revue de presse de Radio-Paris, Loustau, n'y tenant plus, franchira le pas et se portera volontaire pour la Waffen SS. On le retrouve au printemps 1944, décoré de la croix de fer sur le front de l'Est, combattant cette fois, toujours à sa demande, sur le sol français, en Normandie, dès les premiers jours du débarquement allié. Claude Maubourguet est encore plus jeune, puisqu'il n'a que vingt ans en 1940. Filleul de Lesca, il est devenu sans difficulté secrétaire de rédaction à *Je suis partout*. A l'âge des services militaires, il a choisi la Milice française, avec laquelle il combat les maquisards des Glières et, lui aussi, les troupes alliées en Normandie. Le personnage de Marc Augier, le futur Saint-Loup, résume un peu tous ces destins, dans la mesure où il s'est trouvé là pour en chanter les premiers jours comme les derniers. En 1936, c'est encore l'une des voix les plus caractéristiques du Front populaire puisqu'il est le rédacteur en chef de la revue du CLAJ (Centre laïc des auberges de la jeunesse), *le Cri des auberges*, où il célèbre la santé du corps, l'excellence du plein air, l'internationale de la jeunesse. Le champion de ski nordique et l'homme de plume prolifique et volontiers lyrique auront toujours quelques difficultés à coexister. La victoire allemande de 1940 ne fait qu'accélérer une mutation déjà en cours. Remonté à Paris pour relancer un mouvement ajiste inféodé à l'occupant, Augier animera quelque temps sans conviction un fantomatique Front de la jeunesse avant de saisir, lors de la création de la LVF, l'occasion qui s'offre à son exigence communautaire. Le texte qu'il adresse alors à *la Gerbe*, dans les colonnes de laquelle il collaborait régulièrement jusque-là, condense dans le style énergique propre à son auteur les raisonnements que se tiendront tous les Loustau et tous les Maubourguet. Il y est question d'une « volonté définitive de rompre avec tous les bavardages des collaborateurs » : « Si je consens certains sacrifices en participant à une guerre..., c'est parce que j'ai la conviction que le national-socialisme apporte enfin à l'Europe la réalisation du socialisme. Pour cette réalisation, je suis prêt à conclure une alliance avec le diable lui-même [1]. »

On doit à la vérité de dire que tous les intellectuels musclés de la collaboration seront loin de poursuivre jusqu'à ce point la logique de leur fidélité. La plupart des « chefs », grands et petits, se limiteront à l'inscription toute symbolique dans les groupements militaires. Il en est de même non seulement des « nouveaux messieurs », peu soucieux de quitter leur capitale — Jean Luchaire figure tout au plus au comité

1. *La Gerbe*, 6 novembre 1941.

d'honneur de la Légion antibolchévique —, mais aussi des journalistes les plus agressifs qui, tels Brasillach, Drieu ou Rebatet, s'étaient déjà, au cours de la guerre d'Espagne, contentés de visiter le front franquiste à la manière de grands reporters parmi d'autres. Le premier déclarera « avoir trop le respect du sang humain et surtout du sang de la jeunesse [1] » pour désirer participer à quelque combat que ce soit, bien que cela ne l'empêchât point de chanter les louanges des jeunes Français qui, apparemment, n'avaient pas raisonné comme lui. Le deuxième ne réussit jamais à suivre l'exemple de son Gilles, qui n'avait trouvé *in extremis* le sens de sa destinée qu'en faisant le coup de feu contre les Brigades internationales. Le troisième enfin, premier à réclamer une politique de la violence, se refuse à sortir de son office de haut-parleur. Sa célébration de la mitrailleuse, dans *les Décombres*, est pourtant plus autobiographique encore que celle de *Gilles* : « Je me sens un homme nouveau, invincible. Ô mitrailleuse si souvent caressée en rêve, devant les ignobles troupeaux du Front populaire, les estrades de Blum, de Thorez, de Daladier, de La Rocque, les ghettos dorés et les Sodomes des fêtes bien parisiennes! Cent fusils mitrailleurs bien pointés et la face de la France... Je tire comme un dieu, goulûment [2]... » Ce même Rebatet qui termine les mêmes *Décombres* en constatant : « Seul, que puis-je? Je ne fais figure que d'énergumène [3] », n'en tirera jamais la conclusion que la fraternité des armes est une réponse à son isolement. « Je veux aller sur le front de Russie », a-t-il sans doute dit dans une dépêche d'Inter-France datée du 25 juin 1941, mais pour préciser aussitôt : « Je ne veux pas demander un fusil. Ce ne serait qu'un geste puéril. Mais j'ai un porte-plume. » Les combattants du porte-plume ne manqueront donc pas. Peu nombreux sont ceux qui connaîtront le front russe proprement dit, aussi bien la légion française n'y fut-elle guère engagée plus d'une quinzaine de jours. Leur principale contribution consistera surtout à visiter les arrières dont elle a la charge.

Dans l'atmosphère obsidionale de 1944, les journalistes les plus radicaux auront cependant à cœur de sentir enfin le grand frisson. Ils le trouveront en territoire français, au sein de la Milice combattant les maquis des Glières, du Vercors, des Dombes. L'équipe de *Je suis*

1. *Mémorandum*, in *Œuvres complètes*, *op. cit.*, t. V, p. 629.
2. *Les Décombres*, *op. cit.*, p. 279.
3. *Ibid.*, p. 664.

partout s'illustre particulièrement dans cette prestation, qui prend chez certains les allures d'un grand jeu scout un tantinet plus excitant. Cousteau, retour de Bretagne [1], racontera avec jubilation comment, fondu dans une petite troupe de francs-gardes, déguisé lui-même en « terroriste », il a participé à l'arrestation par traîtrise de trois résistants : « C'est toujours excitant de jouer au gendarme et au voleur en pleine nuit avec de vraies armes. » Pour lui, ce reportage actif a représenté « dix jours d'évasion... loin de la bêtise française, intégré corps et âme à la communauté milicienne » où il a enfin trouvé, dans l'abandon général, «la France telle qu'elle devrait être». Parlant du chef Costanzo, de la milice de Rennes, à la sinistre réputation, Cousteau retrouve les mots de l'intellectuel fasciné : «On commence par le redouter... et puis, lorsqu'on le voit à l'œuvre, on comprend que c'est un seigneur. Ensuite, on le suit aveuglément.»

A ceux de ces professionnels du verbe qui suivront l'exemple plutôt d'Augier que de Rebatet, comme à ceux des professionnels de l'action armée qui ne songent pas à servir leur conviction autrement qu'en mettant à son service leur expérience, s'ajouteront enfin, avec le temps, la masse de ceux que l'extension progressive du champ de bataille, le renforcement des réseaux de propagande allemands, la militarisation croissante des partis autorisés, tous ceux que le passage à la guerre totale, en un mot, entraîne plus ou moins vite, plus ou moins consciemment vers l'intégration complète à la machine offensive-répressive de l'occupant.

LVF

Reste le choix du champ de bataille. Les occasions de Mers el-Kébir et de la Syrie n'ayant pas été saisies, le combat contre l'Anglais ne suffit pas plus à mobiliser les énergies que la reconquête des premiers territoires français dissidents. Dans les deux cas, les plus impatients attendent encore de Vichy l'engagement militaire solennel et global qui leur semble aller de soi. Avec le temps, cependant, l'idée d'une « légion », qui pourrait se passer, à l'origine, de l'aveu gouvernemental, commence à se faire jour, dans la continuité des formes de participation militaire, de part et d'autre, à la guerre d'Espagne. Il

1. Numéro du 7 juillet 1944.

faudra la surprise de juin 1941 et toute la force du sentiment antibolchevique pour que la collaboration française réussisse à trouver, avec l'ennemi dont l'écrasement mérite qu'on se batte, la réponse aux derniers scrupules de conscience que pouvaient donner à certains toute lutte directe contre l'allié de mai 1940.

L'initiative ne vint pas des Allemands : Berlin veut une guerre courte et une victoire germanique. Elle ne vint pas non plus de Vichy, non que plusieurs de ses politiciens n'aient pas été favorables à un tel engagement, mais c'est que le contrôle de l'opération entendait bien être, cette fois-ci, assuré par les Parisiens. Ce sont ces derniers en effet qui ont, dès le premier jour, suggéré la formule d'une « Légion des volontaires français contre le bolchevisme » (LVF), dont le nom évoque tout à la fois la populaire Légion étrangère et l'officielle Légion française des combattants. Profitant de la tribune du congrès PPF de Villeurbanne, Doriot a, le 22 juin, lancé l'idée. Pour lui, le moment est d'importance : sa prise de position sanctionne sa rupture avec le vichysme. Pour les autres chefs, la menace est de taille. Dès le 23, ceux qui sont présents à Paris rencontrent Abetz. L'ambassadeur est réticent, mais le SD voit d'un bon œil cette escalade dans l'engagement. Malgré les réticences de Hitler, il n'y aura pas d'opposition allemande. Un comité d'honneur de soutien est institué dans les deux zones, un appel signé par les quatre principaux leaders parisiens du moment, Déat, Doriot, Deloncle et Costantini. On parle de toute une division française. Le 18 juillet, un grand meeting au Vel d'Hiv lance solennellement la LVF, dans une grande unanimité de façade — Bucard seul reste réticent. Deloncle est placé à la tête du comité central de la Légion. Le 27 août, donnant toute signification politique à l'opération, Laval, président en disgrâce, vient saluer les premiers légionnaires — on sait que c'est à cette occasion que Collette essaiera de l'assassiner.

Des officines de recrutement s'ouvrent un peu partout, avec l'aveu de l'occupant. Dans une lettre datée du 28 novembre 1941, le cardinal Suhard protestera ainsi contre les agissements d'un prétendu duc de Lavalette et de Saint-Simon, familier avant-guerre des escroqueries et usurpations de titres, qui avait ouvert au cœur de Paris un bureau de recrutement pour la LVF placé à l'enseigne de « l'état-major des chasseurs de Jeanne d'Arc » et visiblement destiné à séduire une clientèle catholique traditionnelle... Comme l'enthousiasme n'est malgré tout pas aussi grand qu'on l'espérait, diverses vedettes de la collaboration déclareront solennellement souscrire un engagement. Une fois de plus, le RNP (Déat, Deloncle, Goy, Fontenoy, Vanor) brûle la politesse à Doriot, qui se rattrapera bientôt en étant le seul à partir effectivement. Les autres chefs choisissent le front de la province, à travers laquelle ils entreprendront d'abondantes tournées de propagande, Costantini figurant parmi les plus actifs. Le 8 septembre, le premier contingent français rejoint son cantonnement.

Dès l'abord, la LVF est une initiative « privée » et les tentatives de débauchage dans le sein de la Légion française des combattants se heurtent aux menaces de radiation de Vichy, qui refuse purement et simplement d'autoriser le recrutement en zone sud. Les volontaires slovaques du front russe pourront donc conserver leurs uniformes nationaux, les légionnaires français devront se contenter d'un simple écusson tricolore distinctif sur la vareuse Wehrmacht. La rupture n'est cependant pas totale. Dès le 23 juin, Deloncle avait adressé une lettre au maréchal pour lui demander de patronner la Légion. A une question analogue de Brinon, Darlan avait répondu au mois d'août en apportant, en quelque sorte, le soutien sans participation du gouvernement. Le chef de l'État lui-même continuera à cultiver sur ce sujet l'ambiguïté qu'il affectionne. Dans un télégramme, daté de novembre, au responsable militaire de la Légion, le colonel Roger Labonne, vieil officier de soixante-cinq ans, il n'hésitera pas à exprimer son contentement de la voir ainsi « détenir une partie de l'honneur militaire » français, formule sur laquelle la collaboration va évidemment gloser d'importance. Sur les murs de la zone nord, des affichettes incitent les jeunes Français à s'engager dans la LVF (en lettres grasses) : « par autorisation du maréchal Pétain et avec l'acquiescement du Führer ». Le 11 février 1943, le dernier pas sera franchi avec la reconnaissance par le gouvernement Laval de « l'utilité publique » de la légion, à la tête de laquelle, aux termes d'un décret du 17, Brinon, secrétaire d'État, est nommé. La LVF est désormais officielle.

Les croisés du XXe siècle

Pour chiffrer l'étendue du mouvement, des estimations très fantaisistes ont été souvent avancées par une littérature nostalgique. Les 15 000 hommes rêvés à l'origine ne seront jamais atteints. Les chiffres, avancés par les Allemands dès le mois d'août — 11 000 volontaires 1 560 officiers, dont 600 aviateurs — sont de la plus haute invraisemblance. L'Allemagne, qui peut à l'été 1941 se permettre d'être exigeante, a éliminé une forte proportion des candidats français. 8 000 se sont sans doute présentés au cours des six premiers mois; la moitié a été rejetée. A la mi-février 1942, on ne comptera pas plus de 113 officiers et 3 528 sous-officiers et hommes de troupe pour constituer le 638e régiment d'infanterie allemand, à deux bataillons, à quoi se limitera la LVF combattante. Jamais plus de 2 300 ne se trouveront en campagne. Groupe singulièrement modeste, surtout si on le compare aux contingents analogues des pays voisins. Les combattants ne représentent pas, il est vrai, le mouvement dans sa totalité. Localement, des groupes d'« Amis de la LVF » se sont constitués, sur des bases beaucoup plus larges. Ainsi on compte dans le Morbihan 5 engagés sur 42 adhérents, à Dijon 150 sympathisants pour une petite dizaine de départs. En Charente-Maritime, le chiffre serait même monté jusqu'à 300, avec 72 engagements. Il semble bien qu'ici et là, tel ou tel militant de l'ancien régime, communiste en particulier, ait tenu pour se dédouaner à figurer au nombre de ces « amis ».

La répartition géographique privilégie, bien entendu, la zone nord, et des sources invérifiables parlent même de près d'un tiers de Bretons; il est en fait impensable, à l'heure actuelle, d'aller beaucoup plus loin dans l'analyse. La composition sociale est un peu mieux connue. *L'Illustration*, en juillet 1942, avance, pour un échantillon de 200 légionnaires, le pourcentage de 90 p. 100 de « manuels », sans plus de précision. Une enquête portant sur la Côte-d'Or recense aujourd'hui en tête 24 employés sur 48 professions connues. Dans la Vienne, ce sont les salariés agricoles et les chômeurs qui viennent en tête. La très petite bourgeoisie et le *Lumpenproletariat* ont sans doute fourni au total les plus gros contingents. Dans certaines régions, les travailleurs immigrés (Nord-Africains dans le Midi et en Loire-Inférieure, par exemple) ou fraîchement naturalisés (Polonais dans le Nord) constituent, comme pour la Relève, des proies de choix, au même titre que les truands menacés d'un mandat d'arrêt et, sur le tard, les ouvriers en rupture de STO.

S'ils sont très minoritaires, les intellectuels et les notables attirent en revanche l'œil des journalistes et, plus tard, celui des historiens en quête de portraits faciles. Les noms les plus souvent cités sont ceux de notaires comme Me Barbé, de Tarbes, d'avocats, comme Me Boudet-Gheusi, de Nice, de journalistes comme, on l'a vu, Marc Augier, sans parler du propre fils du général Bridoux, ministre de la Guerre du gouvernement Laval de 1942. Le plus haut en couleur est certainement le fameux Jean Mayol de Lupé, aristocrate de vieille souche, auteur de *l'Oriflamme de Saint Louis* ou de l'*Histoire de la maison de Mayol*, fils attaché à la mémoire de son père, le comte Henri, « dernier légitimiste ». Ce prélat de Sa Sainteté, *Monsignore* en cour de Rome, exerce en soudard botté son office d'aumônier général de la LVF. Unissant dans une même ferveur « notre Saint-Père le pape » et « notre Vénéré Führer Adolf Hitler », il permet, en paradant en uniforme de colonel allemand lors d'un meeting parisien, l'une des photographies les plus connues de *Signal*. On le retrouvera dans la Waffen SS, fidèle à son personnage, caracolant sur un cheval volé, parabellum à la ceinture. Caricature de *condottiere*, il est dans l'opinion publique française, à l'instar de beaucoup de ces « soldats perdus », plus un objet de scandale que d'admiration.

Significativement, c'est l'origine partisane des légionnaires qui est la mieux connue. Si dans le Jura nord 22 légionnaires seulement sur 94 appartenaient déjà à un mouvement politique, dans le Morbihan le pourcentage monte à plus de 30 p. 100. Les deux grands activistes du mois de juin 41, Deloncle et Doriot, ont cherché à faire de la LVF une annexe de leurs mouvements respectifs, à grand renfort de propagande auprès des nouvelles recrues. Le fait est si avéré que le premier bataillon est classé comme PPF, le second MSR. Dans la Côte-d'Or, la Ligue et le PPF rallieront à peu près la moitié des légionnaires, le RNP 20 p. 100. Avec le temps, le doriotisme paraîtra l'emporter, mais les incidents occasionnés par les affrontements de clans amèneront en avril 1942 les Allemands à faire signer aux légionnaires un engagement... à ne plus se livrer à une quelconque propagande partisane au sein de la troupe. Cette exigence entraînera la démission d'environ 1 500 hommes.

A cette date, il est vrai, la LVF a déjà fait ses preuves, et elles ne sont guère encourageantes. Peu exercée, parcourue de courants divers, mal commandée par un chef fourbu et contesté, elle n'a été engagée pleinement qu'une seule fois, en décembre 1941. Elle sera retirée du front au bout de quatorze jours, après avoir perdu environ deux cent cinquante tués, blessés ou évacués pour gelures. Les trois bataillons d'environ 800 hommes chacun, réorganisés au printemps 1942, ne seront plus jamais réunis. Maintenus à demeure sur les arrières, ils se verront cantonnés à des fonctions de police en territoire occupé et ne seront guère engagés, comme le bataillon du commandant Edgar Puaud, que contre les partisans soviétiques.

Le contraste est grand entre ces responsabilités médiocres et le coût de la LVF : soldes élevées (2 400 francs au simple soldat, plus les indemnités) et subventions au Comité central métropolitain, tout argent allemand, et non français comme cherche à le faire croire la propagande. Cette dernière fait d'ailleurs feu de tout bois. De grandes réunions cérémonielle tenues dans les vastes salles de Chaillot ou du Vel d'Hiv ont d'autant plus de succès qu'elles permettent à ceux qui y assistent d'y vivre à peu de frais l'exaltation du combat pour la civilisation européenne. Des services religieux à Notre-Dame, des remises de Légion d'honneur sont l'occasion d'exalter ces preux des temps modernes dont s'empare une abondante littérature journalistique (*le Combattant européen*, rédacteur en chef : Marc Augier, chantre « viril » des *Partisans* en 1943) et de faire d'eux des soldats « aux mains pures [1] » puisque aussi bien elles ne se tachent que de sang bolchevique.

Cherchant à officialiser le mouvement pour mieux le contrôler, Laval, inspiré par Bridoux et Benoist-Méchin, lancera le 16 juillet 1942 l'idée d'une « Légion tricolore », au recrutement étendu à l'ensemble du territoire français, combattant sous uniforme français et autorité vichyssoise « contre le bolchevisme et ses alliés... partout où l'intérêt de la nation est en jeu ». Au comité central de la nouvelle légion sont invités à venir siéger, outre Doriot, Déat et Costantini, quatre représentants de la zone sud, parmi lesquels déjà les animateurs du Service d'ordre légionnaire (SOL) en pleine ascension, Jean Filliol et Darnand. Le responsable militaire en est ce commandant puis colonel Puaud, venu d'Indochine en mai 1940 pour en découdre plus vite avec l'Allemand et engagé depuis lors à ses côtés. Le 17 septembre, la Wehrmacht signifie officiellement à Vichy son refus d'admettre une telle unité autonome en son sein. Son seul objectif

1. R. Brasillach, *Je suis partout*, 27 août 1943.

à cette époque n'est plus que de recompléter homme par homme la LVF existante.

Le débarquement de novembre ne modifiera guère les données du problème, abstraction faite de l'équipée sans éclat de la Phalange africaine. Darnand lance la formule le 21 novembre. L'objectif est de réunir deux brigades de 7 000 hommes, flanquées d'une demi-brigade indigène, décidées à reconquérir aux côtés des Allemands cette contrée que « nous avons définitivement gagnée à la France par notre longue œuvre de civilisation [1] ». On aurait enregistré de 5 000 à 6 000 candidatures. Là encore, les réticences allemandes ne permettront pas plus que la naissance d'une compagnie croupion de 205 hommes assermentés tout à la fois à Hitler et à Pétain, intégrée en Tunisie à la 334e division d'infanterie allemande. A sa tête se trouvera un militaire de carrière, le colonel Cristofini, et un intellectuel, le propre neveu de Darnand, Henry Charbonneau. Fils de général, jeune journaliste maurrassien n'ayant pas la trentaine, avant-guerre collaborateur d'obscures feuilles ouvrières « jaunes », il a été saisi à son tour par la fièvre de l'activisme en 1940, qui le verra transiter quelque temps par le MSR de Deloncle. Sur place, les nazis et les collaborationnistes français, tel Georges Guilbaud, directeur du quotidien *Tunis-Journal*, travaillaient de concert depuis novembre. Politiquement, un Comité unifié d'action révolutionnaire (CUAR) rassemblait les Français, pendant que le SOL local avait pris en main police et gendarmerie, avec l'aide des groupes de sécurité du PPF. A cette occasion s'était illustrée la brigade du commissaire Pierre Marty, chargée d'arrêter les principaux notables pour le compte de l'occupant. Élargie au SOL et aux militants de CUAR, la Phalange (Légion des volontaires français) atteindra environ 450 hommes, dotés d'un uniforme « franco-allemand » hétéroclite et presque privés d'équipement. Engagée en avril 1943 avec la bénédiction de l'amiral Esteva, représentant sur place le pouvoir de Vichy, elle sera presque intégralement détruite dans les combats qui verront la chute du dernier bastion allemand du continent africain.

Il était difficile à ses organisateurs de présenter cette équipée comme n'étant pas dirigée, elle, contre les Anglo-Saxons. Du moins restait-il à Brinon la possibilité de jouer sur les mots et d'affirmer le 8 mai,

1. Discours radiodiffusé du 21 novembre 1942.

pour l'accueil des survivants, l'équivalence : « Qui lutte contre les ploutocrates anglo-américains lutte contre le bolchevisme. » En vertu de telles justifications, l'engagement armé sur tous les fronts pouvait ne plus connaître de bornes.

Darnand sur le front intérieur

Vers la même date, en effet, toutes les conditions se trouvent rassemblées pour que s'ouvre, face à l'essor de la Résistance, une sorte de vaste front intérieur où la collaboration puisse, sans franchir les frontières, affronter militairement ses adversaires.

Dès qu'il fut évident que la Légion française des combattants, vaste et lourd rassemblement officiel maréchaliste de zone sud, truffé d'anciens combattants immobiles et de notables prudents, ne pourrait être le parti unique et musclé dont rêvaient les ultras du régime, il se trouva en permanence à Vichy quelques ministres pour tenter d'épurer le mouvement dans le sens de la pugnacité, tout en veillant à ne pas tarir cet ample vivier politique dans lequel il fallait savoir puiser avec circonspection les militants purs et durs de demain. Pucheu avait essayé en vain de placer l'un de ses hommes au secrétariat général, à l'été 1941. Marion, plus modestement, avait obtenu que la Légion devînt « des combattants et des volontaires de la Révolution nationale » et que ses présidents devinssent des « chefs », sans beaucoup plus de résultats pratiques. Il faudra une initiative locale pour que la machine se mette décidément en marche.

On ne veut pas parler ici de cette Garde civique qu'une recherche en cours en Charente-Maritime a mise en lumière récemment. Cette unité de volontaires résolus (612 en janvier 1943), anciens combattants et militaires d'active pour la plupart, ayant à sa tête un général du cadre de réserve, s'était mise en place dès le mois d'août 1940. Corps supplétif de « toujours prêts » portant béret basque et brassard estampillé par les mairies, elle paraît avoir échappé à des tentatives successives de noyautage par le RNP et d'intégration pure et simple à la Milice, sans pour autant avoir évité une collaboration de plus en plus étroite avec les autorités allemandes. Mise en état d'alerte après le débarquement en Normandie, elle représentera cependant un potentiel militaire trop limité et trop peu sûr pour qu'on en tînt compte et sera dissoute dès le 26 juillet 1944.

On ne peut en dire de même de cette Milice française qui, moins de dix-huit mois après sa création, exercera conjointement avec l'Allemand son empire armé sur la majeure partie du territoire français, quand son initiateur n'était encore au lendemain de Montoire qu'un responsable provincial de la Révolution nationale parmi d'autres.

Le destin de Joseph Darnand est représentatif de celui de tous ceux qui, nourris de l'idéologie la plus nationaliste qui soit, germanophobes et maréchalistes, furent insensiblement conduits, par exécration du régime démocratique et plus encore de la révolution marxiste, à choisir le camp du militarisme allemand. Aux yeux des ultras, l'homme a plus de chances de rallier les énergies défaillantes que n'importe lequel des politiciens marqués de la zone nord. Dans ce qu'on appelle la force de l'âge — il a quarante-cinq ans en 1942 —, le visage carré, les yeux bleus, le menton volontaire, il a le physique du chef. Il en a aussi la biographie. Celle d'un petit ouvrier ébéniste issu d'un milieu modeste — le père cheminot —, populeux et catholique, devenu à la force du poignet à Nice son propre patron. Celle d'un des plus prestigieux anciens combattants des deux guerres, qualifié d' « artisan de la victoire » par Poincaré pour la Première, représenté après juin 1940 comme l'un des seuls authentiques combattants de la « drôle de guerre », au sein du glorieux corps franc de la 29e division. Prisonnier évadé, pour couronner le tout, il a payé et au-delà son droit d'entrée dans cette communauté des combattants dont le maréchal entend faire l'ossature de son régime.

Ce patriote impeccable se double de surcroît d'un militant national convaincu. En 1928, il est déjà responsable des Camelots du roi de Nice. Dix ans plus tard, cédant à une excitation croissante contre le régime, il se laisse tenter, comme Deloncle, par les charmes de la subversion antidémocratique. Désavoué par l'Action française, il passe à la Cagoule où il fait la connaissance de plusieurs de ses futurs camarades de corps franc et de Milice, Filliol, Jean Degans, Joseph Lécussan, et participe au débarquement clandestin d'armes italiennes. Et quand lui-même est arrêté, c'est bien en Italie que se réfugient ses complices.

En 1940, ce n'est donc pas un simple militant maurrassien qui rentre à Nice, c'est aussi un admirateur du fascisme italien. Les auteurs qui ont insisté sur la « mutation » du personnage, incontestable, n'ont sans doute pas tenu assez compte de cette première rupture. Sans doute l'image du service patriotique restera-t-elle chez Darnand longtemps assez floue pour qu'en 1943 encore il ait songé, semble-t-il, à rallier la Résistance. Mais la contemporanéité de cette tentative avec, on le verra, son adhésion symbolique à la Waffen SS signe plutôt le cloisonnement d'un esprit peu souple — à la même époque Deloncle, jugeant la partie perdue, avait choisi, semble-t-il, le camp de l'amiral Canaris... — et les limites d'un patriotisme de corps franc aveuglé par l'anticommunisme.

On comprend que ce soit à un maréchaliste de cette envergure qu'aient été confiées les destinées de la Légion des combattants dans les Alpes-Maritimes. On comprend aussi que cette forme d'action ne lui ait pas suffi. Idéologue embryonnaire, il est du moins convaincu qu'il faut « faire quelque chose ». Ce quelque chose sera dans son département, à l'été 1941, le Service d'ordre légionnaire : béret bleu des chasseurs, chemise kaki, cravate noire en signe du deuil de la patrie, insigne sommant d'un coq gaulois l'épée et le bouclier. Deux mille hommes, au bas mot, y adhèrent dans le département. Encore quelques mois et le SOL, avec l'appui de Pétain et de Darlan et contre l'avis du président de la légion, François Valentin, est officialisé, à la date du 12 janvier 1942. Au sein du mouvement légionnaire c'est déjà, dans l'esprit de son fondateur et inspecteur général, une aristocratie largement autonome, dotée d'un programme politique aux idées simples et aux formulations violentes : « Contre l'apathie, pour l'enthousiasme... contre l'oubli des crimes et pour le châtiment des responsables. » Et le journal du SOL niçois s'intitule *la Trique*... L'uniforme, l'insigne, la veillée d'armes, le serment et son contenu (« ... je jure de lutter contre la démocratie, la lèpre juive, la dissidence gaulliste ») confirment le franchissement d'un seuil qualitatif, qui n'échappe pas aux commentateurs de zone nord, attentifs à tout signe en provenance du royaume de Bourges : « Le SOL est un organisme franc, net et utile », diagnostique déjà Brasillach à l'automne [1]. Implicitement, le SOL opère déjà comme force supplétive du maintien de l'ordre et comme police politique. Son quadrillage administratif — inspecteurs régionaux, chefs départementaux, chefs de trentaines — fait le lit de la Milice.

Au lendemain du retour au pouvoir de Laval, qui réussit enfin à

1. *Je suis partout*, 9 octobre 1942.

éliminer Valentin et à faire d'un homme à sa dévotion, Raymond Lachal (1898), député maire d'Ambert, le syndic d'une organisation en pleine décadence [1], Darnand commence à manifester clairement des options « courageuses » (Brasillach) en faveur de la « réconciliation européenne ». Déjà il prône la collaboration armée et ne voit plus dans le SOL qu'une organisation transitoire. Après le débarquement en Afrique du Nord, il a, on l'a vu, patronné avec la Phalange africaine un véritable engagement militaire français aux côtés des troupes allemandes. Laval, qui craint la prolifération des milices partisanes indépendantes du pouvoir gouvernemental, accède aux représentations conjuguées des animateurs du SOL, d'activistes désireux d'en découdre — et des autorités allemandes, désireuses cette fois, quand il s'agit d'ordre public sur les grands arrières, de vérifier l'efficacité de Vichy. Le 31 janvier 1943, le SOL se transforme en Milice française, reconnue « d'utilité publique », affectée par le maréchal en personne aux « missions d'avant-garde, notamment celles du maintien de l'ordre, de la garde des points sensibles du territoire, de la lutte contre le communisme ». L'emblème est devenu le gamma noir sur fond blanc, symbole du bélier fonceur et têtu.

La société milicienne

On a discuté de la déperdition inévitable qui signale ces deux opérations successives. Dans le cas de la naissance du SOL, elle est évidente : la Légion rassemble, à la fin de 1941, 1 500 000 adhérents; le SOL n'en a plus que 30 000 et, plus vraisemblablement, de 12 000 à 15 000 actifs. En Corse, où il est assez bien implanté (180 membres), la Milice ne recueille que 123 adhésions. Dans le propre département de Darnand, le déficit semble avoir été de plus des deux tiers (645 contre 2 000 environ). La différence n'est cependant pas considérable, et surtout les adhésions des derniers mois contribuent souvent à la compenser localement : en Savoie, où la Milice a fait l'objet d'une étude qualitative détaillée, la proportion finale des anciens du SOL est sans doute inférieure à 40 p. 100. Au total, on peut considérer qu'à l'automne 1943, si la Milice, en combattants réels, ne rassemble pas plus de 10 000 hommes, le nombre de ses cotisations excède ce

1. Dans un département comme la Loire, la légion perdra 55 p. 100 de ses effectifs de 1941 à 1944.

chiffre d'environ 200 p. 100. Étendue en 1944 à la zone nord, elle a peut-être atteint 30 000 adhérents, sur lesquels un peu plus de la moitié environ sont en quelque sorte de plein exercice.

La Milice, en effet, distingue encore en son sein le fer de lance de la Franc-Garde, directement opératoire, créée le 2 juin 1943, des simples miliciens et miliciennes — ces dernières généralement épouses des premiers ou des seconds — et des « avant-gardistes », âgés de moins de dix-huit ans. Le franc-garde (moins d'un millier en janvier 1944, 5 000 environ six mois plus tard) reçoit une solde rondelette, de 2 800 à 4 500 francs, amplement bonifiée par des primes de rendement — 70 000 francs en Côte-d'Or pour une dénonciation de belle taille. L'organigramme de la Milice est tout militaire, et nul doute que pour certains elle n'apparaisse comme un substitut de l'armée d'armistice. L'autorité suprême en est d'ailleurs le chef du gouvernement lui-même, qui contrôle donc en théorie Darnand, secrétaire général nommé par lui. A l'état-major de la Milice, cinq services reproduisent les cinq bureaux militaires. Le premier, confié à Francis Bout-de-l'An, est chargé de la propagande et de l'information, le second — un deuxième bureau particulièrement zélé — est dévolu à Degans. Localement, chefs régionaux et départementaux ont sous leurs ordres des cohortes de chacune dix « trentaines. » L'implantation en zone sud est achevée au printemps 1943, en zone nord elle n'est pas encore terminée au débarquement. Dans l'un et l'autre cas, les autorités préfectorales sont astreintes à soutenir le mouvement.

A Saint-Martin-d'Uriage, l'ancienne école des cadres du secrétariat d'État à la Jeunesse, dissoute pour « mauvais esprit » en 1943, devient celle de la Milice, avec à sa tête les chefs La Noüé du Vair puis Jean de Vaugelas. Elle accueille à l'origine 150 futurs responsables miliciens, « stagiaires » politiques ou « aspirants » militaires, dans une atmosphère de chantier de jeunesse. Pour assurer son prestige, la Milice a son propre hebdomadaire, *Combats*, confié à Charbonneau, rescapé de Tunisie. Aux côtés de journalistes professionnels passés à la Milice — Cousteau, Maubourguet, Henriot... —, on y rencontre maintes signatures connues, compromises en toute sérénité, de Colette à Morand, de Lacretelle à Mac Orlan.

Socialement, le milicien moyen est assez jeune — 40 p. 100 en Savoie ont entre seize et vingt-cinq ans, le chef départemental de fait de la Loire au printemps 1944 n'a que trente ans — et d'origine plutôt modeste : ouvriers, employés, petits patrons dans la Loire, agriculteurs (16 p. 100) et fonctionnaires (12,5 p. 100) en Savoie. En Haute-Loire, les « classes moyennes » représentent 54 p. 100 des adhérents, pourcentage bien supérieur à celui du département. Héritier d'un SOL qui recrutait surtout dans les grandes villes du Midi, la Milice, qui reste sensiblement urbaine là où elle n'a pas eu le temps de suffisamment s'implanter (Côte-d'Or, Haute-Loire, Val de Loire), réalise ailleurs de frappantes percées en zones rurales (les deux tiers dans la Vienne). Avec le temps, la proportion d'un recrutement plus louche dans les milieux d'hommes de main ira aussi en progressant. La pratique du recrutement forcé parmi les condamnés de droit commun et les fraudeurs repérés par le Contrôle économique est avérée, et semble avoir été particulièrement répandue à Paris. Mais si un Schwaller par exemple, fils d'un légionnaire allemand, devenu l'un des bourreaux de la Milice rennaise, est un ancien métallo « rouge » de Suresnes, si 52 p. 100 des miliciens du Doubs sont d'origine ouvrière, il existe un certain écart entre la masse des francs-gardes et la plupart des responsables, parmi lesquels on retrouve quelques grands noms de vieilles familles nobles : Dugé de Bernonville, Bourmont, Vaugelas..., divers notables provinciaux : médecins, avocats, notaires..., et où le nombre des anciens combattants, souvent officiers d'active, reste déterminant depuis le SOL. Les « soldats perdus » des deux guerres ne manquent donc pas, tel l'aviateur Max Knipping, as de la première, l'aviateur Vaugelas, pilote de la seconde, l'officier des chasseurs alpins — arme qui semble avoir eu un grand prestige au sein de la Milice — Raybaud, les officiers de marine Lécussan (1895) ou Carus sans parler de ceux qui, tel Jean Bassompierre, jeune officier de chasseurs en 1940, ont transité par la LVF.

La coloration idéologique, malgré les allusions aux « valeurs révolutionnaires » de la Milice, reste fortement marquée au sceau de l'extrême droite d'avant-guerre, détail qui n'échappe pas aux collaborationnistes de gauche. L'Action française inspire les exposés du jeune La Noüé du Vair, trente-cinq ans, idéologue thomiste. Le CSAR a été l'école politique non seulement de Darnand ou de Filliol, mais d'un Cance ou d'un Lécussan. L'antibolchevisme tient lieu à lui seul de doctrine à beaucoup d'autres. Sur seize miliciens recensés en Haute-Loire et militants d'avant-guerre, treize sont d'anciens PPF et PSF, deux seulement d'anciens SFIO. L'ouverture à la zone nord tempérera cette dominante « réactionnaire », sans la remettre en cause fondamentalement.

De telles distinctions ont cependant leurs limites, et l'on ne saurait oublier qu'au bout du compte c'est une image grandement homogène que donnera d'elle-même la Milice, celle d'une force armée chaque jour plus répressive, chaque jour plus engagée aux côtés des occupants, chaque jour plus solitaire aussi, accaparant en quelques mois un certain nombre de pouvoirs traditionnellement dévolus à l'État — mais victoire à la Pyrrhus, au moment même où ledit État, où ladite puissance occupante perdent l'essentiel de leur crédibilité.

Vers l'État milicien

L'éphémère hégémonie milicienne passe par le soutien croissant qu'elle obtient d'un pouvoir allemand au sein duquel la volonté de la SS se fait chaque jour mieux sentir, et où Oberg en vient à considérer que le mouvement de Darnand présente justement « des affinités profondes avec la SS ». De son côté, l'ancien combattant des corps francs fait à son tour le « voyage en Allemagne ». En l'occurrence à l'école des cadres de la Waffen SS. L'homme d'ordre est conquis. Ses dernières préventions tombent. Son pacte personnel est scellé par son entrée symbolique dans la SS comme Sturmbannführer. « Jo » a prêté serment à Hitler. Dès lors les événements vont se précipiter. Le 20 octobre, la Milice reçoit les premiers éléments (cinquante pistolets mitrailleurs) de cet armement officiel qu'elle exigeait depuis longtemps. En son sein, les réserves des plus militaires s'effondrent devant le triomphe des plus politiques. Laval se laisse convaincre de ne plus avoir à s'opposer à l'extension de la Milice en zone nord : Darnand est désormais assez fort pour réaliser à son profit l'amalgame avec les milices des partis et couper l'herbe sous le pied à Déat, qui s'est beaucoup agité dans le même sens. Si une menace prétorienne existe, elle ne viendra pas de Paris.

Dans la capitale, l'étoile du chef est à son zénith. Une réunion salle Wagram, le 9 juin, avait encore été troublée par le PPF qui accusait la Milice de n'être pas assez nationale-socialiste. En fait, Darnand représente pour Doriot une menace tout autrement dangereuse que l'a jamais été l'intellectuel Déat. Lui aussi homme-du-maréchal, lui aussi rallié à la révolution européenne, il a la grande supériorité de ne pas traîner après lui le péché originel de l'adhésion communiste. Un deuxième meeting, le 18 décembre, sous la bannière d'un Front uni des révolutionnaires européens créé pour l'occasion, réunit au Vel d'Hiv un public sensiblement plus nombreux (« 30 000 ») et désormais conquis. Déat, Henriot et même Hérold-Paquis pour le PPF viennent apporter leur soutien au héros du jour. Rebatet peut dire dans *Je suis partout* du 24 qu' « il y a six mois cette rencontre, pourtant si naturelle, eût été impossible ». Dès lors, pour beaucoup d'ultras, « l'union des nationaux-socialistes français ne peut avoir qu'une forme et qu'un nom, la Milice ».

La participation directe au pouvoir suit bientôt. Le 30 décembre, Darnand entre au gouvernement comme secrétaire d'État au Maintien de l'ordre. Le 27 janvier, la Milice étend officiellement ses activités à la zone nord, son siège parisien s'installe symboliquement dans les locaux du parti communiste, carrefour de Châteaudun. La direction proprement dite de la Milice passe à une collégialité de quatre hommes, sur lesquels on compte trois Waffen SS (Bout-de-l'An, Pierre Cance, Noël de Tissot). Sur les vingt-trois textes de l'État français traitant du maintien de l'ordre, neuf sont datés des six premiers mois de 1944. La police française est placée en avril directement sous les ordres du nouveau secrétaire d'État. Les intendants de police n'auront plus à rendre de comptes que devant lui. Au contraire, des délégations des Renseignements généraux s'installent dans chaque préfecture régionale. L'affirmation agressive de cette autonomie s'exprime assez bien dans la formule finale d'un chef régional milicien, « médaille de l'Est, croix de guerre (deux citations) », au maire de Charleville le 24 août 1944 : « Je n'ai ni ordre ni avis à recevoir de vous, mais au contraire, dans certains cas, à vous en donner. Recevez, monsieur le Maire, mon salut milicien [1]. » Knipping télégraphiant à Bout-de-l'An pour justifier l'assassinat de Mandel sera sans ambiguïté : « Tout en étant loyaux au gouvernement, il faut que nous représentions l'élite révolutionnaire qui le pousse à faire ce qu'il ne fait pas par tempérament [2]. »

Sauckel avait proposé que des « groupes d'action pour la justice sociale » soient mis sur pied contre les résistants; la Milice, avant-

1. Cité par J. Vadon dans la *Revue historique ardennaise*, t. IX, 1974, p. 204.
2. Cité par J. Delperrie de Bayac, *Histoire de la Milice 1918-1945*, Paris, Fayard, 1969, p. 514.

garde révolutionnaire, donnera de la justice sociale la traduction que l'occupant attend d'elle. « Tous les suspects doivent être arrêtés » est la consigne de Darnand en date du 10 février. Au lendemain du débarquement, elle est plus précise encore : « Considérez comme des ennemis de la France les Francs-tireurs et Partisans, les membres de la prétendue Armée secrète... Traquez les traîtres qui essaient de saper le moral de vos formations » (8 juin). En vertu de tels principes, la Milice, impatiente de voir châtiés les adversaires qu'elle a jusqu'à présent contribué à arrêter, a obtenu le 20 janvier la création de « cours martiales » à sa dévotion, tribunaux expéditifs dont les trois juges improvisés, souvent masqués dans l'exercice de leurs fonctions, sont choisis directement par Darnand. Le 14 mai, leurs pouvoirs, jusque-là limités en théorie aux flagrants délits, sont étendus à tous les cas envisageables. Le 15 juin, au lendemain du débarquement, de nouveaux « tribunaux du maintien de l'ordre » sont institués pour lutter contre les « abandons de poste » des fonctionnaires. L'assassinat direct d'adversaires politiques de toute origine, justifié par la loi du talion en réponse aux attentats dont sont victimes tel ou tel franc-garde, soulève, quand il s'agit de noms connus — Maurice Sarraut de *la Dépêche de Toulouse* le 2 décembre 1943, Victor Basch, de la main même de Lécussan, le 12 janvier 1944, Jean Zay, le 20 juin, Mandel, le 7 juillet... —, les protestations impuissantes de Vichy : si les auteurs sont parfois arrêtés, l'occupant obtient sans peine leur libération.

Sur le terrain, les deux forces collaborent en effet de plus en plus étroitement. Jour après jour, les derniers prétextes tombent. En janvier 1944, les premières opérations miliciennes contre le maquis, en Savoie, s'affirment encore comme de simple police. Au début du mois de mars, sur le plateau des Glières, Darnand entend encore faire une distinction entre les FTP, « rouges », à éliminer sans hésitation, et l'Armée secrète « modérée », avec laquelle il serait encore possible de trouver un *modus vivendi*... L'adversaire s'étant refusé à une telle discrimination, l'offensive milicienne ne s'embarrasse plus de nuances. Les Allemands prêtant main-forte, il est convenu que ce seront les miliciens qui, au moment du déclenchement de l'attaque, ... tireront les premiers. En fait, au jour du 26 mars, c'est bien à une alliance militaire au coude à coude des hommes de Darnand et des hommes de Himmler qu'ont à faire face les maquisards du plateau, comme ceux du Vercors, quelques semaines plus tard. Dans la pratique, les miliciens ne dépendent plus que du Haut Commandement allemand de leur région. A tous les échelons, le 2e Service travaille la main dans la main avec le SD. Toutes barrières sociales abattues, l'ancien officier de l'armée française et l'ancien malfrat exercent avec la même vigueur les mêmes talents de tortionnaires. Les noms de Bonnichon, de Dehan, de Lécussan, de Filliol y acquièrent une notoriété toute particulière.

Le cas de Paul Touvier est bien connu. Agé de vingt-cinq ans en 1940, cet ancien militant du PSF végète comme expéditionnaire à la gare de Chambéry. Le SOL est la chance de sa vie. Il en devient bientôt le secrétaire permanent et appointé. Son zèle à monter des expéditions punitives contre les établissements dont les propriétaires sont soupçonnés de sympathies gaullistes le prépare, dès 1942, à la mutation milicienne de janvier 1943. Son ascension est dès lors assurée. Chef du 2e Service pour la Savoie en janvier, chef départemental en septembre, enfin promu à Lyon, plaque tournante de la Résistance intérieure. Si sa participation à l'assassinat de Victor Basch et sa femme a été contestée, les pillages et les exactions qu'on peut lui attribuer à coup sûr ne manquent pas.

L'histoire de la Milice dijonnaise est un exemple significatif de ce glissement inéluctable. Dès le 15 janvier, c'est-à-dire avant même l'autorisation officielle d'extension à la zone nord, une quinzaine de francs-gardes sont installés à demeure dans la ville. A la demande de la Gestapo, une quinzaine d'autres sont bientôt envoyés en renfort, venant de Paris. Dès février, la Milice devient « Milice SD », simple 7e section de la Police de sécurité allemande locale. La perspective de profits rapides y attire une forte part d'invidus suspects, qui finiront par indisposer jusqu'aux Allemands. Plusieurs seront ainsi licenciés, arrêtés, voire exécutés par les autorités d'occupation elles-mêmes... Dans les grandes lignes, le même schéma se retrouve un peu partout.

Dans l'atmosphère de veillée d'armes puis de mobilisation générale qui est celle de la collaboration française au printemps 1944, de telles compromissions ne refroidissent en rien l'ardeur qu'elle peut montrer à soutenir ceux que le PPF Fegy qualifie sans hésiter de modernes « Spartiates », ceux que le très réactionnaire *Matin* compare aux « volontaires de l'an II » (24 mars 1944). Henriot est déjà engagé symboliquement dans la Milice depuis 1943. Quatre jours après le débarquement, Déat signe une adhésion analogue. Brinon, au nom du comité central de la LVF, ordonnera à ceux des légionnaires, et surtout à leur famille, qui se trouveraient sur le territoire français de rejoindre sans plus tarder les cantonnements de la Milice pour s'y mettre sous sa protection. Au crépuscule de la collaboration, deux à trois dizaines de milliers d'auxiliaires de police concentrent désormais en eux toute l'énergie dont elle s'est crue porteuse.

Sans doute, en très haut lieu, le maréchal finira-t-il par condamner, dans une lettre à Laval, les exactions de ceux auxquels il disait encore un an auparavant : « Vous êtes et demeurez mes soldats », mais ce désaveu discret n'interviendra qu'à la date du 6 août et ne peut plus avoir aucune répercussion. Ceux qui ont répondu, au lendemain du débarquement, à l'avis de mobilisation générale lancé par Darnand — 14 000 francs-gardes sur un effectif théorique, on l'a vu, d'un peu moins de 20 000 — ont choisi leur camp : celui du « Chef » contre celui du « Vieux ». Laval a d'ailleurs moins de répugnance que le vieil homme; au printemps encore, des miliciens tombés dans les combats contre le maquis sont cités par le gouvernement « à l'ordre de la Nation ». Imperturbable, la Milice tiendra jusqu'à la dernière heure à s'affirmer hautement « française » : le 5 novembre 1944, arrivant près d'Ulm au camp de la brigade SS Charlemagne, les survivants des 6 000 miliciens passés en septembre en Alsace chanteront ostentatoirement *la Madelon*...

Deux « grandes compagnies »

Par son caractère officiel, par le nombre de ses adhérents, enfin par la tendance qui fut la sienne dans les derniers mois à monopoliser les fonctions de police et de justice politiques, la Milice a cristallisé sur son nom une bonne part de la mythologie noire de la collaboration. On ne saurait cependant oublier qu'elle ne fut, sur le plan de ce « maintien de l'ordre » autochtone, que la pièce centrale d'un dispositif singulièrement plus diversifié encore, à la périphérie duquel figurait, pour la gendarmerie, les Groupes mobiles de réserve (GMR) et, pour la police, les innombrables officines françaises de tout statut liées à l'Abwehr ou à la Gestapo, sans parler de milices « ethniques », Brigade nord-africaine ou Bezen Perrot, plus proches parfois des grandes compagnies médiévales que des sections d'assaut politiques des temps nouveaux.

La Légion de la Bretagne libre, qui revendiquera 500 membres mais ne paraît pas en avoir regroupé plus de 70, dont une dizaine de non-combattants, est issue du mouvement activiste Breiz atao reconstitué par Laîné en octobre 1943, après une rupture cette fois définitive avec le PNB déclinant de Delaporte. Ses troupes, entraînées dans la région de l'abbaye de Boquen, décalquent en mode breton l'apparat hitlérien : on y commente Nietzsche, Jünger et von Salomon, on y chante en langue bretonne un *Yann ar Gevel* qui n'est rien d'autre que le *J'avais un camarade*, etc. Elles sont, pour leur initiateur, le prototype des phalanges néo-païennes, « compagnies bretonnes de guerre contre la France », dont il rêve de couvrir la Bretagne. L'assassinat de l'abbé Perrot convainc Laîné de la nécessité d'un groupe armé d'autodéfense et d'offensive contre les « terroristes ». Il lui donne aussi le nom de baptême, en décembre, du nouveau groupement : Bezen (formation, légion) Perrot. Des catholiques, souvent issus du petit séminaire de Ploërmel, rejoignent alors cette légion qui sans doute arbore à Rennes le drapeau de l'armée bretonne du XVe siècle, mais qui combat pour le reste sous l'uniforme allemand et n'est aux yeux de l'occupant que la très accessoire Bretonische Waffenverband der SS, chargée du « nettoyage » des maquis bretons aux côtés de la Milice, de parachutistes SS et d'autres troupes germano-bretonnes de fâcheuse réputation, groupe Vissault de Coëtlogon ou Kommando de Landerneau (avril 1944).

Le Bezen évacue Rennes le 2 août. Laîné, qui a dit en arrivant en Allemagne : « Nous sommes enfin ici en territoire ami », refusera de servir dans une « formation à nom français » — la Waffen SS Charlemagne — car on ne peut y porter de brassard breton. Ainsi il entendra rester jusqu'au bout fidèle aux termes du testament de Debauvais et se permettre d'affirmer en un dernier cri d'orgueil : « Nous sommes de cette minorité qui a pris les armes contre la France. Il nous plaît qu'on le dise. »

La même affirmation agressive se retrouve dans la Brigade nord-africaine, elle aussi mise sur pied dans les derniers mois de l'occupation, le 28 janvier 1944, par Lafont et el-Maadi, après quelques hésitations du côté de la SS. Le rêve d'obtenir la libération de 50 000 Algériens parisiens prisonniers de guerre est pı ovisoiremen abandonné, les deux auxiliaires doivent se contenter d'une petite unité de 300 hommes, recrutés en moins d'une semaine dans les bas-fonds de la capitale. Une école de stagiaires est même créée, sous la responsabilité militaire d'un ancien adjudant de l'armée française, Ouali, et politique d'un ancien étudiant en droit devenu militant nationaliste, Zoubib. La brigade fondra elle-même comme neige au soleil après vérification des casiers judicaires. Cinq sections d'une trentaine d'hommes, placées sous les ordres d'hommes de confiance de la rue Lauriston secondés, pour le service civil, de militants RNP, achèveront de se disloquer du côté du Limousin, au cours de sanglantes opérations punitives menées contre la Résistance de février à juin.

Les Français de la police allemande

A ce stade, les considérations idéologiques n'entrent plus guère en compte. Elles paraissent s'effacer complètement quand on aborde, dans le sillage du même Lafont, l'univers de la collaboration policière directe et intégrée, celle de ceux qu'on qualifia, avec assurément un peu d'incertitude administrative, mais sans doute beaucoup d'exactitude sur le fond, de « gestapistes français ». Dans ce milieu de truands, de tortionnaires et de tueurs, toute signification politique n'est pourtant pas plus absente que dans ceux qui ont jusqu'à présent sollicité notre attention, non seulement au hasard des biographies, où se rencontre parfois telle ou telle antécédence « extrémiste », non seulement quand on considère la place que tous tinrent au sein du pouvoir occupant, mais encore par le rôle que la plupart furent amenés à jouer, pas toujours consciemment sans doute mais toujours avec un zèle incontestable, dans l'histoire des dérives et des tensions internes de l'hégémonie nazie.

Le nombre total des agents français des services de police et de renseignements allemands reste évidemment le plus mal connu de tous ceux qu'il nous faudrait connaître ici. On a pu être scandalisé, puis sceptique, devant le chiffre de « 30 000 » souvent avancé aujourd'hui à la suite de témoignages recueillis au hasard des procès de la Libération, et quand une enquête modestement départementale comme celle qui a eu pour cadre le Jura nord essaie d'approcher une vérité quantitative, elle arrive à des chiffres réduits (3 agents français sur un total de 82 collaborationnistes retrouvés). Il est cependant vraisemblable que la réalité quantitative est proche de la première estimation. Les archives conservées de trois officines de province avouent des chiffres qui dépassent tous la centaine (Bourges : 180 pour une vingtaine d'Allemands; Saint-Étienne : 344 pour une dizaine; Marseille : plus de 1 000 pour une cinquantaine). Quand les occupants eurent lancé à Paris un avis de recrutement pour 2 000 policiers auxiliaires, ils n'auraient pas reçu moins de 6 000 candidatures... Il n'est donc pas impossible que l'ensemble de ceux qui participèrent à cette forme extrême de la collaboration aient été, malgré qu'on en ait, aussi nombreux que les miliciens, deux fois plus que les francs-gardes, six à sept fois plus que tous les légionnaires de la LVF.

Avec sa réfraction particulière, l'histoire institutionnelle de ces services est déjà celle de la marche généralement ascendante et du triomphe final d'une conception totalitaire de la collaboration franco-allemande, sur le terrain de la répression. Les débuts d'un Lafont sont significatifs à cet égard. Jusqu'au printemps 1941, c'est l'Abwehr du Lutetia (colonel Reile, *alias* Rudolph) qui dirige les opérations. Le recrutement est encore quelque peu anarchique, du « milieu » traditionnel aux habitués interlopes des bureaux d'achat. A l'époque où il devient plus méthodique et plus varié, voire raffiné, du résistant « retourné » à l'esthète perverti, l'équilibre des forces est déjà en train de se modifier, et les pouvoirs allemands établis à l'été 1940 — services de la Wehrmacht tels que l'Abwehr ou la Police secrète de campagne (GFP), services de l'ambassade, services de Rosenberg ... — de céder le pas aux représentants en France du RSHA de Himmler. Un homme aussi avisé que Lafont le sentira bien. C'est l'Abwehr qui l'a installé rue Lauriston; en mai 1941, c'est le RSHA de Paris (Service de sécurité — SD — et Police de sécurité — Sipo) qui l'y fait prospérer. Le modeste et quasi clandestin premier commando de juin 1940, avec à sa tête le jeune Knochen, a étendu ses ramifications avec entêtement. Le SD parisien, en particulier, a fait merveille contre les ennemis du Reich, du juif (section Dannecker) au communiste, du franc-maçon au terroriste indifférencié.

Le 7 mai 1942, le RSHA marque un point décisif : un Brigadeführer SS spécifique, le « chef suprême de la SS et de la police » Oberg (1897), peut s'installer boulevard Lannes, dans une autonomie de fait à l'égard du Commandement militaire. Heydrich, qui vient à

Paris pour l'occasion, aurait même souhaité placer du même coup toute la police française sous la tutelle directe d'Oberg. Le pire sera d'autant plus aisément évité que le service central Sipo-SD peut se reposer sur des Français plus coopératifs. Une ample machine administrative est mise en place par Oberg, qui reproduit avec méticulosité l'organigramme berlinois, au sein duquel la Gestapo proprement dite n'est que le quatrième des sept bureaux du Service de sécurité. En 1944, le territoire français est complètement quadrillé, avec dix-sept commandos installés dans les grandes villes de province, dix en zone nord, sept en zone sud, assortis d'antennes au niveau des villes moyennes. Au total, au moment du débarquement, un complexe d'au moins cent onze services (Alsace-Lorraine et Nord-Pas-de-Calais non compris) solidaires entre eux. A tous les niveaux, des auxiliaires français, souvent réunis en bureaux de renseignement de 20 à 30 agents — celui du PPF Barot, à Marseille, en compte 58 en juillet 1944 —, qui paradent parfois en uniformes SS, marqués du bandeau « SD ». A l'Alsacien Bickler, que nous avons déjà rencontré au chapitre des séparatismes, faux professeur mais vrai escroc, est confié à Taverny la mise sur pied d'une véritable école de formation pour gestapistes français.

Les fonctions de surveillance de la vie publique française dévolues au SD prenant chaque jour plus d'ampleur, une bonne part des tâches directement répressives vont être abandonnées aux indigènes, qui bénéficient pour ce faire des plus grandes facilités de déplacement et d'investigation. La lutte contre le marché noir et la Résistance, plus ou moins confondue, revêt les formes les plus variées : saisies, chantages et rackets divers dans le premier cas, arrestations et tortures dans le second. Les tueurs de l'Interventionreferat, rue de Villejust, souvent liés au PPF ou à la Milice, sont même chargés des interrogatoires que le SD ne désire pas avouer... C'est à cette officine que se rattache la bande marseillaise du fameux truand Carbone, héros avant-guerre de faits divers louches, reconverti dans un maintien de l'ordre à sa façon.

Milieu et milieux

L'explication par le gangstérisme reste cependant insuffisante, toute pittoresque. Les itinéraires qui ont conduit à cette Gestapo aux cent onze visages ne présentent pas moins de variété, à y regarder de plus près, que ceux des miliciens ou des militants du groupe Collaboration. Toutes proportions gardées — mais lesquelles? —, les procédures de passage ne sont pas sans rappeler celles que nous avons cru discerner dans les chapitres précédents. En les caricaturant elles les éclairent même sans doute mieux : rôle des milieux préexistants à la débâcle — ici *le* milieu — dans l'élargissement en tache d'huile à partir de quelques animateurs zélés; conviction non pas d'une politique, mais d'une revanche à prendre sur une société qui vous a jusque-là repoussé ou dont vous avez été chassé; part croissante, enfin, des cires molles, soudain séduites par le pouvoir facile et terrible qui leur est si miraculeusement conféré sur leurs compatriotes. Après les premiers mois de mise en place, le recrutement n'appartient à rien moins qu'au hasard, et la façon dont sont circonvenus certains représentants de cette dernière catégorie reste un modèle du genre.

Au sommet, les « nouveaux messieurs » de la Gestapo française valent les autres, auxquels les lient souvent diverses relations de la plus grande cordialité. Pour un Lafont (Henri Chamberlain), gérant à la veille de la débâcle du mess de l'Amicale de la préfecture de police, c'est le moment de compenser une enfance sans pitié et un casier judiciaire chargé. L'astuce qu'il a dû affiner pour survivre, les bonnes relations qu'il a pu lier avec les malfrats, il va désormais les utiliser au service d'une force triomphante et de sa propre gloire. A son zénith, « Monsieur Henri » roulera en Bentley, s'entourera d'orchidées et de comtesses, et ses derniers mois seront hantés de rêves mégalomaniaques caractérisés. A ses côtés, Bonny est plus complexe. Celui qui, sans avoir été le policier exceptionnel qu'on a dit, pouvait du moins s'illusionner sur son pouvoir, installé qu'il était au cœur du régime, avait vu sa carrière brisée par une affaire Stavisky trop lourde pour ses épaules. Condamné pour concussion et violation du secret professionnel, il traîne la vie d'un détective raté quand, en 1941, il rencontre sur son chemin la rue Lauriston. Comme à d'autres, en des domaines moins sordides, la collaboration offre à cet homme d'ordre l'occasion d'organiser à son gré une structure selon son cœur, en l'occurrence un service de police comme jamais certainement la IIIe République n'aurait pu lui en confier.

Au pur et simple milieu appartiennent la plupart des premiers associés d'un Lafont : truands classiques, hommes de main (souvent anciens militaires en rupture de ban), proxénètes, tenanciers d'établissements borgnes; à celui de la collaboration parisienne se rattachent beaucoup des engagés de l'époque Oberg, recrutés parfois au moyen de questionnaires *ad hoc*, lancés à partir de juin 1942 dans les milieux PPF, RNP ou Ligue française; à l'un et à l'autre, quelques bandes corses frottées de doriotisme à la Sabiani, telle celle de Simon Mema, à Marseille. Dans l'histoire de la pègre, le gestapisme tient ainsi la main au futur autant qu'au passé : Carbone y achève une existence agitée, trois des cinq membres du fameux « gang des tractions avant » en seront issus.

Vient enfin la longue cohorte de tous ceux que « rien ne prédestine » à la torture et au massacre, mais que le goût de l'uniforme, l'admiration de la force, la nostalgie d'une communauté fascinent inéluctablement, selon un processus par ailleurs bien connu de la psychanalyse. L'engagement préalable dans un mouvement de collaboration, l'engagement professionnel dans une administration allemande sont un apprentissage apprécié. Un rapide stage en Allemagne, à Taverny ou plus souvent sur place, achève la métamorphose. Parmi les cas qui ont défrayé la chronique, ceux d'un Jean Barbier (1920) à Grenoble, d'un Pierre Lamote (1921) à Bourges, d'un Bernard Vallée à Saint-Nazaire, d'un Jacques Vasseur (1920) à Angers sont trop analogues pour être le fait du hasard : autant de jeunes gens d'une vingtaine d'années en quête d'identité, qui découvrent la virilité sous les traits de l'Allemagne et s'acharnent, avec une frénésie qui finit par inquiéter leurs propres maîtres, à prouver la leur en traquant les compatriotes qu'on leur indique comme résistant encore à l'évidence de cette supériorité. On sait déjà qu'un tel itinéraire n'est pas, au sein de la collaboration, réservé aux gestapistes.

C'est ici, au cœur même, sans doute, du dernier cercle des réprouvés, qu'il faut situer le destin caricatural d'un Maurice Sachs (1906), pointe extrême d'un certain masochisme d'intellectuel qui n'a pas fini de fasciner quelques-uns de ses semblables, même si la mise à nu de 1979, année où coup sur coup ne parurent pas moins de trois ouvrages consacrés à l'auteur du *Sabbat*, a suscité dans le public plus de malaise que de clémence. Reste qu'on ne peut tout à fait occulter cette volonté acharnée d'un pur produit du parisianisme littéraire de trahir tous ceux qui avaient mis leur confiance en lui, et comme de se servir de l'abjection universelle à l'instar d'un bain de boue hygiénique. Les fantasmes d'un marquis embastillé rendraient difficilement compte de l'itinéraire de cet homme de lettres, demi-juif, finissant à Hambourg en 1945 dans la peau d'un agent délateur du SD, mis en prison pour double jeu par les Allemands eux-mêmes, d'un « donneur » massacré, semble-t-il, le jour de la Libération, par ses compagnons de cellule.

Ajoutons, en terminant, que si tous ceux dont nous venons de parler sont devenus, un peu plus tôt un peu plus tard, des permanents du gestapisme, on ne saurait oublier autour d'eux la nébuleuse plus traditionnelle des indicateurs et des dénonciateurs, sans laquelle ne pourrait fonctionner un système aussi policé. Quand le distributeur du film *le Corbeau* voudra, par sens moral et publicitaire, lancer une campagne publique contre les lettres anonymes, la censure s'empressera de mettre le holà. A peu près vers le même temps, Rœthke, officier du SD parisien, en viendra à envisager la tarification officielle desdites dénonciations, étant bien entendu qu'à la périphérie de cette forme extrême de la collaboration policière figurent, on l'a vu, ces délateurs à titre plus ou moins gratuit que n'hésitent pas à être à cette époque les journalistes d'organes de presse ayant pignon sur rue.

Le crépuscule SS

On imagine quel pandémonium pouvait constituer, à l'heure du crépuscule, les épaves conjuguées de la LVF, de la Milice et de la Gestapo française. Celles-là et quelques autres, un dernier sursaut de virilisme essaya d'en faire enfin le corps d'élite dont chacun rêvait. Et qui disait corps d'élite dans les deux dernières années du IIIe Reich disait Waffen SS.

Si l'apogée de cette intégration directe et sans fard à la machine de guerre nazie ne se situe qu'à l'automne 1944, quand déjà la quasi-totalité du territoire français se trouve évacuée par les Allemands, si son principe même n'est reconnu officiellement qu'à l'été 1943, il s'est trouvé dès le début des Français pour avoir participé, très isolés, aux combats du bataillon puis de la division Brandeburg, troupe opérationnelle de l'Abwehr, des unités de la Flak (artillerie anti-aérienne), des remorqueurs armés du Danube, têtes brûlées en mal d'engagement violent, plus que militants convaincus de l'Europe nouvelle. Plus nombreux (2 000 dans chacun des deux cas?) mais toujours aussi isolés originellement sont ceux qui ont rallié la Kriegsmarine (camp d'entraînement alsacien de Sennheim/Cernay) ou, à partir de juillet 1943, la NSKK. Dans le premier cas, le travail consiste avant tout dans l'entretien des bateaux et la garde armée des bases — les placards de recrutement dans la presse en juin 1944 parlent encore de « la Kriegsmarine, rempart atlantique de la France et de l'Europe ». Dans le second, il s'agit souvent de volontaires pour la Luftwaffe reversés d'office dans ce « corps motorisé national-socialiste ». Sept compagnies françaises auraient opéré sous cet uniforme, deux en Russie, trois en Italie, deux en Hongrie. Les compétences requises sont généralement celles de chauffeurs de camions ou de mécaniciens. Parce qu'il permettait de rester sur le territoire français et dans les premiers temps d'échapper au STO, l'engagement numériquement le plus élevé, avec peut-être 5 000 hommes, soit un chiffre supérieur à celui de la LVF, eut pour cadre la brigade Speer et les commandos de protection (SK) de l'Organisation Todt. Une bonne part des emplois distribués dépassait cependant la simple compétence « technique » (maçons, manutentionnaires, télégraphistes) et portait sur la surveillance des travailleurs Todt — fonction de Kapos, en quelque sorte.

Toutes ces tâches médiocres ne pouvaient, pas plus que les formes d'action masquées de la LVF ou de la Milice, répondre totalement à l'impatience ou au désespoir de quelques centaines de centurions en puissance, convaincus par la propagande ambiante de la nécessité d'une chevalerie des temps nouveaux et de la supériorité virile des unités allemandes sur toutes les autres. Au mois de juillet 1943, le général Bridoux réussit à convaincre Laval de demander aux Allemands qu'ils autorisent l'engagement au grand jour de citoyens français sous le drapeau à croix gammée. Deux ans presque jour pour jour après le lancement officiel de la LVF, l'occupant n'a plus les mêmes réticences à l'égard de telles propositions. Après un accord verbal à Paris au début du mois, un décret en date du 22 juillet, signé du chef du gouvernement, autorise les Français à s'engager « pour combattre le bolchevisme hors du territoire dans les formations constituées par le gouvernement allemand (Waffen SS) ». Il régularise la situation de Français entrés depuis quelques mois à titre individuel, parfois déserteurs d'autres services allemands, dans la Totenkopf, la brigade Wallonie, le régiment Der Führer ou le régiment de correspondants de guerre Kurt Eggers. Il permet la mise en place d'une nouvelle campagne de propagande, sensiblement plus vigoureuse que celle de la LVF. C'est ainsi que se crée une Association des amis de la Waffen SS, présidée par Marion, dans laquelle un Déat, un Loustau côtoient un Darnand ou un Knipping, image au sommet du rapprochement des sensibilités, naguère contradictoires, des deux zones, « réactionnaires » et « révolutionnaires », « nationaux » et « européens ». Dans la presse, ceux que de derniers scrupules nationalistes n'amènent pas à garder un silence gêné sur ces nouveaux SS ne se font pas faute de saluer en eux « les meilleurs des jeunes Français [1] ». Sur les murs des villes apparaissent des affiches du plus pur style nazi appelant la jeunesse à servir l'Europe dans son corps d'élite. A Dijon, elles arguent même des relations séculaires entre « Vienne sur le Danube » et la Bourgogne... Cette campagne tous azimuts n'est pas dénuée d'efficacité, particulièrement auprès de certains ouvriers [2]. Toujours faible, le nombre des engagements ne connaîtra pas de sensible diminution au long des revers allemands, de l'armistice italien au débarquement en Normandie.

A la date du 30 septembre, environ 800 Français sont en voie d'intégration, au camp de Sennheim. En janvier 1944, le nombre total de ces Waffen SS aurait été de 2 480. Le recrutement est particulièrement jeune; la moyenne d'âge de la troupe est sans doute inférieure à vingt ans, même si les cadres, pour la plupart anciens de la Milice, sont sensiblement plus âgés. La proportion des jusqu'au-boutistes de l'action armée est évidemment plus élevée que dans la LVF, mais une forte part de travailleurs français en Allemagne, prisonniers de guerre et autres repris de justice, ôte à l'unité beaucoup de l'image « idéaliste » qu'on a parfois voulu lui conférer. Malgré un sévère passage au tamis physique, idéologique et même, pour les anciens militaires, hiérarchique, les héritages socioculturels continueront jusqu'au bout à grossièrement distinguer les centurions, parfois officiers d'active à la retraite ou condamnés à ronger leur frein après la dissolution de l'armée d'armistice, tels Henri Fernet ou le colonel Gamory-Dubourdeau, déjà quinquagénaire, plus souvent simples

1. *L'Effort*, 19 juin 1944.
2. Exemple : les onze Waffen SS du Doubs sont d'origine ouvrière.

soudards, des intellectuels, poussant jusqu'au bord du suicide leur désir de prouver l'authenticité de leur engagement, tels l'enseignant Léon Gaultier ou le journaliste Philippe Merlin.

La longueur d'une préparation, cette fois non improvisée, fait du régiment de brigadiers puis « 7e brigade d'assaut SS (Frankreich) » le contemporain de l'ouverture du front Ouest et, sur le front oriental, l'une des premières victimes de la grande offensive soviétique du mois d'août 1944, en Galicie. Quand le premier bataillon est retiré du front, après quinze jours de combats éprouvants, il ne lui reste plus que 140 hommes valides sur un millier. Comme dans un grand creuset, l'Europe allemande aux abois accélère alors un amalgame qui ne suscite plus en haut lieu aucune réticence. A partir de septembre 1944, alors qu'à Sigmaringen les « politiques » privés de situation continuent en vase clos à compter leurs divergences, les « combattants » de toute origine vont être versés, bon gré mal gré, dans une seule et même unité « française », la brigade puis (février 1945) 33e division SS (Charlemagne), baptisée en novembre dans une vaste cérémonie d'allégeance à Hitler, qu'on ne s'étonnera pas de voir bénie par Mgr Mayol de Lupé. On trouve là : les 1 100 survivants de la brigade Frankreich; les 1 200 survivants de la LVF, que la rapidité de l'offensive de l'Ouest a surpris alors qu'ils se préparaient à passer sur le front de Normandie — un détachement précurseur avait même cantonné à Saint-Germain-en-Laye —; de 1 000 à 1 200 Kriegsmarine; 1 800 miliciens; 2 300 « divers », NSKK, Organisation Todt, nouveaux venus, d'un enthousiasme très mitigé. En tout, 7 600 hommes désireux de forger rapidement une arme strictement militaire et non idéologique. Les Allemands auront soin d'écarter les officiers peu sûrs (Cance, Gamory-Dubourdeau) aussi bien que les leaders politiques traditionnels (Darnand et Doriot) et de flanquer l'état-major français de Puaud, bombardé Oberführer SS, d'une « inspection » allemande, confiée à un Brigadeführer prussien rhénan, familier de la France, Krukenberg.

A ces conditions peut se réaliser la fusion entre miliciens « réactionnaires » et SS « révolutionnaires », entre diverses célébrités de l'armorial français (le commandant SS Vaugelas, le capitaine SS Bourmont...) et les petits malfrats acculés dans le grand piège. L'enfer des derniers mois y contribue, en fait, pour beaucoup. Près de 5 000 hommes (le 57e et le 58e régiment d'infanterie) montent au feu le

25 février 1945, en Poméranie. En deux jours, les pertes mortelles sont déjà de 10 p. 100. Après plusieurs décrochages difficiles et une nouvelle réorganisation, les 1 100 derniers fidèles réussiront avec peine à constituer un squelettique « régiment d'assaut SS (Charlemagne) » : les historiens complaisants oublient généralement de signaler qu'au mois de mars, le choix ayant été laissé à ces hommes de quitter ou non la Waffen SS, 60 p. 100 d'entre eux ont choisi le départ. Tout aussitôt d'ailleurs, 90 — plutôt que « 300 » — des autres se portent volontaires pour la défense de Berlin. Deux jours après le suicide de Hitler, certains d'entre eux combattent encore dans les caves et les égouts de la capitale du Reich grand-allemand.

12

Les visiteurs du soir

> Oui, je suis un traître. Oui, j'ai été d'intelligence avec l'ennemi. J'ai apporté l'intelligence française à l'ennemi. Ce n'est pas ma faute si cet ennemi n'a pas été intelligent... Nous avons joué, j'ai perdu. Je réclame la mort. PIERRE DRIEU LA ROCHELLE*

Le collaborationnisme n'était pas une fatalité. Un Louis Marin ou un Louis Vallon adhéraient en 1939 aux mêmes partis qu'un Philippe Henriot ou un Marcel Déat; Georges Valois, le fondateur du premier mouvement fasciste français, terminera sa vie à Bergen-Belsen où l'a conduit son combat contre « le parti hitlérien en France ». Inversement, s'arrêter au « reniement », en le connotant souvent d'ambition personnelle et de vénalité policière, est une interprétation tout aussi idéaliste et cryptique, qui se retrouve paradoxalement sous la plume de beaucoup d'historiens ou d'hommes politiques se réclamant du matérialisme. L'argument de la « marginalité » mérite plus d'attention. Encore faut-il relativiser cette notion, au-delà même de son jugement de valeur implicite, insister beaucoup plus sur le phénomène de la marginalisation lui-même, en retrouver le sens.

La triple convergence de 1940 n'est-elle pas le fait d'hommes qui, pendant longtemps et parfois jusqu'à la pré-guerre de 1938, ont appartenu à trois « établissements »: le briandisme florissant à la veille de la grande crise, le monde politique maurrassien, le régime lui-même? Le 1er janvier 1941, Rebatet est-il d'ailleurs plus marginal que d'Estienne d'Orves? Ratés, minoritaires, exclus convergent effectivement vers le pouvoir allemand, et tout collaborationniste est passé, un peu plus tôt un peu plus tard, par une rupture avec le père Maurras, la mère Gauche ou, pour les stipendiés, le bon Régime asexué. Mais pourquoi eux, et pourquoi cette marginalisation-là?

* *Récit secret*, suivi de *Exorde*, Paris, Gallimard, 1961.

Je propose d'y voir le cumul, au sein de sensibilités «ouvertes» – jusqu'à l'extrême écorchement et l'abandon à la Force qui vient – de deux traumatismes, vécus ou cultivés, et dont la décennie 36-45 paraissait fournir l'antidote, sous étiquette allemande : la Première Guerre mondiale (Munich); la révolution bolchevique (le 22 juin 1941). 14-18 forge des convictions européennes ou pacifistes, tout en laissant à beaucoup, de Bucard à Déat, de Darnand à Drieu, l'image d'une communauté virile et hiérarchique. 1917 et ses lendemains exacerbent la peur du rouge, antibolchevisme viscéral où antimarxisme sublimé sous divers oripaux.

Dans les dernières années de l'avant-guerre, cette hostilité nourrira, à gauche comme à droite, de Rebatet à Spinasse, un pacifisme ultra dont la principale justification sera le refus de favoriser diplomatiquement l'Union soviétique. Des conservateurs et des réactionnaires y font le sacrifice de leur nationalisme cocardier; des socialistes et des syndicalistes y font celui de la démocratie. Dans l'un et l'autre cas, c'est cependant la valeur suprême de l'Ordre qui l'emporte.

La crise économique et diplomatique des années trente brasse en tous sens la société politique française, disloquée par le passage brutal d'une période de franche bipolarisation — le Front populaire — aux grands reclassements ambigus de Munich ou de la drôle de guerre, enfin à cette équivoque établie qui a nom État français. Aspirant au changement face aux insuffisances étalées du système capitaliste et du régime républicain, la population se refuse au contraire dans ses profondeurs à retourner, moins de vingt ans après, à l'hécatombe. En ajoutant la liberté au pain et à la paix, le Front populaire présentait une option. Il était inévitable que ses adversaires missent l'ordre à la place.

Plus que des marginaux, les collaborationnistes représentent ainsi l'avant-garde de ce second terme de l'alternative. Mais alors que le front antifasciste, un temps profondément désuni, va se retrouver, au fur et à mesure que s'internationalise le conflit, au coude à coude dans un même combat contre l'impérialisme nazi, elle va se découvrir, elle, isolée de la masse conservatrice qui se reconnaît dans le Vichy du maréchal. Avant-garde consciente si on l'écoute affirmer en face de l'attentisme ou de l'incompréhension pétainistes la nécessité d'un engagement clair, d'une société politisée, là où Vichy la souhaite patriarcale, d'un ordre « nouveau », « jeune », « réaliste ». Mais avant-garde fragile quand on la voit superposer, au-delà de toute distinction assez byzantine entre la part de la contrainte, de l'intérêt et de la conviction, la revanche et la peur. Revanche de ceux qui ont été deux fois incompris, deux fois écartés, mais aussi apeurement de maints représentants de ces classes moyennes en risque vécu de prolétarisation et mythique de collectivisation, apeurement de quelques professionnels du verbe devant les menaces qui pèsent, croient-ils, sur leur magistère.

D'où les divergences sensibles qui paraissent parcourir ce petit monde tout au long de ces courtes quatre années, et qui donnent à la vie politique de zone nord cet aspect sensiblement plus contrasté que celui de l'asepsie vichyssoise. Divergence entre clans nationaux, divergences entre Paris et les mouvements autonomistes, divergences entre autonomistes eux-mêmes, souvent aussi racistes à l'égard de leurs « frères » qu'à celui des Français...

On n'en est que plus frappé de voir la tendance profonde de toutes ces petites contradictions secondaires à se résorber avec le temps dans un même radicalisme. Une fois éloignées de leurs bases et débarrassées de leurs habits d'origine, les idéologies de la collaboration conduisent visiblement à un même mixte où un vocabulaire de gauche — auquel s'adaptent assez vite la plupart des héritiers de la droite — se superpose à d'incontestables valeurs de droite, rigidifiées dans l'épreuve. Au bord du chemin qui s'étend de la gare de Montoire au Bunker de la chancellerie, le mouvement n'abandonne pas des hommes de « droite » (Deloncle, Brasillach) ou de « gauche » (Spinasse, Chateau), mais des « mous », incapables de résoudre leurs propres antinomies. Dans la commune mobilisation de la « guerre totale et radicale », les nuances colorées tendent à se fondre sous le même uniforme des groupements paramilitaires. C'est ce qu'a bien compris l'équipe pilote de *Je suis partout*, qui vibre dans ses derniers mois à la geste milicienne et pavoise le dernier jour en présentant côte à côte en première page un entretien avec Déat, un entretien avec Doriot. Tous les fascistes français de 1940 ne jouèrent pas la carte de la collaboration, mais les collaborationnistes de 1944 étaient tous devenus fascistes.

Même et surtout sous cette forme condensée, la collaboration est un échec. Non pas, comme on l'affirme traditionnellement, par la seule arithmétique. Compte tenu du gonflement compréhensible des deux chiffres — et compte non tenu des nombreuses exécutions sommaires —, il n'y eut guère moins d'affaires de collaboration soumises aux tribunaux *ad hoc* de la Libération (160 000) que de cartes distribuées à la même époque de « combattant volontaire de la Résistance » (170 000). L'échec est ailleurs.

Un peu dans l'incapacité de la collaboration à surmonter les discriminations sociales dont elle hérite : les notables et les professions libérales occupent les institutions honorifiques, les classes moyennes fournissent la piétaille des partis, ouvriers et *Lumpenproletariat* montent au(x) front(s). Mais l'échec est surtout dans la défaite même de l'Allemagne, verdict sans appel pour ces sectateurs de la justification par la force et, comme le dira Sartre, d'un « hégélianisme mal compris ».

Tout vient d'ailleurs de plus loin, de la profonde duperie sur laquelle se fonde le pari du fameux « réalisme » collaborateur : supposer qu'il y ait un au-delà de l'impérialisme hitlérien, un grand projet nazi international, authentiquement fédéral même s'il doit être inégalitaire, et sur la foi d'une hypothèse moralisante — « l'Allemagne, elle, a su dominer sa victoire » — exhorter les Français à dominer leur défaite par une surenchère dans la concession.

Certes, jusqu'aux derniers jours, beaucoup de collaborationnistes feront preuve d'une grande méconnaissance du national-socialisme allemand, point si différents en cela de tant de militants ou d'idéologues franco-centristes de toutes les époques, mais, dans la conjoncture de l'occupation, cette méconnaissance ne pouvait qu'être fatale. Il n'était pourtant pas nécessaire d'être grand clerc pour comprendre qu'un univers mental privilégiant l'élan vital, la communauté nationale-raciale, le *Führer-prinzip*, et qui avait donné à plusieurs reprises la preuve qu'il ne tenait compte à l'extérieur que des rapports de forces, n'aurait guère de considération pour l'image même de la faiblesse que lui présentait la Collaboration, sanctionnée symboliquement par l'échec du Front révolutionnaire national et les médiocres performances de la LVF.

Contrairement aux attentistes, les collaborationnistes ont compris et accepté la dimension idéologique du conflit international, dès les premiers jours pour ceux qui avaient déjà fait en eux la mutation fasciste, après le 22 juin 1941 pour les plus conservateurs. Leur faillite intellectuelle était de miser sur l'idéologie la plus étrangère à la reconnaissance d'une spécificité nationale autre que la sienne propre. Chez les plus lucides, la contradiction entre nationalisme et discours européen sera toujours vivement ressentie. « Je crains fort que, comme le disait rudement et justement Drieu, de prétendus nationalistes ne se dénationalisent chaque jour », avouera Brasillach [1]. Le PPF d'avant-guerre, à plus d'un titre laboratoire du collaborationnisme à la française, était déjà entré en crise du jour où l'asservissement de son appareil à des consignes étrangères, italiennes en l'occurrence, était apparu clairement derrière les prétentions nationales.

Au-delà du court terme, l'intérêt historique de la collaboration gît dans son paradoxe d'être à la fois au plus haut point phénomène universel, puisqu'un rapide panorama de la Seconde Guerre mondiale nous la fait rencontrer sous toutes les longitudes, et pourtant, par cette originalité de taille que représente l'existence de Vichy, au plus haut point phénomène de la francité. Au premier titre, son étude n'est pas de médiocre importance pour l'analyse de ces crises, grandes et petites, où le sens politique paraît devenir insensé, la logique interne d'un mouvement, logique délirante : on voit qu'ici l'attachement à un même surordre unifie aisément divers troubles apparemment contradictoires. Mais, au second, on peut penser que son approche apportera quelques éléments de réponse à tous ceux, et ils semblent nombreux aujourd'hui, qui se posent la question du fascisme ou du totalitarisme ordinaires.

Minorité volontiers excédée par les équivoques vichystes, la collaboration n'en vit nullement séparée. C'est à Vichy qu'on doit Montoire, et tout un lot de ces images qui permirent d'alimenter le répertoire collaborant. C'est bien Vichy qui, sans attendre l'instigation de l'Allemagne, prend en quelques mois tout un ensemble de mesures d'ordre intérieur fondant un régime sans doute « réactionnaire », nullement fasciste, mais sans conteste — et c'est là qu'a été franchi, pour nous, le seuil qualitatif — dictatorial. Enfin, c'est bien cette institution vichyste qui, dans les derniers mois, tolère la mise en place d'un véritable État milicien, expression suprême de la convergence politique de la collaboration, avec lequel elle aurait sans doute été bientôt amenée à se confondre. Pour parler en termes de majorité,

1 *Œuvres complètes*, *op. cit.*, t. XII, p. 612.

il y eut bien en 1940 un consensus français à la dictature. La parole collaboratrice s'est constituée sur fond de silence, le silence des garants convenus de la démocratie française, depuis les grands corps de la République jusqu'à son intelligentsia justificatrice, depuis les classes moyennes du radicalisme bon teint jusqu'au prolétariat des espoirs ultimes. Quand, quatre années plus tard, une même « France des profondeurs » châtiera avec dégoût ou horreur ceux qui n'avaient fait que presser le pas dans la direction tracée, quelle image d'elle-même cherchait-elle donc à nier?

Annexes

ANNEXE I

La pénétration culturelle : les *Cahiers* de l'Institut allemand aux éditions Sorlot

1941

1. *Poètes et Penseurs :* Rothacker Eric, « Schopenhauer et Nietzsche ». Pinette Kaspar, « Rainer Maria Rilke ». Rabuse Georg, « Hans Carossa ». Meder Bruno, « Erwin Guido Kolbenheyer ». Albrecht Wolfram, « La poésie ouvrière ». Funke Gerhard, « La poésie allemande contemporaine ».

2. *Regards sur l'histoire :* Gadamer Hans Georg, « Herder et l'Histoire ». Stadelmann Rudolf, « Le problème de l'État et de la liberté au cours des derniers siècles ». Von Srbik Heinrich Ritter, « La formation de l'unité allemande ». Zimmermann Ludwig, « Les Origines de l'antagonisme germano-anglais ». Arntz Helmut, « Les Germains étaient-ils des Barbares ? ». Bremer Karl Heinz, « Des Républiques allemandes à la conception française de l'Allemagne ». Borries Kurt, « L'Autriche, la Prusse et l'Allemagne dans l'histoire moderne ». Grimm Friedrich, « Faisons la paix franco-allemande ».

3. *La Révolution sociale dans l'Allemagne contemporaine,* Grosse Frantz.

1942

4. *État et Santé :* Conti L., « L'Organisation de la santé publique du Reich pendant la guerre ». Reiter Hans, « La biologie dans la gestion de l'État ». Von Verschuer Freiherr, « L'image héréditaire de l'homme ». Fischer Eugen, « Le problème de la race et la législation raciale allemande ». Scheunert Arthur, « La recherche et l'étude des vitamines au service de l'alimentation nationale ».

5. *Économie continentale :* Von Dietze Constantin, « L'économie agraire de l'Europe ». Scuster Walter, « La politique financière allemande de 1933 à nos jours ». Berber Hermann, « L'économie de guerre allemande ». Predöhl Andreas, « L'ancienne et la nouvelle économie allemande ». Pahl Walter, « Monopoles ou grands espaces ? ». Zischka Anton, « La rénovation du continent par la mise en valeur de l'Est européen ».

1943

6. *Quelques aspects du droit allemand :* Emge Carl August, « La réforme du droit allemand et l'antiquité de l'académie de Droit allemand ». Hedemann Justus Wilhelm, « L'élaboration du code moral àllemand ». Dahm Georg, « Droit, tribunaux et législation dans l'Allemagne nationale-socialiste ». Radler Joachim, « L'individu et la communauté dans la législation allemande ». Schmitt Carl, « Souveraineté de l'État et liberté des mers ».

1944

7. *Physique atomique et Philosophie :* Von Weizsäcker Carl Friedrich.

S'y ajoutent en 1943 : Hoffmeister Johannes, Fegers Hans ed., *Friedrich Hölderlin 1770-1843. Textes réunis et présentés...* (études de Kurt Hildebrandt, Maurice Boucher, Martin Heidegger, Wilhelm Michel et Norbert von Hellingrath).

ANNEXE II

Le collaborationnisme en chiffres : l'exemple de la Côte-d'Or et de la Mayenne

Ces chiffres sont récapitulés d'après les études de deux correspondants départementaux du Comité d'histoire de la Deuxième Guerre mondiale, MM. Gounand et Robin.

1. Effectifs totaux, par période

	Été 1941		**Décembre 1942**		**Avr.-mai 1944** [1]	
	CO *	**Ma ***	**CO**	**Ma**	**CO**	**Ma**
PPF	85	1	168	6	40	
dont femmes	(5)		(21)	(1)	(2)	
RNP	70	(43)	139	45	15	
dont femmes	(30)	(13)	(67)	(?)	(3)	
Francistes	10		18		12	
dont femmes						
MSR			25	2		
dont femmes			(3)			
Ligue française	82		151			
dont femmes	(15)		(36)			
Collaboration			8			80
dont femmes						(61)
LVF	80		222		?	2
dont combattants	(8)		(10)			
Milice					38	2
dont femmes					(3)	
Waffen SS					2	
COSI					29	3
dont femmes						
	327		**731**		**136**	

* CO : Côte-d'Or; Ma : Mayenne.

1. En Côte-d'Or, début 1944, 15 adhérents au Groupe de combat d'action nouvelle, 20 à l'Action bourguignonne, 30 au groupe d'action Abwehrtrupp, 55 à la Milice nationale révolutionnaire, issue de la Ligue française.

2. Répartition socioprofessionnelle

	Côte-d'Or	Mayenne
Patrons de l'industrie	18	5
Commerçants indépendants	46	36
Artisans	24	19
Agriculteurs exploitants	31	9
Ouvriers agricoles	12	1
Professions libérales	22	7
Cadres d'entreprise	9	4
Agents d'assurances, voyageurs de commerce	41	2
Enseignants	8	4
Autres fonctionnaires et SNCF	18	9
Ouvriers de l'industrie	127	2
Employés	119	10
Personnel de service	22	2
Étudiants	19	1
Retraités	17	2
Sans profession	24	9
Armée	6	1
Police	9	
Autres catégories	1	12
Indéterminés	163	17

3. Répartition géographique

(par taille de la commune de résidence au moment de l'inscription)

	+ de 100 000 h		20 000 à 100 000 h		2 000 à 20 000 h		— de 2 000 h		indéterminé	
	CO	Ma	CO	Ma	CO	Ma	CO	Ma	CO	Ma
PPF	87			12	47	4	34	4		
RNP	117			30	8	7	14	7		1
Francistes	13				3		2			
MSR	19				6					
Ligue française	128				15		8			
Collaboration	6			78	2	1		1		
+ sympathisants				81		1		2		
LVF	161			1	50	1	11			
Milice	34			1	4	1				
Waffen SS	2									
COSI	27			3	2					

ANNEXE III

Une propagande raciste : les brochures de l'Institut d'étude des questions juives

1941

Le communisme est juif.

L'Émancipation des Juifs en France.

Enquête sur le judaïsme en France.

Le Judaïsme contre l'humanité aryenne.

Le Juif et le Parasitisme dans la nature.

Leurs noms... Petite philosophie des patronymes juifs.

La Mentalité juive. I. *L'Individu.*
II. *La Nation.*

La Morphologie du Juif, ou l'Art de le reconnaître à ses caractères naturels.

Non, les Juifs ne sont pas des hommes comme nous!

Le Parlement, agent d'exécution de la judéo-maçonnerie.

La Tactique juive ou Comment le Juif s'est imposé à l'aryen.

La Vraie Puissance juive.

1942

Français! Il faut redevenir. (Lisez le terrible diagnostic de notre mal. Le virus, c'est le Juif.)

ANNEXE IV

La presse parisienne
Quelques chiffres *

TIRAGES À LA DATE DU 23 JANVIER 1943

- **quotidiens**

Le Petit Parisien	505 000 exemplaires
Paris-soir	380 000 exemplaires
Le Matin	263 000 exemplaires
L'Œuvre	131 000 exemplaires
La France socialiste	115 000 exemplaires
Le Cri du peuple	58 000 exemplaires
Les Nouveaux Temps	57 000 exemplaires

- **hebdomadaire**

La Semaine	270 000 exemplaires
La Gerbe	140 000 exemplaires
Je suis partout	125 000 exemplaires
Toute la vie	105 000 exemplaires
L'Illustration	100 000 exemplaires
Au pilori	65 000 exemplaires
L'Appel	45 000 exemplaires
Comœdia	40 000 exemplaires
L'Atelier	16 000 exemplaires
L'Exportateur français	1 500 exemplaires

- **bimensuels et mensuels**

Le Cahier jaune	20 000 exemplaires
La Nouvelle Revue française	5 000 exemplaires
La France européenne	4 500 exemplaires

* *Source* : Archives de la préfecture de police de Paris, B/A 1713, *passim*.

Signalons qu'*Er Rachid* semble avoir culminé en mai 1944 à 20 000 exemplaires, *Germinal* en avril 1944 à 50 000, *Je suis partout* le 1er mai 1944 à 220 000, *La Nouvelle Revue française* le 23 avril 1941 à 11 000 — et *Signal* en juin 1944 à 850 000.

Pourcentages d'invendus
à la date du 1er septembre 1941
(quelques exemples)

Au pilori	26 %
La Gerbe	33 %
Je suis partout	38 %
L'Appel	60 %
La Tempête	71 %

Une chronologie

L'avant-guerre

27 octobre 1922	Marche sur Rome des fascistes.
11 novembre 1925	Le Faisceau de Georges Valois.
20 juin 1927	*Notre temps*, revue européenne de Jean Luchaire.
juillet-août 1930	Rencontre franco-allemande de la jeunesse au Sohlberg, en Forêt-Noire.
30 janvier 1933	Adolf Hitler, chancelier du Reich.
novembre 1933	Les « néos » quittent la SFIO.
19 novembre 1933	Première interview du chancelier Hitler par un journaliste français : Fernand de Brinon.
6 février 1934	Émeute antiparlementaire à Paris.
1934	Paul Ferdonnet et Lucien Pemjean fondent l'agence Prima; Pierre Clémenti, le parti français national communiste; Jean Boissel, le Racisme international Fascisme. *France-Allemagne 1918-1934*, de Brinon.
22 novembre 1935	Le Comité France-Allemagne est solennellement baptisé dans les salons de l'hôtel George-V.
5 mai 1936	Victoire électorale du Front populaire français.
mai-juin 1936	*Je suis partout*, abandonné par la maison Arthème-Fayard, survit grâce à ses journalistes — et à Charles Lesca.
28 juin 1936	Jacques Doriot fonde et préside le parti populaire français.
17 juillet 1936	Soulèvement militaire en Espagne : début de la guerre civile.
1936	*Les Cadets de l'Alcazar*, de Robert Brasillach et Henri Massis.
novembre 1937	Révélation du complot de la Cagoule. Jean Hérold-Paquis, speaker à Radio-Saragosse, poste franquiste.

1937	*La Gerbe des forces*, d'Alphonse de Châteaubriant.
30 septembre 1938	Munich.
24-25 décembre	Congrès SFIO de Montrouge : rupture Léon Blum-Paul Faure.
1938	Brasillach, rédacteur en chef de *Je suis partout*.
15 mars 1939	Les troupes allemandes entrent à Prague.
21 avril 1939	Décret-loi Marchandeau sur la discrimination raciale.
4 mai 1939	Marcel Déat, dans *l'Œuvre* : « Mourir pour Dantzig? »
juillet 1939	Arrestations de journalistes français stipendiés. Expulsion d'Otto Abetz, « expert » allemand.
29 juillet 1939	Décret-loi Serol sur la propagande étrangère.
22 août 1939	Pacte germano-soviétique.
1er septembre 1939	Réunion de parlementaires pacifistes à la Chambre.
3 septembre 1939	La guerre.
1939	*Vers un racisme français*, de René Gontier.

1940

19 janvier	Levée de l'immunité des parlementaires communistes restés fidèles à leur parti.
14 mars	Intervention de Pierre Laval au Sénat réuni en comité secret.
21 mars	Paul Reynaud, président du Conseil.
10 mai	Début de l'offensive allemande. Arrestation de Lesca et d'Alain Laubreaux sur ordre de Georges Mandel, ministre de l'Intérieur.
10 juin	Le gouvernement quitte Paris.
14 juin	Les troupes allemandes y entrent.
16 juin	Le maréchal Pétain, 107e président du Conseil de la IIIe République.
17 juin	Arrestation de Mandel sur ordre du nouveau gouvernement. Relâché quelques heures plus tard. *La Victoire*, de Gustave Hervé, reparaît dans Paris occupé, suivie le même jour par *le Matin*.
18 juin	Première démarche communiste auprès des autorités allemandes pour la reparution de *l'Humanité*.
20 juin	Premier numéro des *Dernières Nouvelles de Paris*.
22 juin	Laval entre au gouvernement.
23 juin	Laval vice-président du Conseil.
25 juin	L'armistice.

30 juin Premier numéro de *la France au travail.* Déat directeur politique de *l'Œuvre.*

3 juillet Mers el-Kébir.
10 juillet Au casino de Vichy, l'Assemblée nationale accorde les pleins pouvoirs au maréchal Pétain par 569 voix contre 80.
11 juillet Laval dauphin du maréchal.
La Gerbe, hebdomadaire de Châteaubriant.
12 juillet *Au pilori*, « hebdomadaire de lutte contre la judéo-maçonnerie ».
19 juillet Première rencontre de Laval avec les Allemands de Paris.
27 juillet Remise au maréchal du mémorandum Déat sur le Parti unique.
31 juillet Le Royaume-Uni prononce le blocus de la métropole et de l'Afrique du Nord.

3 août Abetz ambassadeur d'Allemagne auprès du Commandement militaire de Paris.
8 août La Cour suprême de Riom est installée.
15 août L'aviateur Pierre Costantini déclare, à titre personnel, la guerre à l'Angleterre.
17 août *L'Illustration* reparaît à Paris.
23 août Vichy institue la Légion française des combattants.
26-28 août L'AEF et le Cameroun se rallient à la France libre.
27 août Premières livraisons aux autorités nazies d'Allemands réfugiés en zone dite libre.

5-15 septembre Cinq hommes politiques du régime défunt sont placés en résidence surveillée.
10 septembre Henri Jeanson fonde *Aujourd'hui.*
21 septembre Déat réinstalle *l'Œuvre* à Paris.
23 septembre Dakar résiste à une opération anglo-gaulliste.

8 octobre A son tour, *le Petit Parisien* reparaît à Paris, « avec son objectivité habituelle ».
14 octobre *Le Cri du peuple*, quotidien de Jacques Doriot.
22 octobre A Montoire, Laval rencontre Hitler.
24 octobre A Montoire, Pétain rencontre Hitler.
28 octobre Laval, ministre des Affaires étrangères.
30 octobre Pétain, sur les ondes : « J'entre aujourd'hui dans la voie de la collaboration. »

1er novembre *Les Nouveaux Temps*, quotidien de Jean Luchaire.
Reparution du *Réveil du peuple*, bimensuel puis hebdomadaire de Boissel.

3 novembre	Brinon, ambassadeur de France.
11 novembre	Première manifestation publique de « résistance » à Paris.
16 novembre	Premières mesures allemandes en faveur des prisonniers français.
20 novembre	*La Vie industrielle*, quotidien.
30 novembre	Rattachement *de facto* de l'Alsace-Lorraine au Reich allemand.
2 décembre	Déat inaugure une violente campagne contre l' « entourage » du maréchal.
7 décembre	*L'Atelier*, « hebdomadaire du travail français ».
13-14 décembre	Le maréchal renvoie Laval et nomme Pierre-Étienne Flandin aux Affaires étrangères.
15 décembre	Les cendres de l'Aiglon sont ramenées à Paris.
18 décembre	Brinon devient « délégué général du gouvernement pour les territoires occupés ».
25 décembre	L'amiral de la flotte Darlan rencontre Hitler à La Ferrière-sur-Epte.
	Un tract révèle l'existence du Mouvement social révolutionnaire d'Eugène Deloncle.

1941

18 janvier	Pétain-Laval à La Ferté-Hauterive : « Ont été dissipés les malentendus qui ont amené les événements du 13 décembre. »
21 janvier	« Le Maître du Feu » publie le premier numéro de *la Tempête*.
1er février	*Le Pays libre*, hebdomadaire de Clémenti, reparaît.
	Déat fonde et préside le Rassemblement national populaire.
7 février	*Je suis partout* reparaît.
9 février	Démission de Flandin.
10 février	Darlan, dauphin du maréchal.
23 février	Premier grand meeting à Paris : celui du RNP.
février	*Le Juif Süss* sort sur les écrans parisiens.
1er mars	Création du poste de commandant du « Gross Paris ».
6 mars	*L'Appel*, hebdomadaire de la Ligue française, de Costantini.
17 avril	Centre syndicaliste de propagande.
22 avril	Vichy nomme six préfets régionaux en zone nord.

4 mai	Premier congrès des responsables PPF de la région parisienne.
13 mai	Nouvelle entrevue Hitler-Darlan.
14 mai	1 061 israélites étrangers arrêtés à Paris par la police française.
27 mai	Les « Protocoles de Paris » signés par Darlan sont examinés par le gouvernement.
2 juin	Le « Statut des Juifs » paraît au Journal officiel.
14-15 juin	Premier congrès national du RNP.
21 juin	*Comœdia*, « hebdomadaire des spectacles, des lettres et des arts », reparaît après plus de quatre années d'interruption.
22 juin	L'armée allemande attaque l'Union soviétique. Congrès PPF de zone sud à Villeurbanne.
7 juillet	Un communiqué Déat-Doriot-Bucard-Costantini annonce la création d'une « Légion des volontaires français contre le bolchevisme ».
18 juillet	Au Vel d'Hiv, premier meeting LVF.
7 août	*Toute la vie*, « l'hebdomadaire des temps nouveaux ».
8 août	Première réunion du Comité d'action antibolchevique, fondé et présidé par Paul Chack.
16 août	*Toute la France*, « le journal de ceux qui sont revenus et des familles de ceux qui sont encore absents ».
27 août	Attentat manqué de Paul Collette contre Laval et Déat.
2 septembre	Pacte d'unité d'action entre Doriot et Costantini.
5 septembre	Marcel Gitton, transfuge du PCF au PPF, est abattu dans la rue. Parution dans la presse parisienne de la « Lettre aux ouvriers communistes », signée de vingt-neuf noms d'anciens responsables du Parti. Inauguration de l'exposition « Le Juif et la France » au palais Berlitz.
29 septembre	Premier voyage d'un ministre de Vichy (Pierre Pucheu) en « zone interdite ».
10 octobre	Un « conseil politique des partis » de la collaboration annonce une coordination accrue entre chacun d'eux.
12 octobre	*La Révolution nationale*, hebdomadaire du MSR. La rupture est complète avec le RNP.
22 octobre	Vingt-sept communistes exécutés par les Allemands à Châteaubriant.

1er novembre	*Le Rouge et le Bleu*, « hebdomadaire de la pensée socialiste française ».
9 novembre	Déat fait sa rentrée politique à la Mutualité, après l'attentat de Collette.
10 novembre	*La France socialiste* succède à *la France au travail.*
20 novembre	Le général Weygand est mis à la retraite d'office, à la demande des autorités allemandes.
1er décembre	Pétain rencontre le maréchal Gœring à Saint-Florentin.
7 décembre	Pearl Harbor.
1941	*Pensées dans l'action*, d'Abel Bonnard. *Notre avant-guerre*, de Robert Brasillach. *Voir la figure*, de Jacques Chardonne. *Les Beaux Draps*, de Louis-Ferdinand Céline. *Le Solstice de juin*, d'Henry de Montherlant.

1942

9-12 janvier	Tractations Benoist-Méchin/Abetz sur la prétendue « belligérance » franco-allemande.
19 janvier	Début d'une tournée de conférences pour la LVF. Le maréchal reçoit à Vichy Doriot « profondément touché ».
1er mars	Inauguration à Paris de l'exposition « Le bolchevisme contre l'Europe ».
3-4 mars	Bombardement anglais sur les usines Renault de Boulogne-Billancourt. Création des premiers Comités ouvriers de secours immédiat (COSI).
21 mars	Le gauleiter Sauckel, « organisateur général pour le recrutement de la main-d'œuvre ». Il s'installera en France au mois de juin.
26 mars	Rencontre « secrète » Pétain-Laval en forêt de Randan, prélude à plusieurs autres.
15 avril	Renvoi *sine die* du procès de Riom.
18 avril	Laval revient au pouvoir comme « chef du gouvernement ». Abel Bonnard, Hubert Lagardelle entrent au gouvernement.
29 avril	Attentat contre Clamamus, communiste rallié au PPF.
11 mai	Rencontre Laval-Gœring à Moulins.
24 mai	*La Révolution nationale* abandonne toute référence au MSR.

29 mai	L'étoile jaune obligatoire en zone nord.
30 mai	Premier raid RAF sur l'Allemagne.
2 juin	Albert Clément, communiste rallié au PPF, est abattu.
10 juin	*La Vie parisienne.*
15 juin	Centre d'information ouvrière et sociale (CIOS).
22 juin	« Je souhaite la victoire de l'Allemagne », au cours du premier appel de Laval en faveur de la Relève.
11 juillet	*France-Europe*, « organe de l'unité française par la Révolution nationale ».
11-12 juillet	Au conseil national du RNP, Déat lance solennellement un appel au Parti unique.
16-17 juillet	Rafle *dite* du Vel d'Hiv (20 000 victimes).
18 juillet	Une loi institue la Légion tricolore.
11 août	Grande cérémonie de la Relève à Compiègne.
19 août	Échec du débarquement allié à Dieppe.
22 août	La publication du *Rouge et Bleu* est suspendue.
4 septembre	Loi instituant le travail obligatoire pour les hommes de dix-huit à cinquante ans et les femmes célibataires de vingt et un à trente-cinq ans.
5 septembre	Bombardement de Rouen.
10 septembre	Débarquement des Britanniques à Madagascar.
11 septembre	Première réunion du Front révolutionnaire national, à l'initiative de Déat.
4-8 novembre	Premier congrès du PPF toutes zones confondues; Doriot y refuse la fusion proposée par le RNP.
8 novembre	Débarquement des Anglo-Américains en Afrique du Nord.
11 novembre	Occupation de la zone sud par les Allemands.
14-15 novembre	Premier (et dernier) congrès de la Ligue française.
16 novembre	Darlan destitué.
18 novembre	L'armée d'armistice désarmée. Laval, derechef dauphin du maréchal, avec des pouvoirs accrus.
21 novembre	Darnand lance un appel en faveur de la Phalange africaine.
27 novembre	Sabordage de la flotte à Toulon.
13 décembre	Deuxième conférence nationale du Centre syndicaliste de propagande.
24 décembre	Darlan assassiné à Alger.
28 décembre	La Légion tricolore est dissoute.

1942	*Anthologie de la nouvelle Europe*, d'Alfred Fabre-Luce. *Les Décombres*, de Lucien Rebatet.

1943

24 janvier	Le Vieux Port de Marseille détruit par les Allemands.
30 janvier	Une loi institue en zone sud la Milice française. Secrétaire général : Darnand; chef suprême : Laval. On célèbre au palais de Chaillot le dixième anniversaire de la venue au pouvoir de Hitler.
15 février	Après de longues tractations avec Sauckel, la loi sur le Service du travail obligatoire est officiellement mise en pratique (classes 40 à 42).
17 février	Brinon président du comité central de la LVF.
27 février	René Chateau exclu du RNP.
28 février	Première manifestation publique du FRN, salle Pleyel. Pour une Milice révolutionnaire nationale.
février	Début de la collaboration régulière de Philippe Henriot à Radio-Paris.
1er mars	La ligne de démarcation est supprimée pour les citoyens « à part entière ».
10 mars	Attentat manqué contre Déat.
5 avril	Annonce officielle de la livraison au Reich par le gouvernement de Vichy de Léon Blum, Édouard Daladier, Georges Mandel, Paul Reynaud et le général Gamelin.
11 avril	Grande réunion du FRN au Vel d'Hiv : brochette, de Déat à Bucard, de Rebatet à Henri Barbé.
24 avril	Premier milicien abattu par la Résistance.
30 avril	Audience de Hitler à Laval, à Berchtesgaden.
7 mai	Entrée des Alliés à Tunis.
26 mai	Rencontre Laval-Sauckel à Paris.
2 juin	Création de la Franc-Garde de la Milice.
21-22 juin	Célébration LVF au palais de Chaillot.
27 juin	Les miliciens RNP sont présentés à Déat au stade Pierre-de-Coubertin.
10 juillet	Les Anglo-Américains débarquent en Sicile.
16-17 juillet	Troisième (et dernier) congrès du RNP.
22 juillet	Un décret autorise les Français à s'engager dans une unité allemande.

24 juillet	Mussolini est démissionné par le Grand Conseil fasciste.
8 août	Doriot au Vel d'Hiv : « Il manque au peuple français d'être dirigé, guidé par une main ferme. »
août	Crise à *Je suis partout*. Départ de Blond et Brasillach. P.-A. Cousteau, nouveau rédacteur en chef.
8 septembre	Les Allemands occupent les huit départements français jusque-là confiés à l'Italie.
12 septembre	Mussolini libéré par Skorzeny.
17 septembre	Plan de redressement national français, inspiré par Déat (Darnand, Luchaire, Guilbaud).
27 septembre	Assassinat du Dr Guérin, militant collaborationniste.
16 octobre	Attentat manqué contre Brinon. Suspension des départs pour le STO.
13 novembre	Échec d'un nouveau 13 Décembre à Vichy. A la place d'un message de Pétain, la radio diffuse des extraits de *Dédé*. Les Allemands mettront fin en moins d'un mois à la « grève sur l'État » qu'avait alors déclenchée le maréchal.
18 novembre	Première réunion publique de Darnand en zone nord.
25 novembre	Attentat manqué contre Bucard.
26 novembre	Éditorial de Cousteau dans *Je suis partout :* « Place aux durs. »
1er décembre	Doriot reçoit la croix de fer pour sa conduite sur le front de l'Est.
4 décembre	Abetz revient en grâce et à Paris.
14 décembre	Rencontre Laval-Abetz à Paris.
19 décembre	« 30 000 » participants au Vel d'Hiv acclament le Front uni des révolutionnaires européens, autour de Darnand.
décembre	La démission de Lagardelle est rendue officielle.

1944

1er janvier	Philippe Henriot secrétaire d'État à l'Information et à la Propagande. Darnand secrétaire d'État au Maintien de l'ordre.
10 janvier	Darnand reçoit « autorité sur l'ensemble des forces de police ».

12 janvier	Victor Basch et sa femme exécutés par des miliciens.
15 janvier	Réunion et manifeste dans les locaux de *Je suis partout* de ceux qui ne sont « pas des dégonflés ».
20 janvier	Institution de cours martiales expéditives pour le jugement des « terroristes ».
27 janvier	La Milice étend son autorité à la zone nord.
11 février	Loi sur l'état de siège.
26 février	De retour du front de l'Est, Doriot tient à Paris une conférence de presse optimiste.
mars	La Milice participe au « nettoyage » allemand du maquis des Glières.
5 mars	Léon Degrelle, qui lui aussi « en » revient, au palais de Chaillot.
16 mars	Déat ministre du Travail et de la Solidarité nationale.
20 mars	Pucheu, condamné à mort, est exécuté à Alger.
16 avril	Les ténors de la LVF au Vel d'Hiv.
26 avril	Premier voyage de Pétain à Paris. Acclamations.
28 avril	*Germinal*, « hebdomadaire de la pensée socialiste française ».
1er mai	Cérémonies de la Fête du travail sous l'égide de Déat.
7 mai	Pétain quitte Vichy pour Voisins. Début de son nomadisme.
1er juin	Joseph Antignac commissaire général aux Questions juives.
6 juin	Le débarquement.
8-9 juin	Proclamations mobilisatrices des partis et de la Milice.
10 juin	Oradour-sur-Glane.
13 juin	Darnand « secrétaire d'État à l'Intérieur ».
20 juin	Jean Zay abattu par des miliciens du 2e Service.
28 juin	Henriot abattu par des résistants.
30 juin	Ses funérailles solennelles à Notre-Dame.
2 juillet	Le PPF célèbre son huitième et dernier anniversaire.
5 juillet	« Déclaration commune sur la situation politique » des ultras de la collaboration (Déat, Bonnard, Brinon, Luchaire...).
7 juillet	Mandel abattu par des miliciens.
14 juillet	Doriot tient une nouvelle conférence de presse optimiste. Cette fois, il revient de l'Ouest. Aux Halles, le caricaturiste de *Je suis partout*, Ralph Soupault, pris de fureur, tire sur des passants.

20 juillet	Attentat manqué contre Hitler à Rastenburg.
22 juillet	Note des ultras aux autorités allemandes pour une guerre sans merci.
5 août	Pétain condamne solennellement l'action de la Milice.
9 août	En Galicie, la brigade d'assaut SS française reçoit le baptême du feu.
12 août	Laval intrigue en direction d'Édouard Herriot pour une passation légale des pouvoirs.
17 août	Derniers numéros de la presse quotidienne parisienne.
21 août	Belfort, première étape vers l'est des collaborateurs d'État et de la Milice.
25 août	A Paris, la garnison allemande capitule.
1er septembre	Darnand, Déat, Brinon, Doriot, Marion rencontrent Hitler à son GQG.
4 septembre	Brinon crée une Commission gouvernementale pour la défense des intérêts français en Allemagne.
7 septembre	Devant l'avance alliée, le convoi franchit le Rhin. Installation en divers lieux, dont Sigmaringen.
1er octobre	« Exterritorialité » du château de Sigmaringen.
22 octobre	A Landau, inauguration du poste PPF Radio-Patrie.
23 octobre	La 2e DB entre à Strasbourg. Au GQG tête-à-tête Hitler-Doriot.
26 octobre	A Sigmaringen, premières émissions d' « Ici la France ». Premier numéro de *la France*.
4 novembre	Reparution à Constance du *Petit Parisien*.
12 novembre	Les divers groupements militarisés français se fondent au sein de la brigade, plus tard division, SS Charlemagne.
13 décembre	Abetz révoqué.

1945

6 janvier	Doriot fonde et préside le Comité de libération française.
10 janvier	Déat et Doriot au Congrès européen de Weimar.
22 février	Doriot abattu entre Mess Kirch et Mengen par un avion non identifié.
26 février	Funérailles de Doriot — et de la collaboration.
février-mars	La division Charlemagne est décimée en Poméranie.

16 avril Laval se présente à la frontière suisse.

27 avril Pétain se présente à la frontière suisse. Il fête ses quatre-vingt-neuf ans. Ce même jour, « 300 » volontaires SS français sont à Berlin pour défendre le dernier réduit. Au matin du 2 mai, les survivants combattent encore. Hitler est mort depuis trois jours.

Introduction bibliographique

Trois centaines d'ouvrages et d'articles environ ont été consultés pour la rédaction de cette courte étude, sans que l'auteur ait aucunement prétendu à l'exhaustivité. De cet ensemble, nous n'extrairons qu'une centaine de références, initiatrices. Pour plus de précisions, on consultera avec profit l'Institut d'histoire du temps présent (IHTP), la Bibliothèque de documentation internationale contemporaine (BDIC), le Centre de documentation juive contemporaine (CDJC) de Paris et, bien entendu, la section contemporaine des Archives nationales. C'est à eux que l'on se reportera pour tous les travaux mentionnés ci-après par leur seul nom d'auteur.

1. Sources et témoignages

Notre approche eût été difficile sans l'aimable concours de MM. Henri Michel et Claude Lévy, à l'époque président et secrétaire général du Comité d'histoire de la Seconde Guerre mondiale, qui nous ont, en particulier, permis d'utiliser les enquêtes en cours de plusieurs de ses correspondants départementaux :

Mme Chaubin (Corse), MM. Allaux (Aude), Boyet (Jura), Couture (Seine-Maritime), Gayot (Charente-Maritime), Gounand (Côte-d'Or), Leroux (Morbihan), Marcot (Doubs), Masson (Var), Mollard (Savoie), Panicacci (Alpes-Maritimes), Picard (Vienne), Racault (Vienne), Robin (Mayenne) et Vadon (Ardennes).

L'accès des archives anglo-saxonnes, ou allemandes microfilmées par les Américains (cf. George O. Kent, *A Catalog of Films and Microfilms of the German Foreign Ministry Archives 1920-1945*, Hoover Inst., Stanford, 1962-1966, 3 vol.), demeure encore aujourd'hui plus aisé que celui des archives françaises, ou allemandes restées outre-Rhin, malgré quelques progrès récents.

Les dossiers d'instruction des procès de collaboration restent évidemment difficilement consultables mais les comptes rendus sténographiques des 108 procès de Haute Cour (chef de l'État, ministres, secrétaires généraux...) sont ouverts au chercheur, pour beaucoup dans l'édition du cabinet Bluet.

On peut les compléter par :

Les Procès de trahison devant la cour de justice de Paris. Paquis, Bucard, Luchaire, Brasillach. Réquisitoires et plaidoiries, Éd. de Paris, 1947.

Les Procès de la radio. Ferdonnet et Jean Hérold-Paquis, compte rendu sténographique, Paris, Albin Michel, 1947.
Les Procès de collaboration. Fernand de Brinon, Jean Luchaire, Joseph Darnand, compte rendu sténographique, Paris, Albin Michel, 1948.
Le Procès Benoist-Méchin, compte rendu sténographique, Paris, Albin Michel, 1948.
Bâtonnier Paul Buttin, *Le Procès Pucheu*, Paris, Amiot-Dumont, 1948.

La presse « autorisée » est bien entendu, dans notre optique, une source de première grandeur. Tous les périodiques indiqués dans l'index ont été consultés. Au cœur de l'occupation, le Dr. Hermann Eich en avait ébauché l'analyse dans *Wege der französischen Presse* (Propaganda Abteilung, 1943).

L'avant-guerre des futurs collaborationnistes ne manque pas de jalons. Retenons, aux côtés des essais « fascistes » de Drieu La Rochelle, des *Bagatelles* et autres *École des cadavres* signés Céline :
Brinon Fernand de, *France-Allemagne 1918-1934*, Paris, Grasset, 1934.
Châteaubriant Alphonse de, *La Gerbe des forces*, Paris, Grasset, 1937.
Ferdonnet Paul, *La Guerre juive*, Paris, Baudinière, 1938, et ses cinq autres livres.
Gontier René, *Vers un racisme français*, Paris, Denoël, 1939.

La littérature de la France allemande est abondante en titres, légère en pages, lourde de haine. A tout seigneur tout honneur, quelques textes allemands :
« Friedrich Dr. », *Un journaliste allemand vous parle*, Paris, Le Pont, 1942.
Grimm Dr. Friedrich, *Le Testament politique de Richelieu*, Paris, Flammarion, 1941 (préface de F. de Brinon).
Sieburg Friedrich, *De ma fenêtre*, Bruxelles, La Toison d'or, 1943.

Des figures de proue du monde littéraire, seul Robert Brasillach a, jusqu'à présent, eu la chance de voir éditées, avec de surcroît grande et pieuse méticulosité, ses *Œuvres complètes* (Paris, Club de l'honnête homme, 1963-1966, 12 vol. sous la responsabilité de Maurice Bardèche).
On peut l'aborder par :
Notre avant-guerre, Paris, Plon, 1941.
Journal d'un homme occupé, Paris, Les Sept Couleurs, 1955.
Écrit à Fresnes, Paris, Plon, 1967.
On peut aborder Drieu La Rochelle par :
Ne plus attendre, Paris, Grasset, 1941.
Notes pour comprendre le siècle, Paris, Gallimard, 1941.
Chroniques politiques, Paris, Gallimard, 1943.
Le Français d'Europe, Paris, Éditions Balzac, 1944.
Récit secret, Paris, Gallimard, 1961.
Et Lucien Rebatet par *les Décombres* (Paris, Denoël, 1942). Ce dernier livre, contrairement aux trois ouvrages les plus contestés de Louis-Ferdinand

Céline, a été réédité dans une édition à la fois expurgée et enrichie, sous le titre : *Mémoires d'un fasciste* (Paris, Pauvert, 1976, 2 vol.).

Plus anodins, les ouvrages suivants donnent le (bon)-ton du collaborationnisme littéraire des premiers temps :

Chardonne Jacques, *Voir la figure*, Paris, Grasset, 1941.
Fabre-Luce Alfred, *Anthologie de la nouvelle Europe*, Paris, Plon, 1942.
Montherlant Henry de, *Le Solstice de juin*, Paris, Grasset, 1941.

Dans le fourmillement des textes, généralement courts, des collaborationnistes de moindre plume, nous nous contenterons de retenir une vingtaine de noms et, pour chacun, un seul ouvrage, à titre indicatif :

Allard Paul, *La Guerre du mensonge. Comment on nous a bourré le crâne*, Paris, Éd. de France, 1940.
Augier Marc, *J'ai vu l'Allemagne*, Paris, Sorlot, 1941.
Baudrillart cardinal, *Le Testament politique d'un prince de l'Église* (...), Paris, Imp. Guillemot et de Lamothe, 1942.
Benoist-Méchin Jacques, *Histoire de l'armée allemande*, « édition définitive », Paris, Albin Michel, 1941, 2 vol.
Blond Georges, *L'Angleterre en guerre*, Paris, Grasset, 1941.
Bonnard Abel, *Pensées dans l'action*, Paris, Grasset, 1941.
Chack Paul, *Face aux Anglais*, Paris, Éd. de France, 1942.
Champeaux Georges, *La Croisade des démocraties*, Paris, Inter-France, 1943, 2 vol.
Châteaubriant Alphonse de, *Cahiers 1906-1951*, Paris, Grasset, 1955.
Claude Georges, *La Seule Route*, Paris, Inter-France, 1942.
Cousteau Pierre-Antoine, *L'Amérique juive*, Paris, Éd. de France, 1942.
Delaisi Francis, *La Révolution européenne*, Bruxelles, La Toison d'or, 1942.
Deloncle Eugène, *Les Idées et l'Action*, Éd. du MSR, 1941.
Émery Léon, *La IIIe République*, Paris, Inter-France, 1943 (préface de Dominique Sordet).
Henriot Philippe, *Et s'ils débarquaient ?*, Paris, Inter-France, 1944 (préface d'Émile Vuillermoz).
Hermant Abel, *Une vie, trois guerres*, Paris, Lagrange, 1943.
Hérold-Paquis Jean, *L'Angleterre, comme Carthage...*, Paris, Inter-France, 1944 (préface de Xavier de Magallon).
Lesdain Jacques de, *Notre rôle européen*, Paris, groupe Collaboration, 1941.
Luchaire Jean, *Les Anglais et Nous*, Paris, Le livre moderne, 1941.
Martel René, *Principes du national-socialisme*, Paris, Sorlot, 1941.
Montandon Georges, *Comment reconnaître le Juif ?*, Paris, Nouvelles Éditions françaises, 1940
Pemjean Lucien, *La Presse et les Juifs, depuis la Révolution jusqu'à nos jours*, Paris, Nouvelles Éditions françaises, 1941.
Sordet Dominique, *Les Derniers Jours de la démocratie*, Paris, Inter-France, 1944.

Suarez Georges, *Pourquoi la démocratie ? Il faut choisir,* Paris Grasset, 1941.
Zoretti Ludovic, *Français, forge ton destin,* Paris, Debresse, 1941.

Les ouvrages contemporains des deux grands chefs de partis sont des recueils à chaud de discours et d'articles : Déat Marcel, *Le Parti unique,* Paris, Aux armes de France, 1942 ; *Pensée allemande et Pensée française,* Paris, Aux armes de France, 1944.
Doriot Jacques, *Je suis un homme du maréchal,* Paris, Grasset, 1941 ; *Réalités,* Paris, Éd. de France, 1942.
Déat, dans l'ermitage italien où il acheva sa vie, eut tout le temps de polir d'épais *Mémoires politiques* qui ont été publiés en 1989 chez Denoël.

Quelques Allemands ont laissé leur *Journal* de guerre et d'occupation, tel Ernst Jünger (Paris, Julliard, 1965, trad. fr.), ou leurs mémoires, justificatifs, tel Otto Abetz, *Mémoires d'un ambassadeur, histoire d'une politique franco-allemande* (Stock, 1953). Les Français n'y ont pas manqué.
Retenons ici :
Barthélémy Victor, *Du communisme au fascisme,* Paris, Albin Michel, 1978.
Benoist-Méchin Jacques, *De la défaite au désastre,* Paris, Albin Michel, 1984 et 1985, 2 vol.
Brinon Fernand de, *Mémoires,* LLC, 1949.
Combelle Lucien, *Péché d'orgueil*, Paris, Olivier Orban, 1978.
Darlan Alain éd., *L'amiral Darlan parle*, Paris, Amiot-Dumont, 1963.
Germain José, *Mes catastrophes,* La Couronne littéraire, 1948.
Hérold-Paquis Jean, *Des illusions... désillusions !,* Paris, Bourgoin, 1948.
Jamet Claude, *Engagements,* Paris, SNP, 1949.
Keraudren Jean-Yves, *A contre-courant,* Paris, Éd. du Scorpion, 1965.
Labat Éric, *Les places étaient chères,* 1951, rééd. La Table ronde, 1969.
La Mazière Christian de, *Le Rêveur casqué,* Paris, Laffont, 1972.
Luchaire Corinne, *Ma drôle de vie,* Paris, Sun, 1949.
Mordrel Olier, *Breiz atao*, Paris, Moreau, 1973.
Oltramare Georges, *Réglons nos comptes,* Genève, Bernet, 1949.
Pucheu Pierre, *Ma vie,* Paris, Amiot-Dumont, 1948.
Thérive André, *L'Envers du décor,* La Clé d'or, 1948.
Vallat Xavier, *Le Nez de Cléopâtre,* Paris, Les Quatre Fils Aymon, 1957.
On a publié récemment les journaux intimes tenus pendant l'occupation par le vichyste Angelo Tasca, *Vichy 1940-1944 : archives de guerre* (édition sous la direction de Denis Peschanski, Paris, CNRS, 1986) et par le collaborationniste Jacques Benoist-Méchin, *De la défaite au désastre* (Paris, Albin Michel, 2 volumes, 1984-1985), dont les mémoires *A l'épreuve du temps* ont paru en 1989 (Paris, Julliard).

Les voix de Jacques Doriot, de Philippe Henriot, de Jean Hérold-Paquis et de Pierre Laval peuvent être entendues sur les disques que les nostalgiques éditions SERP leur ont respectivement consacrés.

Les cinémathèques du fort d'Ivry et de Toulouse conservent en dépôt quelques-uns des films, courts et moyens métrages, rapidement analysés dans cet ouvrage.

Nous avons tenté de transmettre un peu des *paroles du collaborationnisme français* dans notre *France allemande* de la collection « Archives » (Paris, Gallimard, 1977).

2. Études rétrospectives

L'Histoire de la collaboration de Saint-Paulien (Paris, L'esprit nouveau, 1964), épaisse et parfois indigeste, est aussi le plaidoyer d'un ci-devant, le responsable PPF Maurice-Yvan Sicard. Première en date, puisqu'elle reprend une thèse de 1963, *la Collaboration,* de Michèle Cotta (Paris, Colin, coll. « Kiosque », 1964), reste une intelligente étude cursive, toujours précieuse, mais qui s'est volontairement limitée à l'analyse de la presse, et parisienne.

On doit à Jean-Pierre Azéma la meilleure des histoires générales de la période, parue sous le titre *De Munich à la Libération (1938-1944)* (Paris, Éd. du Seuil, coll. « Nouvelle histoire de la France contemporaine », 1979). Michèle Cointet a résumé les données du débat historiographique dans *Vichy et le Fascisme* (Bruxelles, Complexe, 1987).

Une subtile approche du collaborationnisme peut être trouvée dans les études franco-américaines de Stanley Hoffmann, et en particulier : « Collaborationism in Vichy France » *(Journal of Modern History,* vol. XL, nº 3), repris dans « Vichy et la collaboration » pour la revue *Preuves* (juillet-septembre, 1969) et dans le chapitre « La collaboration » des *Essais sur la France* (Paris, Éd. du Seuil, 1974) ; plus indirectement, car tel n'était pas son sujet, dans celle de Robert O. Paxton : *La France de Vichy* (Paris, Éd. du Seuil, trad. fr., 1973, rééd. coll. « Points », 1975). Que les auteurs soient deux historiens étrangers qui, pour être amis de la France, n'en sont pas aveugles pour autant, n'est sans doute pas un hasard. Dès la Libération cependant, dans son article de *la République française* (New-York) d'août 1945, « Qu'est-ce qu'un collaborateur ? », repris dans *Situations III,* Jean-Paul Sartre ébauchait, à chaud, un diagnostic du collaborationnisme dont on peut aujourd'hui tirer encore grand profit.

Les ouvrages de Henry Coston, particulièrement son numéro spécial de *Lectures françaises* (décembre 1960), « Partis, journaux et hommes politiques », et son *Dictionnaire de la politique française* (1967 à 1982, 4 vol.) fourmillent de détails sur l'extrême droite française. On les maniera avec les précautions d'usage, compte tenu de l'idéologie de leur auteur.

L'avant-guerre collaborationniste a fait l'objet des articles et communications bien documentés de Karl Dreischler, Alfred Kupferman, Michel Launay et Guy Rossi-Landi, ainsi que d'une thèse célèbre, signée Max Gallo, parue en version allégée et sans noms propres à Paris, chez Plon, en 1970 *(Cinquième Colonne).* Les contradictions internes de la gauche française s'éclairent à la lecture de Michel Bilis, *Socialistes et Pacifistes 1933-1939 ou l'impossible dilemme des socialistes français* (Paris, Syros, 1979) et de Marc Sadoun, *les Socialistes sous l'occupation* (Paris, Presses de la Fondation nationale des sciences politiques, 1982). On doit à Philippe Burrin l'ouvrage de référence sur les trois plus célèbres itinéraires issus de la gauche, respectivement communiste, socialiste et radicale : *La Dérive fasciste : Doriot, Déat, Bergery, 1933-1945)* (Paris, Éd. du Seuil, 1986).

Sur trois périodes hautes en couleur, on retiendra :

Michel Henri, *Vichy, année 40,* Paris, Laffont, 1966.

Brissaud André, *La Dernière Année de Vichy (1943-1944),* Paris, Perrin, 1965.

Rousso Henry, *Pétain et la Fin de la collaboration,* Bruxelles, Complexe, 1984.

L'anecdote, destinée à vaporiser un peu d'air du temps, triomphe chez une foule d'auteurs. Parmi eux, citons l'un des premiers, Gérard Walter *(la Vie à Paris sous l'occupation,* Paris, Colin, coll. « Kiosque », 1960), et l'un des cadets, Hervé le Boterf *(la Vie parisienne sous l'occupation,* Paris, France-Empire, 1974, 2 vol.).

Le jeu allemand est clairement mis à jour dans le livre de R. O. Paxton et dans celui d'Eberhard Jäckel, *la France dans l'Europe de Hitler* (Paris, Fayard, 1968, trad. fr.), le(s) jeu(x) vichyssois dans celui d'Henri Michel, *Pétain, Laval, Darlan, trois politiques* (Paris, Flammarion, coll. « Questions d'histoire », 1972).

Jacques Mièvre a étudié avec précision un aspect peu connu de la stratégie géopolitique allemande dans *le Système « Ostland » en France durant la Seconde Guerre mondiale* (Nancy, Annales de l'Est, 1973).

Si *les Catholiques français sous l'occupation* ont eu leur historien en Jacques Duquesne (Paris, Grasset, 1966), la gauche collaborationniste n'a fait l'objet jusqu'à présent que d'études partielles, souvent restées inédites (Françoise Laurent, Alain Degardin), consultables à l'IHTP. Tout au contraire, le protéiforme « fascisme » français a une bibliographie déjà fournie. L'essai de Jean Plumyène et Raymond Lasierra sur *les Fascismes français, 1923-1963* (Paris, Éd. du Seuil, 1963) reste une introduction pleine d'alacrité, d'un réjouissant parti pris pseudo-psychanalytique. La minutieuse thèse de Pierre-Marie Dioudonnat sur *Je suis partout* (Paris, La Table ronde, 1973) permet de comprendre la constitution du plus brillant microcosme fasciste français, mais expédie trop vite la période de l'occupation.

Paul Serant, *Le Romantisme fasciste* (Paris, Fasquelle, 1960), et Tarmo Kunnas, *Drieu La Rochelle, Céline, Brasillach ou la Tentation fasciste* (Paris, Les Sept Couleurs, 1972), ont abordé avec sympathie quelques itinéraires privilégiés du fascisme littéraire, après le prolifique Pol Vandromme, *Robert Brasillach* (Paris, Plon, 1956), *Pierre Drieu La Rochelle* (Paris, Éditions universitaires, 1958), *Rebatet* (Paris, Éditions universitaires, 1968), etc. Drieu et Sachs, deux miroirs troubles où se contemplent, fascinés, tant de Narcisse intellectuels, ont été récemment l'objet d'une abondante littérature, de plus ou moins bonne venue, de laquelle nous extrairons *les Folles années de Maurice Sachs,* de Jean-Michel Belle (Paris, Grasset, 1979) et surtout le *Drieu La Rochelle* de Pierre Andreu et Frederic Grover (Paris, Hachette, 1979). William R. Tucker et David L. Schalk ont, aux États-Unis, commencé à cerner la complexe figure de Brasillach. Sur Céline : Jacqueline Morand, *les Idées politiques de Louis Ferdinand Céline* (Paris, LGDJ, 1972).

De proches collaborateurs de Fernand de Brinon, Marcel Déat et Pierre Laval avaient entrepris la réhabilitation de leurs patrons. Aujourd'hui encore, le livre de Claude Varennes, autrement dit Georges Albertini *(le Destin de Marcel Déat,* Jeanmaray, 1948), peut se lire avec profit. Si la meilleure étude du leader du PPF est désormais celle de Jean-Paul Brunet *(Doriot,* Fayard, 1986), l'ouvrage de Geoffrey Warner sur *Pierre Laval* (Londres, Eyre and Spottiswoode, 1978) est désormais utilement complété par l'analyse subtile de Fred Kupferman *(Laval,* Paris, Balland, 1987). La thèse de Claude Lévy sur *Jean Luchaire et les Nouveaux Temps* (Paris, Colin, 1974) éclaire le destin central du plus caractéristique des « nouveaux messieurs » de l'an 1940.

Proche de ce dernier sujet, la question de la propagande par les médias de masse suscite un intérêt de plus en plus diversifié. Pour ce qui est de la presse écrite, les chercheurs sont encore largement redevables à l'étude compacte, menée à chaud mais généralement documentée aux meilleures sources, de Jean Queval, *Première page, cinquième colonne* (Paris, Fayard, 1945). La synthèse tout à la fois la plus large et la plus récente est celle de Claude Lévy, dans le troisième tome de l'*Histoire générale de la presse française* (Paris, PUF, 1974). Élisabeth Dunan a ébauché dès 1950 l'étude de *la Propaganda-Abteilung de France : tâches et organisation (Revue d'histoire de la Deuxième Guerre mondiale,* nº 4, 1951) et R.-G. Nobecourt a présenté un choix suggestif de « consignes confidentielles » dans *les Secrets de la propagande de la France occupée* (Paris, Fayard, 1962). On dispose depuis peu d'un témoignage intéressant sur *la Presse bretonne dans la tourmente* (Henri Fréville, Paris, Plon, 1979).

Ici comme ailleurs, le document non écrit commence à acquérir une existence réelle au regard des jeunes historiens, à commencer par la radio (Antoine Lefébure, Jacques Touzeau) et le cinéma (Paul Léglise, Paul Maine). Jean-Pierre Bertin et François Garçon viennent de faire paraître leur thèse sur *le Cinéma de Vichy* (Paris, Albatros, 1980) et *De Blum à Pétain* (Paris, Le Cerf, 1984) ; nous avons, pour notre part, poursuivi l'analyse, ébauchée dans ce livre, du magazine pour enfants *le Téméraire* dans *le Petit Nazi illustré* (Paris, Albatros, 1979).

Le discours collaborationniste n'a pas encore fait l'objet d'une approche analogue à celle, inégale mais féconde, de Gérard Miller sur *les Pousse-au-*

jouir du maréchal Pétain (Paris, Éd. du Seuil, 1975). Le champ de toute étude à venir sur l'obsession la plus notoirement pathologique, l'antisémitisme, est du moins désormais circonscrit par les études institutionnelles de Joseph Billig, *le Commissariat général aux questions juives* (Paris, CDJC, 1955-1960, 3 vol.), *l'Institut d'études des questions juives* (CDJC, 1974) et la trop rapide mais pugnace anthologie de Philippe Ganier-Raymond, *Une certaine France* (Paris, Balland, 1975). Le scandale suscité par l'entretien accordé à *l'Express* par le dernier commissaire général survivant a permis l'édition du mémoire de Jean Laloum sur *la France antisémite de Darquier de Pellepoix* (Paris, Syros, 1979).

La méticuleuse thèse de Lothar Kettenacker sur *la Politique de nazification en Alsace* est maintenant accessible au public français, grâce à la revue *Saisons d'Alsace* (n°s 65 et 68).

Parallèlement à la sortie des mémoires des survivants, le régionalisme collaborateur a suscité les recherches d'Étienne Dejonghe (« Un mouvement séparatiste dans le Nord et le Pas-de-Calais sous l'occupation, le Vlaamsch Verbond van Frankrijk », in *Revue d'histoire moderne et contemporaine,* janv.-février 1970) et d'Alain Daniel *(Le Mouvement breton : 1919-1945,* Paris, Maspero, 1976) et d'Henri Fréville *(Archives secrètes de la Bretagne : 1940-1944,* Paris, Ouest-France, 1985).

La collaboration économique reste un sujet relativement tabou. Passé les heures chaudes de la Libération, il faut se contenter en France des approches documentées aux meilleures sources mais volontairement partielles de Jacques Delarue, *Trafics et Crimes sous l'occupation* (Paris, Fayard, 1968), et de Robert Aron, t. III, 2e partie de son *Histoire de l'épuration*, sans oublier, une fois de plus, de se reporter à une étude anglo-saxonne, celle de Alan S. Milward, *The New Order and the French Economy* (Oxford Univ. Press, 1970). Les numéros 57 (janvier 1965) et 95 (octobre 1974) de la *Revue d'histoire de la Deuxième Guerre mondiale* commencent à ouvrir certaines voies.

Depuis *les Partisans,* de Marc Augier (1943), une abondante littérature de style « Crépuscule des Dieux » occultait l'approche de la collaboration armée. La première synthèse de quelque ampleur a porté sur la Milice : Jacques Delperrie de Bayac, *Histoire de la Milice 1918-1945* (Paris, Fayard, 1969). Les Français de la Gestapo n'ont pas, malgré Philippe Aziz, *Tu trahiras sans vergogne* (Paris, Fayard, 1970) et *Au service de l'ennemi* (Paris, Fayard, 1971), livré tous leurs secrets.

A côté de ces exposés critiques, les ouvrages de Jean Mabire, tels les trois volumes de *les SS français* (Paris, Fayard, 1973-1975), inégalement documentés, sont parcourus du grand frisson des nostalgies « viriles ». *La*

Phalange africaine a fait l'objet d'un livre de René Pellegrin (chez l'auteur, 1973). La LVF attend son historien.

Les éditions précédentes appelaient à une étude détaillée de la mode « rétro » appliquée à l'époque de l'occupation, que l'auteur de ce livre avait ébauchée dans un article de 1975 sur le *Rétro satanas*. Désormais le public dispose de la synthèse d'Henry Rousso, *Le Syndrome de Vichy : 1944-198...* (Paris, Éd. du Seuil, 1987), éclairée ici ou là par l'essai de Félix Torrès sur le *retour au passé (Déja vu : post et néo-modernisme,* Paris, Ramsay, 1986).

Index

Index des personnes

Index des associations, administrations et sociétés

Index des médias

Table

Du même auteur

HISTOIRES

La France allemande
Gallimard, 1977

Le Petit Nazi illustré
Albatros, 1979

Les Expositions universelles de Paris
Ramsay, 1982

L'Entre-deux-Mai :
histoire culturelle de la France
Mai 1968-Mai 1983
Seuil, 1983

1889 : L'Expo
Complexe, 1985

Les Intellectuels en France,
de l'affaire Dreyfus à nos jours
(avec Jean-François Sirinelli)
Armand Colin, 1986

Nouvelle Histoire des idées politiques
(direction du volume)
Hachette, 1987

L'Aventure culturelle française, 1945-1989
Flammarion, 1989

La Revue blanche
(éditeur du volume, avec Olivier Barrot)
«10/18», 1989, 1994

Entre deux guerres
(direction du volume, avec Olivier Barrot)
François Bourin, 1990

Une nation pour mémoire
Trois jubilés révolutionnaires
1889-1939-1989
Presses de la FNSP, 1992

La Belle Illusion. Culture et Politique
sous le signe du Front populaire, 1935-1938
Plon, 1994

Pierre Larousse et son temps
(direction du volume, avec Jean-Yves Mollier)
Larousse, 1995

La Censure en France
à l'ère démocratique (1948-...)
Complexe, 1997

FABLES

De Gaulle, ou l'ordre du discours
Masson, 1979

Nizan, destin d'un révolté
Ramsay, 1980

L'Anarchisme de droite
Grasset, 1985

Dernières questions aux intellectuels
(direction du volume)
Olivier Orban, 1990

La Légende des airs
Images et Objets de l'aviation
Hoëbeke, 1991

Rennes, intelligence d'une ville
Ouest-France, 1992

Doisneau 40-44
Hoëbeke, 1994

Chartres
Ouest-france, 1995

COMPOSITION FIRMIN-DIDOT AU MESNIL
IMPRESSION : BUSSIÈRE À SAINT-AMAND (9-97)
D. L. 1er TRIM. 1980. N° 5427-4 (1988)

Collection Points

SÉRIE HISTOIRE

H1. Histoire d'une démocratie : Athènes
Des origines à la conquête macédonienne
par Claude Mossé
H2. Histoire de la pensée européenne
1. L'éveil intellectuel de l'Europe du IXᵉ au XIIᵉ siècle
par Philippe Wolff
H3. Histoire des populations françaises et de leurs attitudes devant la vie depuis le XVIIIᵉ siècle
par Philippe Ariès
H4. Venise, portrait historique d'une cité
par Philippe Braunstein et Robert Delort
H5. Les Troubadours, *par Henri-Irénée Marrou*
H6. La Révolution industrielle (1770-1880)
par Jean-Pierre Rioux
H7. Histoire de la pensée européenne
4. Le siècle des Lumières
par Norman Hampson
H8. Histoire de la pensée européenne
3. Des humanistes aux hommes de science
par Robert Mandrou
H9. Histoire du Japon et des Japonais
1. Des origines à 1945, *par Edwin O. Reischauer*
H10. Histoire du Japon et des Japonais
2. De 1945 à 1970, *par Edwin O. Reischauer*
H11. Les Causes de la Première Guerre mondiale
par Jacques Droz
H12. Introduction à l'histoire de notre temps
L'Ancien Régime et la Révolution
par René Rémond
H13. Introduction à l'histoire de notre temps
Le XIXᵉ siècle, *par René Rémond*
H14. Introduction à l'histoire de notre temps
Le XXᵉ siècle, *par René Rémond*
H15. Photographie et Société, *par Gisèle Freund*
H16. La France de Vichy (1940-1944)
par Robert O. Paxton
H17. Société et Civilisation russes au XIXᵉ siècle
par Constantin de Grunwald

H18. La Tragédie de Cronstadt (1921), *par Paul Avrich*
H19. La Révolution industrielle du Moyen Age
par Jean Gimpel
H20. L'Enfant et la Vie familiale sous l'Ancien Régime
par Philippe Ariès
H21. De la connaissance historique
par Henri-Irénée Marrou
H22. André Malraux, une vie dans le siècle
par Jean Lacouture
H23. Le Rapport Khrouchtchev et son histoire
par Branko Lazitch
H24 Le Mouvement paysan chinois (1840-1949)
par Jean Chesneaux
H25. Les Misérables dans l'Occident médiéval
par Jean-Louis Goglin
H26. La Gauche en France depuis 1900
par Jean Touchard
H27. Histoire de l'Italie du Risorgimento à nos jours
par Sergio Romano
H28. Genèse médiévale de la France moderne, XIVe-XVe siècle
par Michel Mollat
H29. Décadence romaine ou Antiquité tardive, IIIe-VIe siècle
par Henri-Irénée Marrou
H30. Carthage ou l'Empire de la mer, *par François Decret*
H31. Essais sur l'histoire de la mort en Occident
du Moyen Age à nos jours, *par Philippe Ariès*
H32. Le Gaullisme (1940-1969), *par Jean Touchard*
H33. Grenadou, paysan français
par Ephraïm Grenadou et Alain Prévost
H34. Piété baroque et Déchristianisation en Provence
au XVIIIe siècle, *par Michel Vovelle*
H35. Histoire générale de l'Empire romain
1. Le Haut-Empire, *par Paul Petit*
H36. Histoire générale de l'Empire romain
2. La crise de l'Empire, *par Paul Petit*
H37. Histoire générale de l'Empire romain
3. Le Bas-Empire, *par Paul Petit*
H38. Pour en finir avec le Moyen Age
par Régine Pernoud
H39. La Question nazie, *par Pierre Ayçoberry*
H40. Comment on écrit l'histoire, *par Paul Veyne*
H41. Les Sans-culottes, *par Albert Soboul*
H42. Léon Blum, *par Jean Lacouture*

H43. Les Collaborateurs (1940-1945), *par Pascal Ory*
H44. Le Fascisme italien (1919-1945)
par Pierre Milza et Serge Berstein
H45. Comprendre la révolution russe, *par Martin Malia*
H46. Histoire de la pensée européenne
6. L'ère des masses, *par Michaël D. Biddiss*
H47. Naissance de la famille moderne, *par Edward Shorter*
H48. Le Mythe de la procréation à l'âge baroque
par Pierre Darmon
H49. Histoire de la bourgeoisie en France
1. Des origines aux Temps modernes
par Régine Pernoud
H50. Histoire de la bourgeoisie en France
2. Les Temps modernes, *par Régine Pernoud*
H51. Histoire des passions françaises (1848-1945)
1. Ambition et amour, *par Theodore Zeldin*
H52. Histoire des passions françaises (1848-1945)
2. Orgueil et intelligence, *par Theodore Zeldin* (épuisé)
H53. Histoire des passions françaises (1848-1945)
3. Goût et corruption, *par Theodore Zeldin*
H54 Histoire des passions françaises (1848-1945)
4. Colère et politique, *par Theodore Zeldin*
H55. Histoire des passions françaises (1848-1945)
5. Anxiété et hypocrisie, *par Theodore Zeldin*
H56. Histoire de l'éducation dans l'Antiquité
1. Le monde grec, *par Henri-Irénée Marrou*
H57. Histoire de l'éducation dans l'Antiquité
2. Le monde romain, *par Henri-Irénée Marrou*
H58. La Faillite du Cartel, 1924-1926
(Leçon d'histoire pour une gauche au pouvoir)
par Jean-Noël Jeanneney
H59. Les Porteurs de valises
par Hervé Hamon et Patrick Rotman
H60. Histoire de la guerre d'Algérie, 1954-1962
par Bernard Droz et Évelyne Lever
H61. Les Occidentaux, *par Alfred Grosser*
H62. La Vie au Moyen Age, *par Robert Delort*
H63. Politique étrangère de la France
(La Décadence, 1932-1939)
par Jean-Baptiste Duroselle
H64. Histoire de la guerre froide
1. De la révolution d'Octobre à la guerre de Corée, 1917-1950
par André Fontaine

H65. Histoire de la guerre froide
2. De la guerre de Corée à la crise des alliances,1950-1963
par André Fontaine
H66. Les Incas, *par Alfred Métraux*
H67. Les Écoles historiques, *par Guy Bourdé et Hervé Martin*
H68. Le Nationalisme français, 1871-1914, *par Raoul Girardet*
H69. La Droite révolutionnaire, 1885-1914
par Zeev Sternhell
H70. L'Argent caché, *par Jean-Noël Jeanneney*
H71. Histoire économique de la France du XVIIIe siècle à nos jours
1. De l'Ancien Régime à la Première Guerre mondiale
par Jean-Charles Asselain
H72. Histoire économique de la France du XVIIIe siècle à nos jours
2. De 1919 à la fin des années 1970
par Jean-Charles Asselain
H73. La Vie politique sous la IIIe République
par Jean-Marie Mayeur
H74. La Grèce archaïque d'Homère à Eschyle
par Claude Mossé
H75. Histoire de la « détente », 1962-1981
par André Fontaine
H76. Études sur la France de 1939 à nos jours
par la revue « L'Histoire »
H77. L'Afrique au XXe siècle, *par Elikia M'Bokolo*
H78. Les Intellectuels au Moyen Age, *par Jacques Le Goff*
H79. Fernand Pelloutier, *par Jacques Julliard*
H80. L'Église des premiers temps, *par Jean Daniélou*
H81. L'Église de l'Antiquité tardive
par Henri-Irénée Marrou
H82. L'Homme devant la mort
1. Le temps des gisants, *par Philippe Ariès*
H83. L'Homme devant la mort
2. La mort ensauvagée, *par Philippe Ariès*
H84. Le Tribunal de l'impuissance, *par Pierre Darmon*
H85. Histoire générale du XXe siècle
1. Jusqu'en 1949. Déclins européens
par Bernard Droz et Anthony Rowley
H86. Histoire générale du XXe siècle
2. Jusqu'en 1949. La naissance du monde contemporain
par Bernard Droz et Anthony Rowley
H87. La Grèce ancienne, *par la revue « L'Histoire »*
H88. Les Ouvriers dans la société française
par Gérard Noiriel

H89. Les Américains de 1607 à nos jours
1. Naissance et essor des États-Unis, 1607 à 1945
par André Kaspi
H90. Les Américains de 1607 à nos jours
2. Les États-Unis de 1945 à nos jours
par André Kaspi
H91. Le Sexe et l'Occident, *par Jean-Louis Flandrin*
H92. Le Propre et le Sale, *par Georges Vigarello*
H93. La Guerre d'Indochine, 1945-1954
par Jacques Dalloz
H94. L'Édit de Nantes et sa révocation
par Janine Garrisson
H95. Les Chambres à gaz, secret d'État
par Eugen Kogon, Hermann Langbein et Adalbert Rückerl
H96. Histoire générale du XXe siècle
3. Depuis 1950. Expansion et indépendance (1950-1973)
par Bernard Droz et Anthony Rowley
H97. La Fièvre hexagonale, 1871-1968, *par Michel Winock*
H98. La Révolution en questions, *par Jacques Solé*
H99. Les Byzantins, *par Alain Ducellier*
H100. Les Croisades, *par la revue « L'Histoire »*

H101. La Chute de la monarchie (1787-1792), *par Michel Vovelle*
H102. La République jacobine (10 août 1792 - 9 Thermidor an II)
par Marc Bouloiseau
H103. La République bourgeoise
(de Thermidor à Brumaire, 1794-1799)
par Denis Woronoff
H104. La France napoléonienne (1799-1815)
1. Aspects intérieurs, *par Louis Bergeron*
H105. La France napoléonienne (1799-1815)
2. Aspects extérieurs
par Roger Dufraisse et Michel Kérautret (à paraître)
H106. La France des notables (1815-1848)
1. L'évolution générale
par André Jardin et André-Jean Tudesq
H107. La France des notables (1815-1848)
2. La vie de la nation
par André Jardin et André-Jean Tudesq
H108. 1848 ou l'Apprentissage de la République (1848-1852)
par Maurice Agulhon
H109. De la fête impériale au mur des fédérés (1852-1871)
par Alain Plessis

H110. Les Débuts de la Troisième République (1871-1898)
par Jean-Marie Mayeur
H111. La République radicale ? (1898-1914)
par Madeleine Rebérioux
H112. Victoire et Frustrations (1914-1929)
par Jean-Jacques Becker et Serge Berstein
H113. La Crise des années 30 (1929-1938)
par Dominique Borne et Henri Dubief
H114. De Munich à la Libération (1938-1944)
par Jean-Pierre Azéma
H115. La France de la Quatrième République (1944-1958)
1. L'ardeur et la nécessité (1944-1952)
par Jean-Pierre Rioux
H116. La France de la Quatrième République (1944-1958)
2. L'expansion et l'impuissance (1952-1958)
par Jean-Pierre Rioux
H117. La France de l'expansion (1958-1974)
1. La République gaullienne (1958-1969)
par Serge Berstein
H118. La France de l'expansion (1958-1974)
2. L'apogée Pompidou (1969-1974)
par Serge Berstein et Jean-Pierre Rioux
H119. La France de 1974 à nos jours
par Jean-Jacques Becker (à paraître)
H120. La France du xxe siècle (Documents d'histoire)
présentés par Olivier Wieviorka et Christophe Prochasson
H121. Les Paysans dans la société française
par Annie Moulin
H122. Portrait historique de Christophe Colomb
par Marianne Mahn-Lot
H123. Vie et Mort de l'ordre du Temple, *par Alain Demurger*
H124. La Guerre d'Espagne, *par Guy Hermet*
H125. Histoire de France, *sous la direction de Jean Carpentier et François Lebrun*
H126. Empire colonial et Capitalisme français
par Jacques Marseille
H127. Genèse culturelle de l'Europe (ve-viiie siècle)
par Michel Banniard
H128. Les Années trente, *par la revue « L'Histoire »*
H129. Mythes et Mythologies politiques, *par Raoul Girardet*
H130. La France de l'an Mil, *collectif*
H131. Nationalisme, Antisémitisme et Fascisme en France
par Michel Winock

H132. De Gaulle 1. Le rebelle (1890-1944)
par Jean Lacouture
H133. De Gaulle 2. Le politique (1944-1959)
par Jean Lacouture
H134. De Gaulle 3. Le souverain (1959-1970)
par Jean Lacouture
H135. Le Syndrome de Vichy, *par Henry Rousso*
H136. Chronique des années soixante, *par Michel Winock*
H137. La Société anglaise, *par François Bédarida*
H138. L'Abîme 1939-1944. La politique étrangère de la France
par Jean-Baptiste Duroselle
H139. La Culture des apparences, *par Daniel Roche*
H140. Amour et Sexualité en Occident, *par la revue « L'Histoire »*
H141. Le Corps féminin, *par Philippe Perrot*
H142. Les Galériens, *par André Zysberg*
H143. Histoire de l'antisémitisme 1. L'âge de la foi
par Léon Poliakov
H144. Histoire de l'antisémitisme 2. L'âge de la science
par Léon Poliakov
H145. L'Épuration française (1944-1949), *par Peter Novick*
H146. L'Amérique latine au XXe siècle (1889-1929)
par Leslie Manigat
H147. Les Fascismes, *par Pierre Milza*
H148. Histoire sociale de la France au XIXe siècle
par Christophe Charle
H149. L'Allemagne de Hitler, *par la revue « L'Histoire »*
H150. Les Révolutions d'Amérique latine
par Pierre Vayssière
H151. Le Capitalisme « sauvage » aux États-Unis (1860-1900)
par Marianne Debouzy
H152. Concordances des temps
par Jean-Noël Jeanneney
H153. Diplomatie et Outil militaire
par Jean Doise et Maurice Vaïsse
H154. Histoire des démocraties populaires
1. L'ère de Staline, *par François Fejtö*
H155. Histoire des démocraties populaires
2. Après Staline, *par François Fejtö*
H156. La Vie fragile, *par Arlette Farge*
H157. Histoire de l'Europe, *sous la direction de Jean Carpentier et François Lebrun*
H158. L'État SS, *par Eugen Kogon*
H159. L'Aventure de l'Encyclopédie, *par Robert Darnton*

H160. Histoire générale du XXe siècle
4. Crises et mutations de 1973 à nos jours
par Bernard Droz et Anthony Rowley
H161. Le Creuset français, *par Gérard Noiriel*
H162. Le Socialisme en France et en Europe, XIXe-XXe siècle
par Michel Winock
H163. 14-18 : Mourir pour la patrie, *par la revue « L'Histoire »*
H164. La Guerre de Cent Ans vue par ceux qui l'ont vécue
par Michel Mollat du Jourdin
H165. L'École, l'Église et la République, *par Mona Ozouf*
H166. Histoire de la France rurale
1. La formation des campagnes françaises
(des origines à 1340)
sous la direction de Georges Duby et Armand Wallon
H167. Histoire de la France rurale
2. L'âge classique des paysans (de 1340 à 1789)
sous la direction de Georges Duby et Armand Wallon
H168. Histoire de la France rurale
3. Apogée et crise de la civilisation paysanne
(de 1789 à 1914)
sous la direction de Georges Duby et Armand Wallon
H169. Histoire de la France rurale
4. La fin de la France paysanne (depuis 1914)
sous la direction de Georges Duby et Armand Wallon
H170. Initiation à l'Orient ancien, *par la revue « L'Histoire »*
H171. La Vie élégante, *par Anne Martin-Fugier*
H172. L'État en France de 1789 à nos jours
par Pierre Rosanvallon
H173. Requiem pour un empire défunt
par François Fejtö
H174. Les animaux ont une histoire, *par Robert Delort*
H175. Histoire des peuples arabes, *par Albert Hourani*
H176. Paris, histoire d'une ville, *par Bernard Marchand*
H177. Le Japon au XXe siècle, *par Jacques Gravereau*
H178. L'Algérie des Français, *par la revue « L'Histoire »*
H179. L'URSS de la Révolution à la mort de Staline, 1917-1953
par Hélène Carrère d'Encausse
H180. Histoire médiévale de la Péninsule ibérique
par Adeline Rucquoi
H181. Les Fous de la République, *par Pierre Birnbaum*
H182. Introduction à la préhistoire, *par Gabriel Camps*
H183. L'Homme médiéval
collectif sous la direction de Jacques Le Goff

H184. La Spiritualité du Moyen Age occidental (VIIIe-XIIIe siècle)
par André Vauchez
H185. Moines et Religieux au Moyen Age
par la revue « L'Histoire »
H186. Histoire de l'extrême droite en France, *ouvrage collectif*
H187. Le Temps de la guerre froide
par la revue « L'Histoire »
H188. La Chine, tome 1 (1949-1971)
par Jean-Luc Domenach et Philippe Richer
H189. La Chine, tome 2 (1971-1994)
par Jean-Luc Domenach et Philippe Richer
H190. Hitler et les Juifs, *par Philippe Burrin*
H192. La Mésopotamie, *par Georges Roux*
H193. Se soigner autrefois, *par François Lebrun*
H194. Familles, *par Jean-Louis Flandrin*
H195. Éducation et Culture dans l'Occident barbare (VIe-VIIIe siècle)
par Pierre Riché
H196. Le Pain et le Cirque, *par Paul Veyne*
H197. La Droite depuis 1789, *par la revue « L'Histoire »*
H198. Histoire des nations et du nationalisme en Europe
par Guy Hermet
H199. Pour une histoire politique, *collectif*
sous la direction de René Rémond
H200. « Esprit ». Des intellectuels dans la cité (1930-1950)
par Michel Winock

H201. Les Origines franques (Ve-IXe siècle), *par Stéphane Lebecq*
H202. L'Héritage des Charles (de la mort de Charlemagne
aux environs de l'an mil), *par Laurent Theis*
H203. L'Ordre seigneurial (XIe-XIIe siècle)
par Dominique Barthélemy
H204. Temps d'équilibres, Temps de ruptures
par Monique Bourin-Derruau
H205. Temps de crises, Temps d'espoirs, *par Alain Demurger*
H206. La France et l'Occident médiéval
de Charlemagne à Charles VIII
par Robert Delort (à paraître)
H207. Royauté, Renaissance et Réforme (1483-1559)
par Janine Garrisson
H208. Guerre civile et Compromis (1559-1598)
par Janine Garrisson
H209. La Naissance dramatique de l'absolutisme (1598-1661)
par Yves-Marie Bercé

H210. La Puissance et la Guerre (1661-1715)
par François Lebrun
H211. L'État et les Lumières (1715-1783)
par André Zysberg (à paraître)

H212. La Grèce préclassique, *par Jean-Claude Poursat*
H213. La Grèce au ve siècle, *par Edmond Lévy*
H214. Le IVe Siècle grec, *par Pierre Carlier*
H215. Le Monde hellénistique (323-188), *par Pierre Cabanes*
H216. Les Grecs (188-31), *par Claude Vial*

H220. Le Haut-Empire romain, *par Maurice Sartre*
H225. Douze Leçons sur l'histoire, *par Antoine Prost*
H226. Comment on écrit l'histoire, *par Paul Veyne*
H227. Les Crises du catholicisme en France, *par René Rémond*
H228. Les Arméniens, *par Yves Ternon*
H229. Histoire des colonisations, *par Marc Ferro*
H230. Les Catholiques français sous l'Occupation
par Jacques Duquesne
H231. L'Égypte ancienne, *présentation par Pierre Grandet*
H232. Histoire des Juifs de France, *par Esther Benbassa*
H233. Le Goût de l'archive, *par Arlette Farge*
H234. Économie et Société en Grèce ancienne, *par Moses I. Finley*
H235. La France de la monarchie absolue 1610-1675
par la revue « L'Histoire »
H236. Ravensbrück, *par Germaine Tillion*
H237. La Fin des démocraties populaires, *par François Fejtö et Ewa Kulesza-Mietkowski*
H238. Les Juifs pendant l'Occupation, *par André Kaspi*
H239. La France à l'heure allemande (1940-1944)
par Philippe Burrin
H240. La Société industrielle en France (1814-1914)
par Jean-Pierre Daviet
H241. La France industrielle, *par la revue « L'Histoire »*
H242. Éducation, société et politiques. Une histoire de l'enseignement en France de 1945 à nos jours.
par Antoine Prost
H243. Art et Société au Moyen Age, *par Georges Duby*
H244. L'Expédition d'Égypte 1798-1801, *par Henry Laurens*

Collection Points

SÉRIE ESSAIS

DERNIERS TITRES PARUS

269. Bloc-notes, tome 1 (1952-1957), *par François Mauriac*
270. Bloc-notes, tome 2 (1958-1960), *par François Mauriac*
271. Bloc-notes, tome 3 (1961-1964), *par François Mauriac*
272. Bloc-notes, tome 4 (1965-1967), *par François Mauriac*
273. Bloc-notes, tome 5 (1968-1970), *par François Mauriac*
274. Face au racisme
  1. Les moyens d'agir
  sous la direction de Pierre-André Taguieff
275. Face au racisme
  2. Analyses, hypothèses, perspectives
  sous la direction de Pierre-André Taguieff
276. Sociologie, *par Edgar Morin*
277. Les Sommets de l'État, *par Pierre Birnbaum*
278. Lire aux éclats, *par Marc-Alain Ouaknin*
279. L'Entreprise à l'écoute, *par Michel Crozier*
280. Nouveau Code pénal
  présentation et notes de Me Henri Leclerc
281. La Prise de parole, *par Michel de Certeau*
282. Mahomet, *par Maxime Rodinson*
283. Autocritique, *par Edgar Morin*
284. Être chrétien, *par Hans Küng*
285. A quoi rêvent les années 90 ?, *par Pascale Weil*
286. La Laïcité française, *par Jean Boussinesq*
287. L'Invention du social, *par Jacques Donzelot*
288. L'Union européenne, *par Pascal Fontaine*
289. La Société contre nature, *par Serge Moscovici*
290. Les Régimes politiques occidentaux
  par Jean-Louis Quermonne
291. Éducation impossible, *par Maud Mannoni*
292. Introduction à la géopolitique
  par Philippe Moreau Defarges
293. Les Grandes Crises internationales et le Droit
  par Gilbert Guillaume
294. Les Langues du Paradis, *par Maurice Olender*
295. Face à l'extrême, *par Tzvetan Todorov*
296. Écrits logiques et philosophiques, *par Gottlob Frege*

297. Recherches rhétoriques, Communications 16
ouvrage collectif
298. De l'interprétation, *par Paul Ricœur*
299. De la parole comme d'une molécule, *par Boris Cyrulnik*
300. Introduction à une science du langage
par Jean-Claude Milner
301. Les Juifs, la Mémoire et le Présent
par Pierre Vidal-Naquet
302. Les Assassins de la mémoire
par Pierre Vidal-Naquet
303. La Méthode
4. Les idées, *par Edgar Morin*
304. Pour lire Jacques Lacan, *par Philippe Julien*
305. Événements I
Psychopathologie du quotidien, *par Daniel Sibony*
306. Événements II
Psychopathologie du quotidien, *par Daniel Sibony*
307. Les Origines du totalitarisme
Le système totalitaire, *par Hannah Arendt*
308. La Sociologie des entreprises, *par Philippe Bernoux*
309. Vers une écologie de l'esprit 1.
par Gregory Bateson
310. Les Démocraties, *par Olivier Duhamel*
311. Histoire constitutionnelle de la France, *par Olivier Duhamel*
312. Le Pouvoir politique en France, *par Olivier Duhamel*
313. Que veut une femme ?, *par Serge André*
314. Histoire de la révolution russe
1. Février, *par Léon Trotsky*
315. Histoire de la révolution russe
2. Octobre, *par Léon Trotsky*
316. La Société bloquée, *par Michel Crozier*
317. Le Corps, *par Michel Bernard*
318. Introduction à l'étude de la parenté, *par Christian Ghasarian*
319. La Constitution, *introduction et commentaires*
par Guy Carcassonne
320. Introduction à la politique
par Dominique Chagnollaud
321. L'Invention de l'Europe, *par Emmanuel Todd*
322. La Naissance de l'histoire (tome 1)
par François Châtelet
323. La Naissance de l'histoire (tome 2), *par François Châtelet*
324. L'Art de bâtir les villes, *par Camillo Sitte*

325. L'Invention de la réalité
sous la direction de Paul Watzlawick
326. Le Pacte autobiographique, *par Philippe Lejeune*
327. L'Imprescriptible, *par Vladimir Jankélévitch*
328. Libertés et Droits fondamentaux
sous la direction de Mireille Delmas-Marty
et Claude Lucas de Leyssac
329. Penser au Moyen Age, *par Alain de Libera*
330. Soi-Même comme un autre, *par Paul Ricœur*
331. Raisons pratiques, *par Pierre Bourdieu*
332. L'Écriture poétique chinoise, *par François Cheng*
333. Machiavel et la fragilité du politique
par Paul Valadier
334. Code de déontologie médicale, *par Louis René*
335. Lumière, Commencement, Liberté
par Robert Misrahi
336. Les Miettes philosophiques
par Søren Kierkegaard
337. Des yeux pour entendre, *par Oliver Sacks*
338. De la liberté du chrétien *et* Préfaces à la Bible
par Martin Luther (bilingue)
339. L'Être et l'Essence
par Thomas d'Aquin et Dietrich de Freiberg (bilingue)
340. Les Deux États, *par Bertrand Badie*
341. Le Pouvoir et la Règle, *par Erhard Friedberg*
342. Introduction élémentaire au droit, *par Jean-Pierre Hue*
343. Science politique
1. La Démocratie, *par Philippe Braud*
344. Science politique
2. L'État, *par Philippe Braud*
345. Le Destin des immigrés, *par Emmanuel Todd*
346. La Psychologie sociale, *par Gustave-Nicolas Fischer*
347. La Métaphore vive, *par Paul Ricœur*
348. Les Trois Monothéismes, *par Daniel Sibony*
349. Éloge du quotidien. Essai sur la peinture
hollandaise du XVIIIe siècle, *par Tzvetan Todorov*
350. Le Temps du désir. Essai sur le corps et la parole
par Denis Vasse
351. La Recherche de la langue parfaite dans la culture européenne
par Umberto Eco
352. Esquisses pyrrhoniennes, *par Pierre Pellegrin*
353. De l'ontologie, *par Jeremy Bentham*